LATITUDES 1

Méthode de français

A1/A2

Régine Mérieux
Yves Loiseau

didier

Avant-propos

Nous avons le plaisir de vous présenter *Latitudes*, ensemble pédagogique qui s'adresse au public des grands-adolescents et adultes désireux d'apprendre le français. Ce manuel correspond au premier niveau d'un ensemble qui en comptera trois. Destiné aux débutants, il couvre 100 à 120 heures d'enseignement-apprentissage et leur permettra d'acquérir les compétences du niveau A1 et quelques-unes du niveau A2 du *Cadre européen commun de référence pour les langues.*

Le *Cadre européen commun de référence pour les langues*

Les objectifs et les contenus de *Latitudes* ont été définis en prenant en compte les principes du *Cadre européen commun de référence pour les langues* (Éditions Didier, 2001) : travail sur tâches, évaluation formative, autoévaluation, ouverture à la pluralité des langues et des cultures.

L'acquisition et l'autonomie de l'apprenant

Le processus d'acquisition est soigneusement pensé : la démarche est fondée sur l'observation, la réflexion, la systématisation, puis la production. Chaque point de langue est appréhendé dans sa totalité et la typologie des activités proposées garantit la fixation des acquis.

La démarche de *Latitudes* vise à mener l'apprenant vers une autonomisation en le rendant responsable et conscient de son apprentissage. Par la mise en place de diverses stratégies, il va rapidement acquérir les aptitudes nécessaires pour accomplir des tâches dans les domaines variés de la vie sociale, grâce à l'acquisition préalable de savoirs et savoir-faire communicatifs, linguistiques et culturels.

L'apprenant est souvent invité à agir en petits ou grands groupes, à simuler des scènes quotidiennes, à accomplir des tâches en liaison avec sa vie sociale. En lui laissant certaines latitudes, ces activités concrètes contribuent à sa motivation et à son engagement. Il a également à sa disposition la totalité des activités sonores des deux CD audio inclus dans le livre de l'élève et les transcriptions correspondantes.

La démarche actionnelle

La démarche de *Latitudes*, résolument actionnelle, trouve sa légitimité dans le processus d'acquisition. Ainsi, chaque unité propose à l'apprenant d'acquérir des éléments de langue-culture qu'il pourra réinvestir dans des productions guidées ou libres et dans des tâches concrètes de la vie quotidienne. Ces tâches impliquent l'apprenant dans des actions de communication qui s'inscrivent dans un contexte social clair et aboutissent à une production et à un résultat mesurable.

L'évaluation

Trois types d'évaluation sont proposés dans *Latitudes* :

- des bilans d'autoévaluation après chaque module. Les apprenants peuvent tester immédiatement leurs connaissances par des activités courtes et très ciblées. Un résultat leur permet de se situer immédiatement et des renvois à certaines activités du livre et du cahier leur donnent la possibilité de dépasser leurs difficultés ;

- une préparation aux épreuves des unités A1 et A2.1 du DELF après chaque module permet à l'apprenant d'évaluer ses compétences de communication orales et écrites ;

- des tests sommatifs pour chacune des douze unités sont à la disposition des enseignants dans le guide pédagogique. Ils comportent des activités de réception, de production, de vocabulaire et de grammaire, permettant de vérifier les acquis. Le barème de notation et un corrigé sont également proposés.

La structure de l'ouvrage

Latitudes est une méthode facile à utiliser et très pragmatique, à la fois par ses contenus, sa progression et la mise en œuvre du travail proposé.

Grâce à une organisation par objectifs fonctionnels, la structure est claire et régulière et les contenus parfaitement balisés.

Latitudes se compose de quatre modules de trois unités. Introduit par un contrat d'apprentissage détaillé, chaque module fixe un objectif général : *parler de soi, échanger, agir dans l'espace, se situer dans le temps.* De chacun de ces objectifs vont découler d'autres objectifs répondant aux besoins de la communication ; par exemple, pour *parler de soi*, il est nécessaire de savoir *se présenter, exprimer ses goûts*, etc. C'est donc à partir de ces objectifs généraux, puis plus spécifiques, qu'ont été définis les savoirs linguistiques à l'aide desquels les apprenants vont mettre en œuvre diverses compétences, telles que *comprendre, parler, interagir, écrire*, etc.

À la fin de cet ouvrage est proposé un ensemble de pages outils : précis de phonétique, précis de grammaire, tableaux de conjugaison, lexique plurilingue, corrigés des autoévaluations, transcriptions de tous les documents sonores et index des contenus. Ces outils sont indispensables à l'apprenant dans sa démarche d'autonomisation et également précieux pour l'enseignant qui peut y trouver des références adaptées au niveau des apprenants.

L'ensemble du matériel

- Le livre de l'élève accompagné de deux CD audio pour la classe contenant tous les documents sonores liés aux activités du manuel, ainsi qu'aux activités complémentaires, proposées dans le guide pédagogique.
- Le guide pédagogique proposant des explications détaillées sur la mise en place des activités, leur déroulement, leur corrigé, les informations culturelles utiles, des activités complémentaires permettant de moduler la durée de l'enseignement-apprentissage selon les besoins.
- Le cahier d'exercices avec CD audio inclus qui suit pas à pas la progression du livre de l'élève et propose des activités sonores et écrites. Ce cahier peut être utilisé en autonomie ou en classe.
- Un DVD, accompagné de son livret d'exploitation, complément nécessaire pour renforcer l'apprentissage des éléments de langue-culture présentés dans la méthode et permettre certains élargissements.

Nous espérons que vous aurez grand plaisir à travailler avec *Latitudes*.

Les auteurs

Latitudes 1 : Parcours d'apprentissage

		Objectifs de communication	→ Tâche	Activités de réception et de production orales
module 1 Parler de soi	**Unité 1 Salut ! Page 10**	• Saluer. • Entrer en contact avec quelqu'un. • Se présenter. • S'excuser.	En cours de cuisine, premiers contacts avec les membres d'un groupe.	• Comprendre des personnes qui se saluent. • Échanger pour entrer en contact, se présenter, saluer, s'excuser. • Communiquer avec *tu* ou *vous*. • Comprendre les consignes de classe. • Épeler son nom et son prénom. • Compter jusqu'à 10.
	Unité 2 Enchanté ! Page 20	• Demander de se présenter. • Présenter quelqu'un.	Dans la classe de français, se présenter et remplir une fiche pour le professeur.	• Comprendre les informations essentielles dans un échange en milieu professionnel. • Échanger pour se présenter et présenter quelqu'un.
	Unité 3 J'adore ! Page 30	• Exprimer ses goûts. • Échanger sur ses projets.	Dans un café, participer à une soirée de rencontres rapides et remplir des fiches d'appréciation.	• Dans une soirée de rencontres rapide[s], comprendre des personnes qui échangent sur elles et sur leurs goûts. • Comprendre une personne qui parle des goûts de quelqu'un d'autre. • Exprimer ses goûts. • Comprendre une demande laissée sur un répondeur téléphonique. • Parler de ses projets de week-end.
		Autoévaluation du module 1 page 40 – Préparation au DELF A1 page 42		
module 2 Échanger	**Unité 4 Tu veux bien ? Page 46**	• Demander à quelqu'un de faire quelque chose. • Demander poliment. • Parler d'actions passées.	Organiser un programme d'activités pour accueillir une personne importante.	• Comprendre une personne qui demande un service à quelqu'un. • Demander à quelqu'un de faire quelque chose. • Imaginer et raconter au passé à partir de situations dessinées.
	Unité 5 On se voit quand ? Page 56	• Proposer, accepter, refuser une invitation. • Indiquer la date. • Prendre et fixer un rendez-vous. • Demander et indiquer l'heure.	Organiser une soirée au cinéma avec des amis, par téléphone et par courriel.	• Comprendre un message d'invitatio[n] sur un répondeur téléphonique. • Inviter quelqu'un, accepter ou refuser l'invitation. • Comprendre des personnes qui fixent un rendez-vous par téléphone. • Prendre un rendez-vous par télépho[ne].
	Unité 6 Bonne idée ! Page 66	• Exprimer son point de vue positif et négatif. • S'informer sur le prix. • S'informer sur la quantité. • Exprimer la quantité.	En groupes, choisir un cadeau pour un ami.	• Exprimer son point de vue sur des idées de cadeau. • Faire des achats dans un magasin.
		Autoévaluation du module 2 page 76 – Préparation au DELF A1 page 78		

Activités de réception et de production des écrits	Savoirs linguistiques	Phonie – Graphie	Découvertes socioculturelles
Découvrir l'alphabet et l'écrit. Identifier quelques sigles. Utiliser les formules de politesse.	• *Tu* ou *vous* ? • Les jours de la semaine • Quelques formules de politesse • L'alphabet et quelques sigles • Quelques consignes de classe • *Je, tu, vous, il, elle* • *Être* • Quelques nationalités • Masculin et féminin • Les nombres de 0 à 10	• L' intonation déclarative et interrogative • Les sons [a], [wa] et [u]	En France et ailleurs
Se présenter sur un blogue.	• La négation : *ne… pas* • Les adjectifs possessifs (1) • *Être, avoir* + quelques verbes en *-er* • *C'est, il est* • L'interrogation par l'intonation • Quelques professions • Les nombres de 11 à 69 • *Oui, non, si*	• Le rythme • Les sons [i] et [y]	L'Europe
Compléter une fiche d'inscription. Remplir un chèque bancaire. Comprendre de brefs messages et pense-bêtes.	• *Aller* • *Moi aussi* • *Nous, ils, elles* • La conjugaison (complète) des verbes en *-er*, *être* et *avoir* • *Faire du, de l', de la* + sport • Les nombres après 69 • *On = nous* • Le futur proche • Quelques indicateurs de temps (1) • Les adjectifs possessifs (2)	• L'élision • Les sons [y] et [u]	La famille en France
Comprendre le récit d'actions passées dans un message électronique. Écrire un message électronique pour demander de l'aide.	• *Il y a* • Les articles définis et indéfinis • Les marques du pluriel des noms • Les pronoms après une préposition (*avec lui, chez moi*) • Le passé composé (1) • *Pouvoir, vouloir, venir, connaître*	• La liaison • Les sons [s] et [z]	Animaux & compagnie
Comprendre les informations de cartons d'invitation.	• Les pronoms compléments directs *me, te, nous, vous* • *Pourquoi ? Parce que* • *Quel(s), quelle(s)* • L'interrogation avec *est-ce que* • *Finir, savoir* • L'heure et la date • Les mois de l'année • Quelques indicateurs de temps (2)	• Les lettres finales • Les sons [ʃ] et [ʒ]	Les Français cultivent leur temps libre
Comprendre des offres de cadeaux.	• La négation : *ne… pas de* • Les articles partitifs • *Combien ? – Un peu de, beaucoup de, …* • *Qu'est-ce que, combien* • *Offrir, croire* • *Penser à, penser de* • *Plaire à* • Les couleurs • Le masculin et le féminin des adjectifs • Les pronoms compléments directs *le, la, les*	• La cédille (ç) • Les sons [k] et [g]	Quel cadeau offrir ?

Activités de réception et de production des écrits	Savoirs linguistiques	Phonie – Graphie	Découvertes socioculturelles
Se repérer sur un plan de ville. Demander et indiquer une direction dans un dialogue. Comprendre des indications de direction dans un message électronique. Prendre des notes à partir d'indications orales.	• L'impératif • Quelques prépositions de lieu • Les articles contractés *au, à la…* • Le passé composé (2) et l'accord du participe passé avec *être* • Les nombres ordinaux • *Ne… plus, ne… jamais* • Les adjectifs numéraux ordinaux • *Faire*	• *Tourner* ou *tournez* ? • Les sons [p] et [b]	Architecture et nature
Écrire un message à partir de notes écrites pour dire à quelqu'un ce qu'il doit faire. Comprendre un récit de vacances sur une carte postale.	• *En* dans les constructions verbales avec *de* • *Quelque chose, rien* • *Quelqu'un, personne* • *Il faut, devoir* • *Qui, que, où* • Les pronoms compléments indirects (*me, te, lui, leur…*)	• Les prononciations du « e » • Les sons [b] et [v]	La France d'outre-mer
Comprendre une présentation de catalogue touristique. Comprendre des pictogrammes. Comprendre la description d'un lieu et d'une situation précise dans un message électronique.	• La place des adjectifs • *Des* → *de* devant un adjectif • Le genre des noms de pays • Les prépositions et les noms de villes, de pays, de continents • *Tout(e)(s), tous* • *Y*, pronom complément • Les adjectifs démonstratifs	• Accent aigu, grave ou circonflexe ? • Les sons [ø] et [o]	L'Union européenne
Écrire une biographie à partir d'éléments écrits.	• Les verbes pronominaux • *À la pièce, au kilo* • *Un sachet de, un litre de…* • *D'abord, puis…* • *Peu, assez, trop…* • *En*, pronom complément • L'interrogation par l'inversion et révision de l'interrogation • *Partir*	• Les sons [ɛ] et [ɛ̃]	Francophonie
Comprendre la description de personnes dans un extrait de roman. Comprendre des différences de points de vue exprimées dans un message électronique. Raconter un souvenir.	• L'imparfait • L'imparfait ou le passé composé • La description d'une personne	• Les sons [a] et [ɑ̃]	Mode et société
Comprendre le message d'une carte d'anniversaire.	• *S'en aller, partir, quitter* • Les indicateurs de temps (*en, dans*) • Le futur simple • Le subjonctif présent • La place des pronoms à l'impératif	• Les sons [o] et [ɔ̃]	Musique, musiques…

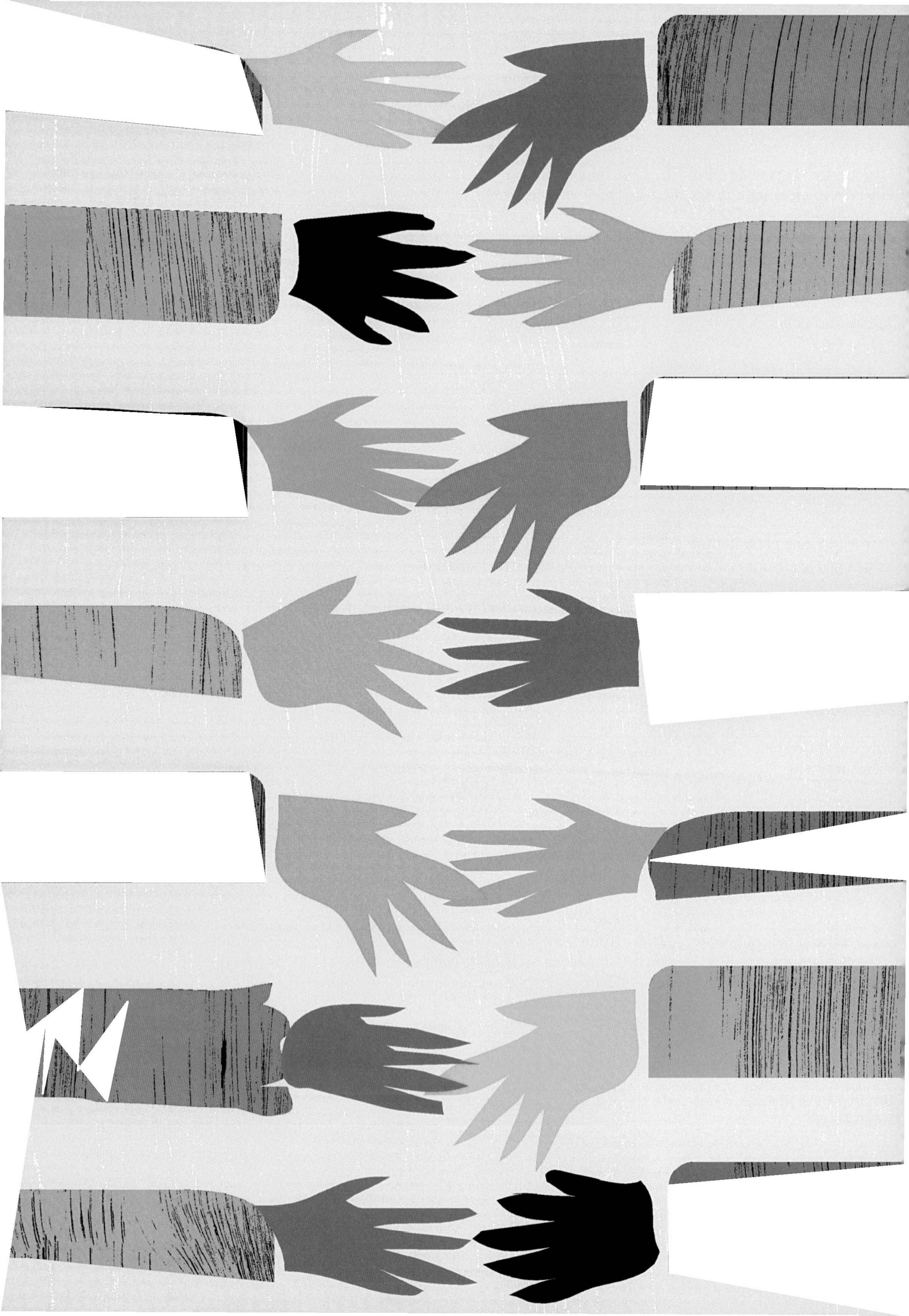

Contrat d'apprentissage

module 1 Parler de soi...

---› niveau A1

unité 1 Salut !

POUR → **Entrer en contact**

J'APPRENDS
- *s'il vous plaît, merci...*
- *tu* ou *vous*?
- l'alphabet
- les consignes de classe

→ Me présenter
- *je suis français, j'habite...*
- *être*
- quelques nationalités
- les nombres de 0 à 10

→ M'excuser
- *excuse-moi, pardon...*

TÂCHE FINALE
Je prends des cours de cuisine à l'Alliance française. Je me présente aux personnes de mon groupe.

unité 2 Enchanté !

POUR → **Demander de se présenter**

J'APPRENDS
- *tu as quel âge ?*
  quel est votre nom ?...
- *mon, ta, ses...*
- *être, avoir*, les verbes en *-er*

→ Présenter quelqu'un
- *c'est mon ami, voici Ana...*
- *c'est qui ? – c'est, il est...*
- quelques noms de professions
- les nombres de 11 à 69
- *oui, non, si*

TÂCHE FINALE
Je me présente en détails dans ma classe de français et je remplis une fiche pour mon professeur.

unité 3 J'adore !

POUR → **Exprimer mes goûts**

J'APPRENDS
- *je déteste, j'adore...*
- les nombres après 69

→ Parler de mes projets
- *je vais partir, elles vont rester...*
- *on*
- le futur proche
- quelques expressions de temps : *demain, en mai...*
- *notre, votre, leur...*

TÂCHE FINALE
Je participe à une soirée de rencontres rapides dans un café, j'échange sur mes goûts et mes projets et je remplis des fiches.

Salut !

DIALOGUE 1

— Ah ! Bonjour, Anne. Ça va ?
— Salut, David. Ça va, et toi ?
— Ça va. Merci.

DIALOGUE 2

— Bonjour monsieur Lucas. Vous allez bien ?
— Très bien. Et vous ?

DIALOGUE 3

— Au revoir, Alix !
— Salut !

DIALOGUE 4

— Allo, Éric, c'est Lili. Tu vas bien ?
— Ah ! Salut, Lili ! Oui, ça va, et toi ?

DIALOGUE 5

— Bonjour. Antoine Mouly.
— Bonjour monsieur.
— Monsieur Dubois, s'il vous plaît.
— Oui… Damien, ton rendez-vous… Oui, monsieur Mouly.

DIALOGUE 6

— Salut, le bureau 318, s'il te plaît.
— C'est là !
— Ah ! Merci. Au revoir.

> C'est clair ?

1 a) Écoutez et associez un dialogue à une photo.
b) Maintenant, écoutez les dialogues et découvrez l'écrit.

> Zoom

Tu ou *Vous* ?

2 Écoutez et complétez avec *tu* ou *vous*.

1	2	3	4	5
vous	.....	.....	.....	.....

3 Écoutez, regardez le texte des dialogues puis répétez par groupes de deux.

1. — Ah ! Bonjour, monsieur Delafon ! Vous allez bien ?
— Oui, très bien, merci. Et vous, Clara ?

2. — Tu vas bien, Nina ?
— Ça va, merci. Et toi ?

3. — Salut Théo. À demain.
— Tchao, à demain !

4. — Au revoir, madame.
— Au revoir, à lundi !

5. — Tu me téléphones samedi ?
— Oui, d'accord !

4 Classez ces mots dans le tableau.
s'il vous plaît – bonjour – merci – bien – salut – au revoir – monsieur Delafon – toi – madame – s'il te plaît – tchao – à lundi – d'accord – à demain

tu	vous	tu – vous
salut	*s'il vous plaît*	*bonjour*
.....	.....	.....

5 → *Par groupes de deux, jouez les situations.*

a

b

La semaine

lundi
mardi
mercredi
jeudi
vendredi
samedi
dimanche

Saluer

Bonjour !
Bonjour, Anne !
Bonjour, monsieur/madame.
Bonjour, monsieur Lucas.
Salut !
Salut Lili !

Au revoir.
Au revoir, Alix.
Salut !

Ça va ?

— Ça va ?
— Ça va, merci.

— Tu vas bien ?
— Oui, très bien, et toi ?

— Vous allez bien ?
— Oui, et vous ?

> *Comment on dit ?*

4

6 Écoutez et associez un dialogue à chaque situation.

a

b

1. — Bonjour !
— Bonjour, madame.
— Votre nom, s'il vous plaît.
— Euh… Demarty.
Je m'appelle Paul Demarty.
— Demarty ? Ça s'écrit comment ?
— D.E.M.A.R.T.Y.

2. — Bonjour !
— Bonjour madame. Une baguette, s'il vous plaît.
— Une baguette ? Voilà. Un euro, s'il vous plaît.
— Merci.
— Je vous en prie.

3. — Tiens. Ton CD de Bénabar.
— Ah ! Merci.
— De rien.

c

7 Complétez, puis jouez les dialogues.

1. — Monsieur ?
— Euh… Un café, ….. .
— Un café. D'accord.

2. — Un euro pour le pain ….. , maman.
— Tiens.
— ….. .
— ….. .

3. — Merci, monsieur.
— ….. .
— ….. , monsieur !
— Au revoir, à samedi.

Formules de politesse

Votre nom, **s'il vous plaît.**

Le bureau 318, **s'il te plaît.**

— **Merci**, madame/monsieur.
— **Je vous en prie.**

— **Merci**, Nina.
— **De rien.**

L'ALPHABET

8 Écoutez et répétez l'alphabet.

A B C D E F G H I J K L M N O P Q R S T U V W X Y Z
a b c d e f g h i j k l m n o p q r s t u v w x y z

9 Associez un élément de chacun des trois groupes.

Exemple : *1 d F*

1. SNCF – **2.** CHRU – **3.** TGV – **4.** BD – **5.** ONU – **6.** CIC

a. Organisation des Nations unies – **b.** Crédit industriel et commercial – **c.** Train à grande vitesse – **d.** Société nationale des chemins de fer – **e.** Centre hospitalier régional universitaire – **f.** Bande dessinée

A

B

C

D

E

F

10 → *Écoutez, complétez le prénom et le nom de la personne puis jouez le même dialogue avec votre voisin.*

« Je m'appelle I..... G..... . »

EN CLASSE

11 Écoutez ces situations de classe et repérez les quatre (4) phrases que dit l'étudiant.

1. Écoutez bien…
2. Oui, oui, j'ai compris !
3. Non, je ne comprends pas.
4. Par groupes, jouez la situation.
5. Vous pouvez répéter, s'il vous plaît ?
6. Répétez, s'il vous plaît.
7. Ça va ?
8. Regardez la photo.
9. Ça s'écrit comment ?
10. Complétez.

12 Associez.

écoutez – écrivez – lisez – regardez – complétez – soulignez

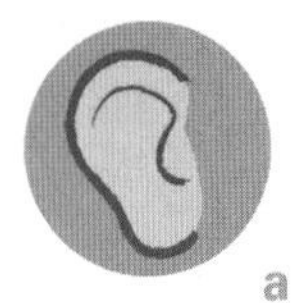

a

b

c

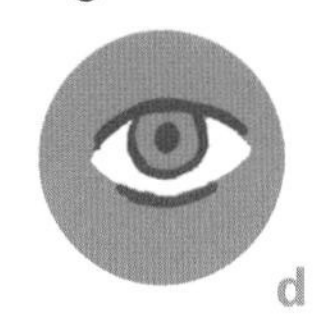

d

e

f

Se présenter

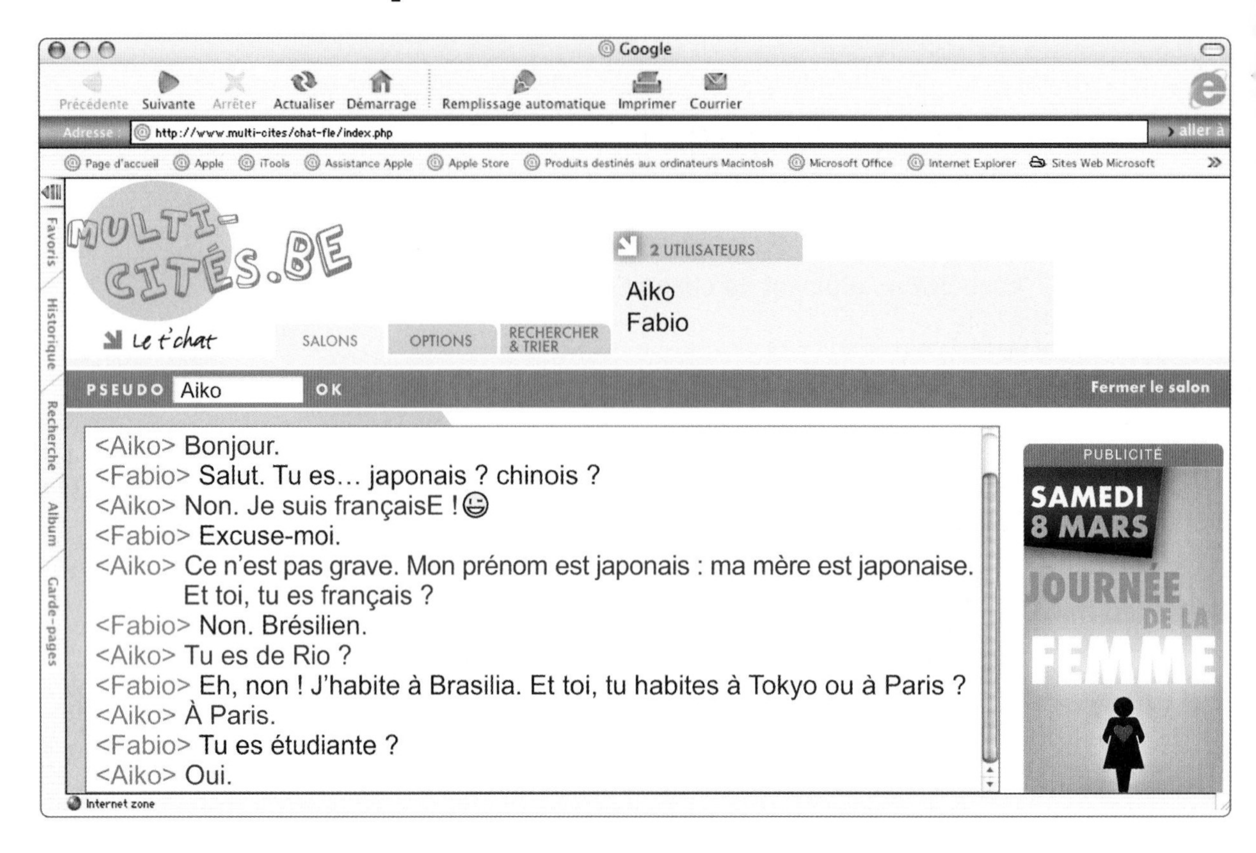

> *C'est clair ?*

13 Lisez le dialogue puis complétez le tableau.

	homme	femme	français ou française	brésilien ou brésilienne	Paris	Brasilia
Aiko		✗				
Fabio						

14 Complétez.

Aiko est ….. . Elle ….. étudiante. Elle ….. à Paris.
Fabio est ….. . Il ….. à Brasilia.

ÊTRE

15 Observez le message de Fabio et Aiko puis choisissez le mot qui convient.

1. Je (suis / es / est) français.
2. Tu (suis / es / est) brésilien ?
3. Je (suis / es / est) étudiante.
4. Ma mère (suis / es / est) japonaise.
5. Fabio (suis / est / êtes) italien ?
6. Vous (es / est / êtes) de Madrid ?

16 Complétez les phrases avec les mots qui conviennent.

1. Fabio ….. brésilien.
2. Aiko ….. à Paris.
3. Tu ….. étudiant ?
4. Je ….. espagnol.
5. Ma mère ….. française.

Être

je	suis	français(e)
tu	es	
vous	êtes	
il/elle	est	

QUELQUES NATIONALITÉS

17 Choisissez le mot qui convient.

1. Madame Cailleau est
a) français.
b) française.

2. Monsieur Ideka est
a) japonais.
b) japonaise.

3. Madame Robinho est
a) brésilien.
b) brésilienne.

chinois – chinoise
espagnol – espagnole
allemand – allemande
marocain – marocaine
belge – belge
grec – grecque

18 Écoutez et complétez les phrases.

8

1. Carlos est brésilien.	Amanda est ..... .
2. Lars est	Eva est danoise.
3. Javier est espagnol.	Amalia est ..... .
4. Takeshi est japonais.	Mitsuko est ..... .
5. Trung Kien est	Lan Anh est vietnamienne.
6. Yazid est	Charifa est marocaine.

Jamal est français.

Margot est française.

LES NOMBRES DE 0 À 10

19 Écoutez puis répétez.

9

0 : zéro
1 : un
2 : deux
3 : trois
4 : quatre
5 : cinq
6 : six
7 : sept
8 : huit
9 : neuf
10 : dix

20 Complétez.

un + un = *deux*
trois + cinq = ...
quatre + cinq = ...
huit – deux = ...
cinq – deux = ...
sept – quatre = ...
deux + quatre = ...
six + deux = ...
sept + trois = ...
six – un = ...

\+ plus – moins = égal

21 Écrivez le nombre que vous entendez.

10

a	b	c	d	e
.....	.....	.....	.....	.....

22 Comptez sur vos doigts.

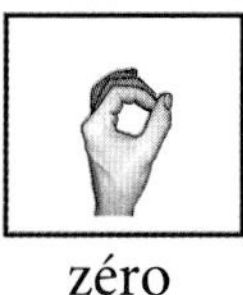
zéro

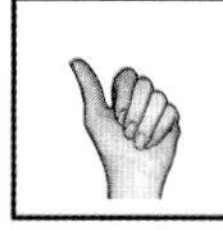
un

deux

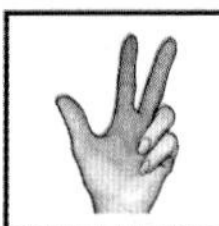
trois

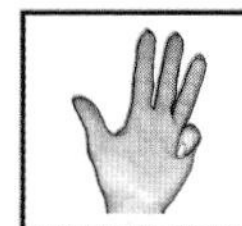
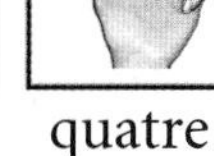
quatre

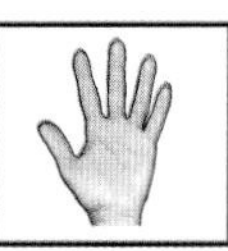
cinq

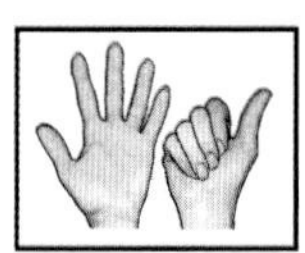
six

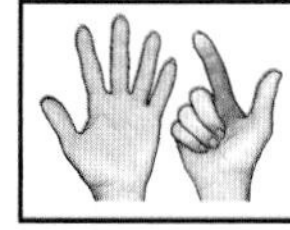
sept

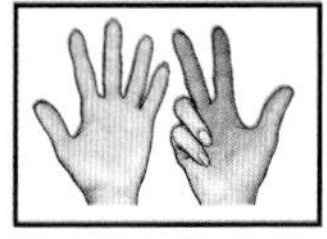
huit

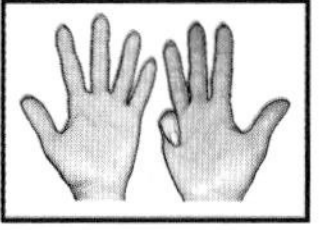
neuf

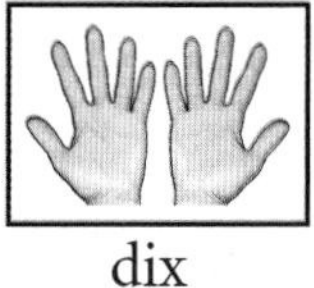
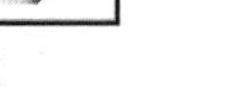
dix

> *Comment on dit ?*

11 **23 Écoutez et jouez les dialogues.**

11 **24 Dans quel dialogue entendez-vous ces expressions ? Complétez le tableau.**

	dialogue 1	dialogue 2	dialogue 3	dialogue 4
Excusez-moi !	✗			
Excuse-moi !				
Je suis désolé(e)	✗			
Pardon				

25 Que disent les personnes ? Complétez les bulles.

12 **26 Écoutez, complétez puis jouez le dialogue.**

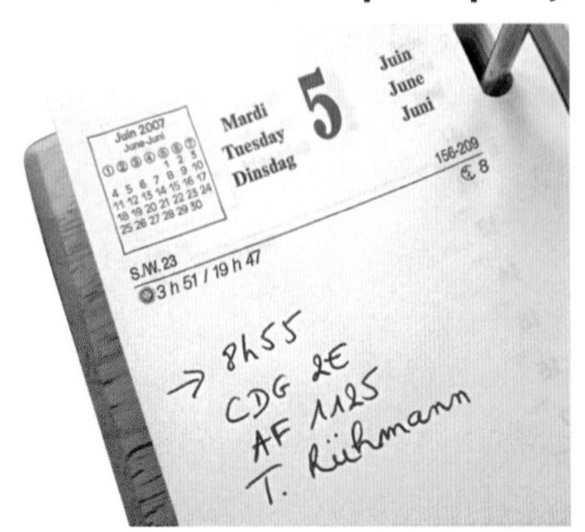

JULIE BOURGEOIS. — ….. , vous êtes Thomas Rühmann ?
UN HOMME. — Non, ….. .
JULIE BOURGEOIS. — Oh, ….. .

JULIE BOURGEOIS. — ….. , Thomas Rühmann ?
THOMAS RÜHMANN. — Oui.
JULIE BOURGEOIS. — Ah, bonjour monsieur Rühmann. Julie Bourgeois. Je suis l'assistante de madame Cailleau.
THOMAS RÜHMANN. — Ah, bonjour madame Bourgeois. Enchanté.
JULIE BOURGEOIS. — ….. à Paris ! Vous avez fait bon voyage ?
THOMAS RÜHMANN. — Oui, merci.

27 → ***Vous êtes dans un aéroport de votre pays. Vous accueillez un collègue français. Imaginez et jouez la scène.***

Vous allez à l'Alliance française pour prendre des cours de cuisine. Vous rencontrez les personnes de votre groupe. Présentez-vous à l'oral.

Des sons et des lettres

Intonation

13 A. Écoutez puis répétez.

Ça va ?	Ça va.
Monsieur ?	Monsieur.
Alex Boutin ?	Alex Boutin.
D'accord ?	D'accord.
Français ?	Français.
Mardi ?	Mardi.

14 B. Écoutez. Qu'est-ce que vous entendez ? Choisissez une des deux réponses.

1. ☐ Ça va ?
   ☒ Ça va.
2. ☐ Quatre ?
   ☐ Quatre.
3. ☐ D'accord ?
   ☐ D'accord.
4. ☐ Mercredi ?
   ☐ Mercredi.
5. ☐ Vous ?
   ☐ Vous.
6. ☐ Monsieur Lucas ?
   ☐ Monsieur Lucas.

Ça s'écrit comment ?

15 C. Écoutez puis répétez.

a : Clara – madame – ça va
oi : toi – trois – chinois
ou : vous – bonjour

16 D. a) Écoutez et écrivez.

p.....ge – dr.....te – t.....ble – s.....r – s.....ris

m.....ch.....r – c.....l..... r – t.....lettes – j.....rn.....l – p.....rqu.....

R.....ssy – Mosc..... – D.....k.....r – Str.....sb.....rg – K.....r.....

b) Lisez les mots que vous avez écrits.

EN FRANCE ET AILLEURS

28 Regardez les États voisins de la France métropolitaine. Dans cette liste, quels sont les États où on parle français ?
l'Allemagne, la Belgique, l'Espagne, la Grande-Bretagne, l'Italie, le Luxembourg, les Pays-Bas, la Suisse, Andorre, Monaco.

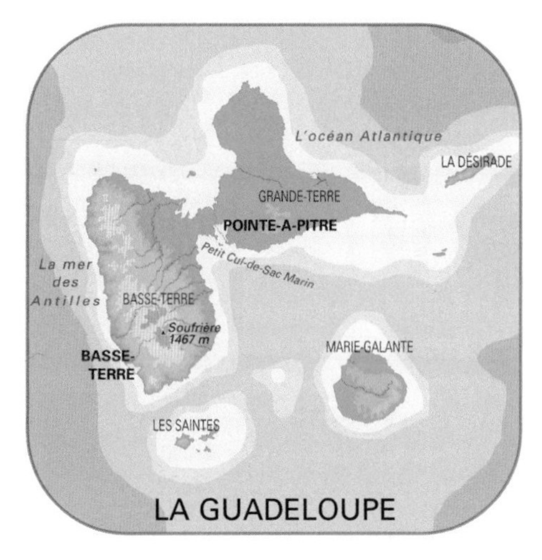

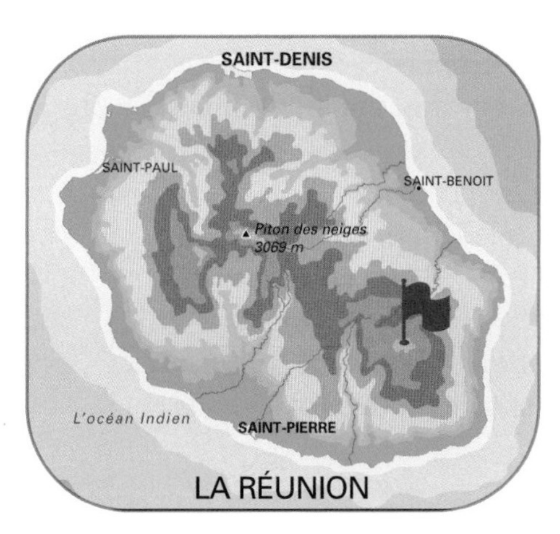

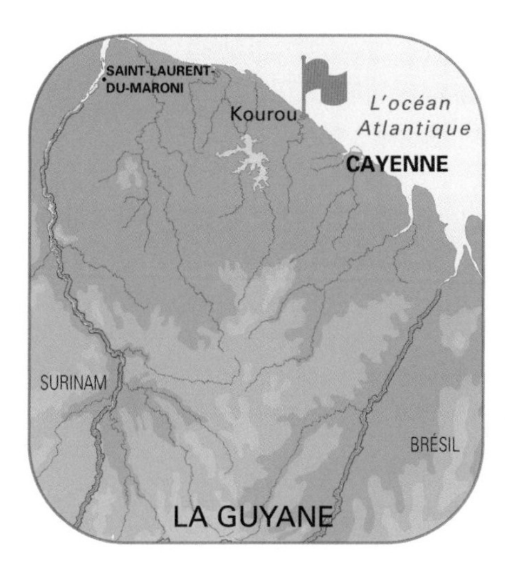

29 Avec votre professeur, montrez sur les cartes où sont les sites ⚑.

a. Le château de Chenonceau
b. La tour Eiffel
c. Le Mont-Saint-Michel
d. Le piton de la Fournaise
e. Le centre spatial de Kourou
f. Le Manneken Piss

Enchanté !

Isabelle Tivaut. — Bonjour, bienvenue aux éditions Pixma. Isabelle Tivaut, je suis la directrice. Je vous présente Christian Rigon, directeur du français. Voici Fabienne, éditrice, et là, c'est Philippe ; il est directeur de l'international. Merci beaucoup de travailler dans vos pays pour les éditions Pixma.
Vous pouvez vous présenter, s'il vous plaît ? Oui, commencez, Barbara, d'accord.
Barbara. — Bonjour, je suis Barbara Malecka ; je travaille pour Pixma à Varsovie.
Blandine. — Moi, c'est Blandine ; je suis française et je travaille à Mexico.
Amanda. — Et tu habites à Mexico ?
Blandine. — Oui, oui, j'habite à Mexico.
Isabelle Martin. — Isabelle Martin, je viens de Madrid.
Isabelle Tivaut. — Très bien. Et vous, vous êtes…
Frédéric. — Bonjour. Moi, je m'appelle Frédéric et je travaille à Genève.
Amanda. — Tu es suisse ?
Frédéric. — Et non ! je ne suis pas suisse, je suis belge.
Amanda. — Moi, je viens de Sao Paulo et je travaille dans tout le pays : à Rio de Janeiro, à Brasilia, Curutiba…
Isabelle Tivaut. — Et quel est votre nom ?
Amanda. — Oh ! Pardon… Je m'appelle Amanda.
Noura. — Bonjour, moi c'est Noura. Je travaille à Beyrouth et aussi à Damas.
Frédéric. — Quelle est ta nationalité ? libanaise ou française ?
Noura. — Je suis libanaise.
Frédéric. — Tu es très jeune, non ?
Noura. — Euh… Jeune ? Non, euh… oui… J'ai 26 ans.
Isabelle Tivaut. — Bon, merci. Pour commencer, Christian vous présente les nouveaux livres de français…

Oui / Non

— Tu habites à Mexico ?
— Oui, j'habite à Mexico.

— Philippe est éditeur ?
— Non, Philippe est directeur de l'international.

— Tu es suisse ?
— **Non**, je **ne** suis **pas** suisse, je suis français.

> *C'est clair ?*

17

1 Écoutez puis associez un élément de chaque colonne.

1. Il est belge.	a. Frédéric
2. Elle est française.	b. Blandine
3. Elle est polonaise.	c. Noura
4. Il est français.	d. Philippe
5. Elle est libanaise.	e. Barbara

2 Répondez.

Exemple : — *Qui est à Mexico ?*
— *C'est Blandine.*

1. Qui travaille à Varsovie ?
2. Qui est brésilienne ?
3. Qui travaille à Damas ?
4. Fabienne est directrice des éditions Pixma ?
5. Qui est directeur du français ?

> *Zoom*

3 Lisez le dialogue page 20. Complétez les phrases, puis associez.

Je travaille ..... Varsovie.
Tu habites ..... Mexico ?
Je viens ..... Madrid.
Je viens ..... Sao Paulo.

J'habite •
Je travaille •
Je viens •

• à Paris.
• de Paris.

4 Choisissez le verbe qui convient.

1. Fabienne est française. Elle (vient / habite) à Paris.
2. Frédéric n'est pas suisse, il (vient / travaille) à Genève.
3. Blandine (travaille / vient) de Mexico.
4. Barbara (travaille / vient) de Varsovie. Elle (est / habite) à Paris, aux éditions Pixma.
5. Noura est libanaise et elle (travaille / vient) à Beyrouth et à Damas.

Elle habite **à** Mexico.
Djelloul vient **de** Syrie.

Demander de se présenter

> *Comment on dit ?*

5 Lisez le dialogue page 20 et complétez.

— *Vous pouvez vous présenter, s'il vous plaît ?*
— Bonjour. Je suis Barbara Malecka.

— ..... ?
— Oh ! Pardon… Je m'appelle Amanda.

— ..... ?
— Je suis libanaise.

6 Lisez le tableau *Demander de se présenter*.
Écoutez et retrouvez les trois questions de Martin.

7 → Mettez-vous par groupes de deux (A et B). A pose les questions du tableau *Demander de se présenter* à B qui répond. Ensuite, A devient B et B devient A.

Demander de se présenter

Tu	**Vous**
Tu t'appelles comment ?	Vous vous appelez comment ?
Quel est ton nom ?	Quel est votre nom ?
Tu as quel âge ?	Vous avez quel âge ?
Quelle est ta nationalité ?	Quelle est votre nationalité ?
Tu habites où ?	Vous habitez où ?
Quelle est ton adresse (électronique) ?	Quelle est votre adresse (électronique) ?
Quel est ton numéro de téléphone ?	Quel est votre numéro de téléphone ?

MON, TA, SES…

8 Relisez le dialogue de la page 20 et complétez.

tu	vous
Quel est **ton** nom ?	Quel est ..... nom ?
Quelle est ..... nationalité ?	Quelle est **votre** nationalité ?

je = ... nom, ma nationalité, mes deux adresses.
tu = ... nom, ... nationalité, tes deux adresses.
il/ elle = son nom, ... nationalité, ... deux adresses.
vous = ... nom, ... nationalité, vos deux adresses.

9 Complétez avec *mon, ma, mes, ton, ta, tes, son, sa, ses, votre* ou *vos*.

1. — ..... nom, s'il vous plaît ?
   — ..... nom ? Janin. Marie Janin.
2. — Qui est-ce ? C'est ton amie ?
   — Non, ce n'est pas ..... amie, c'est ..... mère !
3. — Monsieur Colas, ... rendez-vous est là.
   — Ah oui, ... rendez-vous ! Merci, Anne.
4. — Tu me téléphones lundi ?
   — Oui. Quel est ..... numéro de téléphone ?
   — C'est le 06 11 25 35 01.

Mon, ma, mes…

MASCULIN	FÉMININ	PLURIEL
je = **mon** nom	**ma** nationalité	**mes** amis
tu = **ton** nom	**ta** nationalité	**tes** amis
il/elle = **son** nom	**sa** nationalité	**ses** amis
vous = **votre** nom	**votre** nationalité	**vos** amis

Attention : ma, ta, sa → **mon, ton, son** *devant les noms féminins qui commencent par* «a», «e», «i», «o», «u» *et certains* «h».
mon amie, **ton a**dresse, **son h**istoire

ÊTRE, AVOIR, VERBES EN -ER

10 Complétez avec *je, j', tu, il, elle* ou *vous*.

1. ..... vous appelez comment ?
2. ..... est brésilienne.
3. Et toi, ... es français ?
4. Noura a 26 ans et moi, ... ai 22 ans.
5. ..... habitez à Paris ou à Nice ?
6. ..... suis directeur.
7. Moi, ... travaille à Paris et ..... habite à Versailles.
8. ..... a 22 ans, ... habite en Chine et ..... est français.

11 Complétez le tableau.

être	je ..... jeune	tu ..... jeune	il/elle ..... jeune	vous êtes jeune
avoir	j'..... 25 ans	tu as 25 ans	il/elle a 25 ans	vous ..... 25 ans
travailler	je	tu travailles	il/elle	vous travaillez

12 Choisissez un verbe et mettez-le à la forme qui convient.

Exemple : *Tu (travailler / s'appeler) où ? → Tu travailles où ?*

1. Isabelle (être / avoir) ..... 27 ans.
2. Vous (habiter / présenter) ..... à Mexico ?
3. Tu me (présenter / travailler) ..... ton ami ?
4. Cristina (être / s'appeler) ..... espagnole et elle (avoir / habiter) ..... en France.
5. S'il vous plaît, vous (avoir / écouter) ..... et vous (répéter / s'excuser) ..... .
6. Fabienne (travailler / être) ..... éditrice et elle (travailler / habiter) ..... aux éditions Pixma.

Être	**Avoir**	**Travailler (habiter...)**	**S'appeler**
Je suis suisse.	J'ai 25 ans.	Je travaille à Paris.	Je m'appelle Isabelle.
Tu es libanaise ?	Tu as quel âge ?	Tu travailles à Nice ?	Tu t'appelles Christian ?
Il/Elle est belge.	Il a 10 ans.	Il travaille pour Pixma.	Elle s'appelle Noura.
Vous êtes polonais ?	Vous avez 26 ans ?	Vous travaillez où ?	Vous vous appelez comment ?

13 → *Comme Félix, présentez-vous sur ce blogue.*

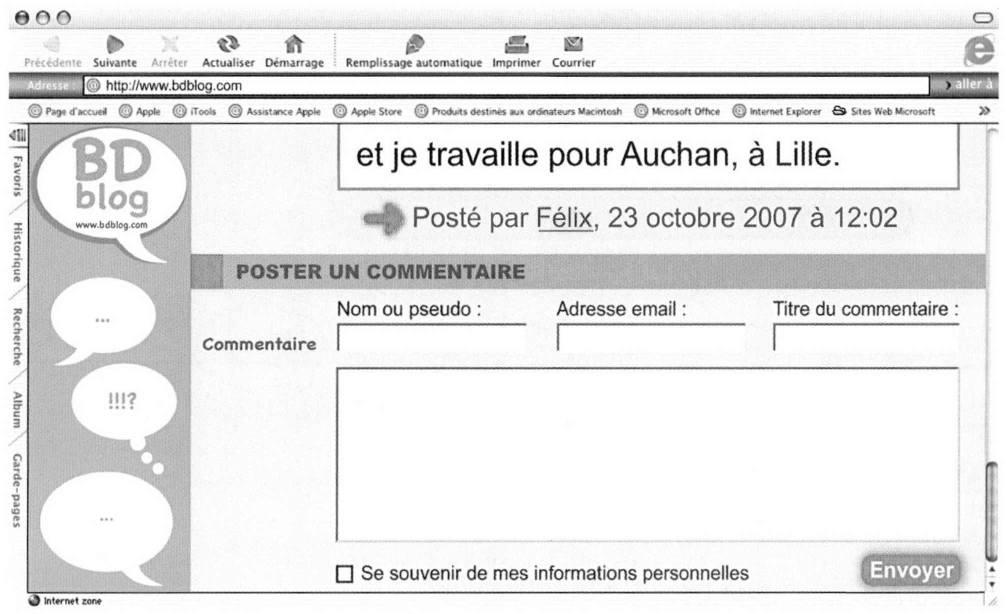

Présenter quelqu'un

Fabio,

C'est une photo de mon frère. Il a aussi un
japonais : il ... Yumé. Il ... 29 ans et
travaille chez Air France. Il est ... pilote, il
... informaticien, dommage !
Il y a aussi une photo de ... parents : ... mère
s'appelle Naoko, ... a 52 et ... père, c'est
Bernard. Il ... 55 ans. Il ... professeur de japonais
à Paris.
J'adore ... famille ! Et toi, Fabio, tu as des photos
de ... famille, s'il te plaît ?

A bientôt,

Aiko

> C'est clair ?

19

14 a) Lisez le message de Aiko et complétez.
b) Aiko lit son message avant de l'envoyer. Écoutez Aiko et vérifiez vos réponses.

15 Lisez et répondez : *vrai, faux* ou *on ne sait pas.*

1. Le père d'Aiko s'appelle Yumé.
2. Yumé est pilote chez Air France.
3. La mère d'Aiko est informaticienne.
4. Le père d'Aiko est japonais.
5. Le père d'Aiko parle japonais.

> Comment on dit ?

16 Lisez le message d'Aiko et retrouvez les associations.

Il a •	• Bernard.
Elle s'appelle •	• informaticien.
Il est •	• chez Air France.
C'est •	• Naoko.
Il travaille •	• 29 ans.
Il est •	• professeur.

17 → *Présentez une personne que vous aimez.*

Présenter quelqu'un

Je vous présente Amanda.
C'est le directeur.
Il est directeur.
Voici Noura. Elle travaille chez Pixma.
Elle a 42 ans.

C'EST QUI ?

18 Écoutez et complétez.

..... Yann Chapion. Il est ..... . Il est ..... : il ..... 22 ..... .
..... l'assistant de Christian Rigon et ..... mon ami !

19 Choisissez le mot qui convient.

1. Voici (éditrice / Fabienne).
2. (Il est / C'est) Philippe.
3. Là, c'est (Blandine / directeur).
4. Je vous présente (Madrid / Isabelle).
5. (Il est / C'est) le directeur.
6. Elle est (directeur / directrice).

20 Observez le tableau puis complétez les phrases avec *c'est, il est* ou *elle est*.

1. ..... Blandine. ..... française.
2. ..... informaticien. ..... le frère d'Aiko.
3. ..... son père. ..... professeur de japonais.
4. ..... une photo de ma famille.
5. ..... ma mère. ..... jeune et jolie.

C'est qui ?

C'est un éditeur. **Il est** français.
C'est Naoko. **Elle est** japonaise.
C'est mon professeur. **Il est** belge.
C'est un ami. **Il est** pilote.
C'est la directrice. **Elle est** jolie.

IL FAIT QUOI ?

21 Associez chaque profession à une photo.

a

b

c

d

1. professeur – 2. médecin – 3. journaliste – 4. informaticien

22 Écoutez et retrouvez dans la liste les professions que vous entendez.

informaticien – professeur – pilote – journaliste – musicien – boulanger – médecin – éditeur – coiffeur

IL A QUEL ÂGE ?

23 Écoutez et répétez.

11 : onze	13 : treize	15 : quinze	17 : dix-sept	19 : dix-neuf
12 : douze	14 : quatorze	16 : seize	18 : dix-huit	20 : vingt

24 Écoutez et écrivez le nombre que vous entendez dans chaque phrase.

a) *dix-neuf*	c)	e) .....
b)	d)	f) .....

25 Complétez.

21 : vingt et un
23 : vingt-trois
..... : vingt-six
29 : .....
30 : trente
32 : .....
..... : trente-sept
40 : quarante

41 : .....
..... : cinquante
58 : .....
60 : .....
..... : soixante et un
63 : .....
69 : .....

Les nombres de 11 à 69

11 : onze
12 : douze
13 : treize
14 : quatorze
15 : quinze
16 : seize
17 : dix-sept
18 : dix-huit
19 : dix-neuf
20 : vingt
21 : vingt et un
22 : vingt-deux
27 : vingt-sept
32 : trente-deux
41 : quarante et un
48 : quarante-huit
50 : cinquante
63 : soixante-trois

OUI, NON, SI

26 Lisez les minidialogues puis choisissez la réponse qui convient.

— Tu n'es pas en France ?
— Si, je suis en France, à Paris.

— Barbara ne travaille pas à Varsovie ?
— Si, elle travaille à Varsovie.

Si = 1. oui
2. non
3. merci

27 Complétez avec *oui, non* ou *si.*

1. — Ta mère s'appelle Lili ?
— ..... , elle ne s'appelle pas Lili, elle s'appelle Monique !
2. — Noura n'est pas libanaise ?
— ....., elle est libanaise et elle travaille aussi à Damas.
3. — Vous venez de Genève ?
— ....., j'habite à Zurich. Et vous ?
4. — Il aime le football, ton père ?
— ....., il n'aime pas le foot, il aime le rugby et le tennis.
5. — Et toi, tu n'es pas éditeur ?
— ....., je suis éditeur. Je travaille aux éditions Pixma.

Oui, non, si

— Vous aimez la France ?
— Oui, j'aime la France. ☺

— Tu aimes le tennis ?
— Non, je n'aime pas le tennis. ☹

— Elle n'est pas directrice ?
— Si, elle est directrice. ☺

24

28 Écoutez et complétez le tableau.

	1	2	3	4	5	6
oui – si ☺	✗					
non ☹						

→À L'ÉCOLE MONT-ROYAL

Vous allez travailler six mois au Canada. Le soir, vous allez dans une école pour apprendre le français. Vous arrivez dans la classe et votre professeur vous demande de vous présenter. Vous donnez votre nom et votre prénom. Le professeur vous demande votre nationalité, votre âge, votre profession, où vous habitez, etc.

Par groupes de deux, jouez la situation.
Ensuite, remplissez la fiche pour votre professeur.

Des sons et des lettres

Rythme

25 **A. Écoutez puis répétez ces mots. Attention au rythme.**

Groupes de deux :
pré**nom** – com**ment** – Pa**ris** – la **France** –
pi**lote** – ré**pète** – j'ha**bite** – quel **âge** ?
Deux groupes de deux :
J'a**dore** la **France**. – Il **est** fran**çais**. –
Bon**jour** Phi**lippe**.

Groupes de trois :
profe**ssion** – c'est Fa**bio** – je tra**vaille** – j'ai
30 **ans** – s'il te **plaît** – un a**mi** – elle est **jeune**
Deux groupes de trois : T'ha**bites où** Ai**ko** ? –
Je tra**vaille** à Pa**ris**. – Ton pré**nom**, s'il te **plaît** ?

B. a) Entraînez-vous à lire ces mots et groupes de mots.

1. Ça va ? – Bonjour ! – madame – Et toi ? – trente ans – allemand
2. portugais – il est belge – cinquante trois – j'ai quinze ans – tu travailles

26 **b) Contrôlez avec l'enregistrement et répétez chaque mot et groupe de mots.**

27 **C. Lisez ces mots et ces phrases puis contrôlez avec l'enregistrement.**

Âge – Quel âge ? – Tu as quel âge ?
Elle – Elle habite où ? – Elle habite à Bordeaux.
Elle apprend. – Elle apprend le français. –
Elle apprend le français à Lille.

[i] ou [y] ?

28 **D. Écoutez et choisissez [i] ou [y].**

	1	2	3	4	5	6	7	8
[i] *(merci)*								
[y] *(salut)*								

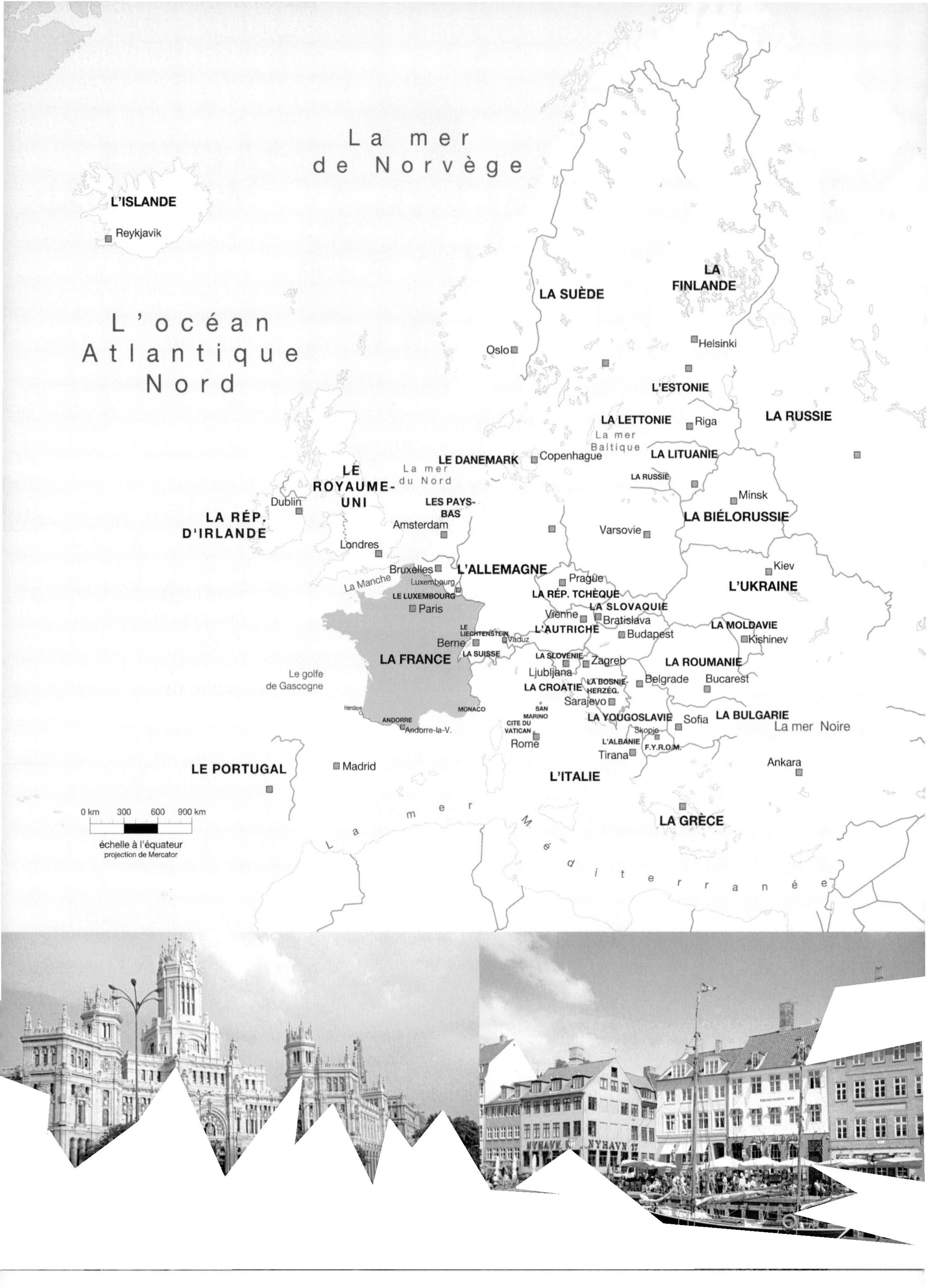

La mer
de Norvège
L'ISLANDE
Reykjavik
L'océan
Atlantique
Nord
LA SUÈDE
LA FINLANDE
Oslo
Helsinki
L'ESTONIE
LA LETTONIE
Riga
LA RUSSIE
La mer
Baltique
LA LITUANIE
LE DANEMARK
Copenhague
LE
ROYAUME-
UNI
La mer
du Nord
LA RUSSIE
Minsk
Dublin
LA RÉP.
D'IRLANDE
LES PAYS-
BAS
Amsterdam
LA BIÉLORUSSIE
Varsovie
Londres
Bruxelles
L'ALLEMAGNE
Kiev
La Manche
Luxembourg
LE LUXEMBOURG
Prague
LA RÉP. TCHÈQUE
L'UKRAINE
Paris
LA SLOVAQUIE
Vienne
Bratislava
L'AUTRICHE
Budapest
LA MOLDAVIE
Kishinev
LE
LIECHTENSTEIN
Vaduz
Berne
LA SUISSE
LA FRANCE
LA SLOVÉNIE
Zagreb
LA ROUMANIE
Ljubljana
LA BOSNIE-
HERZÉG.
Belgrade
Bucarest
Le golfe
de Gascogne
LA CROATIE
Sarajevo
Hendaye
MONACO
SAN
MARINO
CITE DU
VATICAN
LA YOUGOSLAVIE
Sofia
LA BULGARIE
ANDORRE
Andorre-la-V.
Skopje
La mer Noire
Rome
L'ALBANIE
F.Y.R.O.M.
Tirana
Ankara
LE PORTUGAL
Madrid
L'ITALIE
0 km 300 600 900 km
échelle à l'équateur
projection de Mercator
La mer Méditerranée
LA GRÈCE
NYHAVN 17

L'EUROPE

29 Regardez la carte de l'Europe et replacez au bon endroit :
- les noms de pays : l'Espagne, la Belgique, la Norvège, la Pologne, la Hongrie, la Turquie ;
- les noms de villes : Berlin, Lisbonne, Stockholm, Tallinn, Vilnius, Moscou, Athènes.

Tallinn

29 **30 Écoutez ces personnes et dites si elles sont européennes ou non.**

	1	2	3	4	5	6	7
Il est européen. Elle est européenne.							

31 a) Regardez la carte de l'Europe puis associez un élément de chaque colonne pour construire des phrases. Écrivez puis lisez vos phrases.

	Maria, Johanna, Ika, Anna, Andrea, Helke, Ritt, Eugenia, Pilar	habite à	Sofia. Ankara. Prague. Madrid. Budapest. Paris. Bucarest. Athènes. Copenhague.	Il est Elle est	tchèque. français(e). hongrois(e). bulgare. turc (turque). roumain(e). danois(e). grec (grecque). espagnol(e).
	Mark, John, Goran, Ernst, Artur, Ali, Andreas, Pablo				

b) Sur le même modèle, créez oralement de nouvelles phrases.

	.....	habite à	Il est ..... Elle est .....

J'adore !

Alice
29 ans

INFORMATIONS GÉNÉRALES
Numéro : 107
Profession : étudiante en médecine
Ville : Ramonville

PRÉFÉRENCES
Sorties : restaurant, cinéma, soirées entre amis
Sports : natation, ski et tennis
Musique : pop rock…
Loisirs : voyages, balades

Christophe
31 ans

INFORMATIONS GÉNÉRALES
Numéro : 92
Profession : professeur de biologie
Ville : Toulouse

PRÉFÉRENCES
Sorties : restaurant, cinéma, soirées entre amis
Sports : judo, ski, escalade et basket-ball
Musique : musique classique, jazz…
Loisirs : lecture, voyages

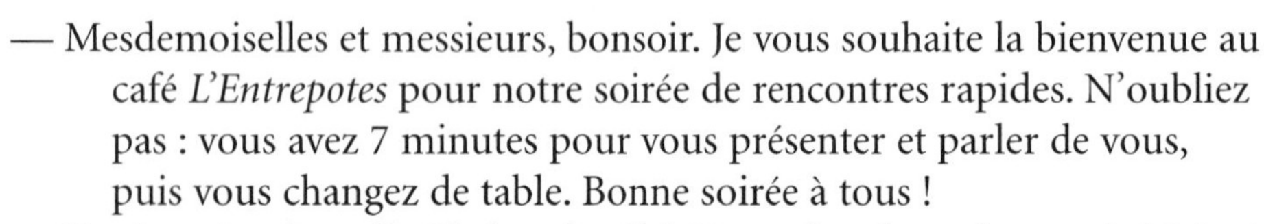

— Mesdemoiselles et messieurs, bonsoir. Je vous souhaite la bienvenue au café *L'Entrepotes* pour notre soirée de rencontres rapides. N'oubliez pas : vous avez 7 minutes pour vous présenter et parler de vous, puis vous changez de table. Bonne soirée à tous !

— Bonjour, je m'appelle Christophe. J'ai 31 ans, je suis professeur de biologie et j'habite à Toulouse. Et toi ?

— Bonjour, moi c'est Alice. J'ai 29 ans et je suis étudiante en médecine. J'habite à Ramonville dans une grande maison avec deux amies mais l'année prochaine, je vais travailler à Lyon. J'ai deux sœurs et j'aime beaucoup être avec elles. Elles sont adorables. J'adore la cuisine chinoise. Et toi ?

— Moi, j'adore cuisiner mais la cuisine chinoise, c'est un peu difficile ! J'aime faire du sport. Je fais de l'escalade et du ski avec deux amis. Ils travaillent avec moi et les week-ends, nous skions dans les Pyrénées.

— Super ! J'adore le ski moi aussi, mais je n'aime pas l'escalade. C'est un peu dangereux, non ? Tu aimes nager ?

— Ah non, non ! Je déteste la natation mais j'aime me baigner dans la mer. Le mois prochain, je vais passer deux jours à Nice : je vais me baigner l'après-midi et je vais voir un festival de musique le soir. Tu aimes le jazz ?

— Le jazz ? Je n'aime pas du tout !

— 2 minutes…

— J'aime le ski.
— Ah ! **Moi aussi !**

Aller

je vais	nous allons
tu vas	vous allez
il / elle va	ils / elles vont

> *C'est clair ?*

1 Lisez les fiches, écoutez puis répondez : *vrai, faux* ou *on ne sait pas.*

1. Alice a trois sœurs.
2. L'année prochaine, Alice va habiter à Toulouse.
3. Christophe aime faire du sport et cuisiner.
4. Alice et Christophe vont aller à Nice.
5. Alice n'aime pas le jazz.
6. Christophe trouve Alice très jolie.

> *Zoom*

2 Écoutez le dialogue une autre fois puis associez.

1. nous	a. mes deux sœurs
2. ils	b. je + mes deux amis
3. elles	c. mes deux amis

3 Lisez le tableau *Faire du, de la, de l'* puis complétez.

Faire du, de la, de l'

Je fais du sport.
Elle fait de la natation.
Il fait de l'escalade.

4 Écoutez à nouveau l'enregistrement et complétez les phrases.

1. Elle s'appelle ..... . Elle a ..... ans, elle habite à ..... et elle est ..... .
   Elle adore ..... et ..... mais elle n'aime pas ..... .
2. Il s'appelle ..... . Il a ..... ans, il habite à ..... et il est ..... .
   Il aime faire ..... mais il déteste ..... .

Exprimer ses goûts

> *Comment on dit ?*

(31) **5 Écoutez et complétez le tableau.**

☺ aime ☹ n'aime pas

	Christophe	Alice
les voyages	☺ *Il aime les voyages.*	
le ski		
la natation		
le jazz		
le cinéma		
l'escalade		

(32) **6 Écoutez et complétez le tableau avec ces expressions.**

je déteste – j'adore – je n'aime pas du tout – j'aime beaucoup – je n'aime pas

💔💔💔	💔💔	💔	❤	❤❤	❤❤❤
.....	.....	.....	*j'aime bien*	.....	.....

7 Lisez le tableau et complétez les phrases.

Exemple : *Il* ❤❤❤ *danser → Il adore danser.*

1. — Vous ❤ la musique classique ?
   — Oui. Tous les mois, je vais à l'opéra avec mes amis.
2. — Tu 💔 l'avion ?
   — Non, j'ai peur ! Je voyage en train.
3. — En février, nous allons manger dans un bon restaurant à Lyon. Vous venez avec nous ?
   — Oh, oui ! Nous ❤❤❤ la cuisine française !
4. — Tu vas regarder les Jeux olympiques à la télé en juillet ?
   — Bien sûr, j'❤❤ le sport !
5. — Je vais acheter un chat à Lucas pour son anniversaire.
   — Non, ce n'est pas une bonne idée ! Il 💔💔💔 les chats !
6. — Pourquoi Lise et Sophie ne vont pas en vacances à la mer ?
   — Elles 💔💔 la plage !

Les verbes en -er

je chant**e**
tu nag**es**
il / elle dans**e**
nous détest**ons**
vous aim**ez**
ils / elles ador**ent**

8 Exprimez vos goûts sur chaque élément proposé.

Exemple : *le football → J'aime beaucoup le football.*

les voyages – la télévision – la ville – la mer – la montagne – le jazz – le cinéma

LES NOMBRES APRÈS 69

9 Regardez les fiches d'Alice et de Christophe, page 30, et choisissez la réponse qui convient.

1. Alice a le numéro :
a) cent un
b) cent cinq
c) cent sept

2. Christophe a le numéro :
a) quatre-vingt-onze
b) quatre-vingt-douze
c) quatre-vingt-quinze

10 Écoutez et trouvez les nombres que vous entendez.

70 soixante-dix
81 quatre-vingt-un
89 quatre-vingt-neuf
97 quatre-vingt-dix-sept

122 cent vingt-deux
132 cent trente-deux
264 deux cent soixante-quatre
274 deux cent soixante-quatorze

895 huit cent quatre-vingt-quinze
922 neuf cent vingt-deux
1 220 mille deux cent vingt

11 Lisez les numéros de téléphone à gauche puis écrivez les numéros de téléphone à droite (en chiffres ou en lettres).

1. 04 63 37 56 87
zéro quatre / soixante-trois / trente-sept / cinquante-six / quatre-vingt-sept

2. 0 801 235 863
zéro / huit cent un / deux cent trente-cinq / huit cent soixante-trois

a. *SOS Croix rouge* : 0 800 858 858 → .....

b. *Tabac Info service* : zéro / huit cent trois / trois cent neuf / trois cent dix → .....

c. Votre numéro de téléphone → .....

12 Écoutez et répondez : *vrai* ou *faux*.

1. Elle s'appelle Marina Amerinda.
2. Elle habite à Grenoble.
3. Elle téléphone pour le DELF.
4. Elle rappelle demain à 10 h 30.
5. Son numéro de téléphone portable est le 06 81 85 12 71.

13 Écoutez et complétez la fiche d'inscription.

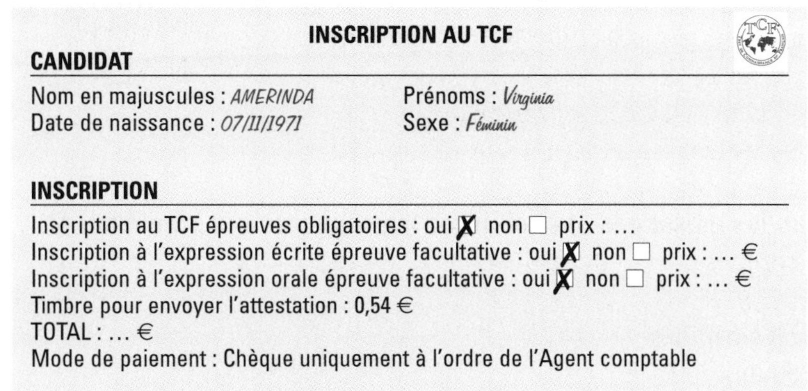
INSCRIPTION AU TCF

CANDIDAT

Nom en majuscules : AMERINDA
Prénoms : Virginia
Date de naissance : 07/11/1971
Sexe : Féminin

INSCRIPTION

Inscription au TCF épreuves obligatoires : oui ☒ non ☐ prix : ...
Inscription à l'expression écrite épreuve facultative : oui ☒ non ☐ prix : ... €
Inscription à l'expression orale épreuve facultative : oui ☒ non ☐ prix : ... €
Timbre pour envoyer l'attestation : 0,54 €
TOTAL : ... €
Mode de paiement : Chèque uniquement à l'ordre de l'Agent comptable

14 Regardez la fiche d'inscription à l'examen du TCF et complétez le chèque.

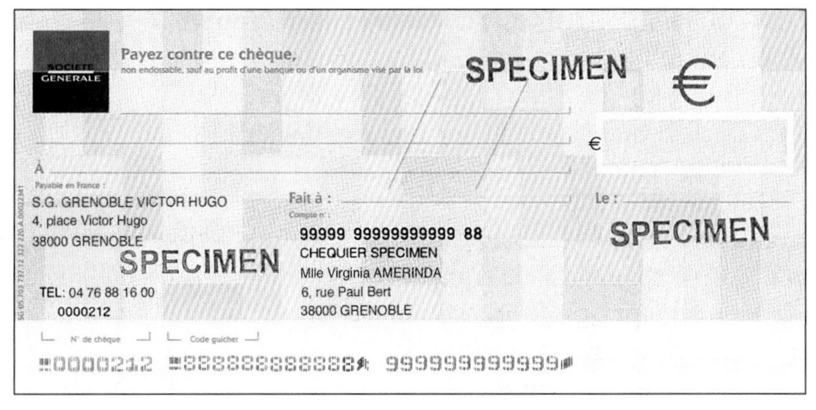
SOCIETE GENERALE
Payez contre ce chèque,
non endossable, sauf au profit d'une banque ou d'un organisme visé par la loi
SPECIMEN
€
€
À
Payable en France :
S.G. GRENOBLE VICTOR HUGO
4, place Victor Hugo
38000 GRENOBLE
TEL: 04 76 88 16 00
0000212
Fait à :
Compte n° :
99999 99999999999 88
CHEQUIER SPECIMEN
Mlle Virginia AMERINDA
6, rue Paul Bert
38000 GRENOBLE
Le :
SPECIMEN
SPECIMEN
N° de chèque
Code guichet
⑈0000212 ⑈888888888888⑆ 999999999999⑈

Les nombres de 70 à 1 000 000

70 : soixante-dix
71 : soixante et onze
80 : quatre-vingts
81 : quatre-vingt-un
90 : quatre-vingt-dix
91 : quatre-vingt-onze
99 : quatre-vingt-dix-neuf
100 : cent
101 : cent un
300 : trois cents
312 : trois cent douze
1 000 : mille
1 004 : mille quatre
1 991 : mille neuf cent quatre-vingt-onze
1 000 000 : un million

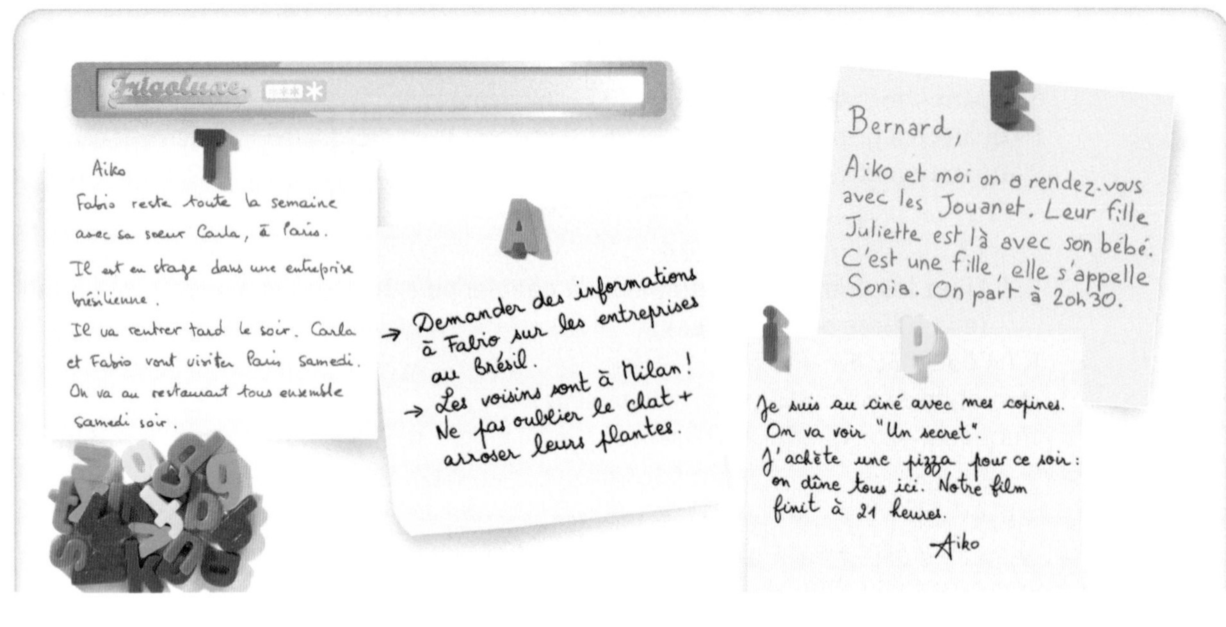

> *C'est clair ?*

15 Lisez les messages et choisissez la réponse qui convient.

1. Fabio est en stage
a) au Brésil.
b) en France.

2. Le chat des voisins est
a) à Milan.
b) à Paris.

3. Aiko achète une pizza
a) pour elle toute seule.
b) pour elle et ses amies.

4. La fille des Jouanet s'appelle
a) Sonia.
b) Juliette.

Être

je suis
tu es
il/elle est
nous sommes
vous êtes
ils/elles sont

LE PRONOM ON

16 Lisez à nouveau les messages et choisissez les réponses qui conviennent.

ON =
a. mes copines
b. je
c. je + mes copines
d. les Jouanet
e. Martin + moi

17 Choisissez le pronom qui convient.

1. Mon père ? (Je / Il / Elle / On) est né en 1942, à Poitiers.
2. Le samedi, Julien et moi, (je / il / elle / on) déjeune au restaurant.
3. Moi, (j' / il / elle / on) adore marcher sous la pluie.
4. Les enfants, vos manteaux ! (Je / Il / Elle / On) arrive à la gare dans cinq minutes.
5. Chut ! Élise est dans sa chambre, (je / il / elle / on) est malade.

18 Conjuguez les verbes au présent.

1. On (dîner) ..... ensemble ce soir ? Tu (être) ..... libre ?
2. On (avoir) ..... un nouveau professeur de français.
3. Vous (aimer) ..... le tennis ? alors, on (jouer) ..... ?
4. Demain, on (aller) ..... au château de Versailles !
5. Et oui, en avril, on (déménager) ..... à Grenoble.

On

On = je + il(s)/elles(s)
Avec mes voisins, **on** va à la piscine.
Cécile et moi, **on** a horreur de l'avion.

LE FUTUR PROCHE

19 Lisez les phrases puis complétez.

Il **va rentrer** tard le soir.
Carla et Fabio **vont visiter** Paris samedi.
On **va voir** *Un Secret*.
Vite ! Nous **allons être** en retard !
Attention ! Tu **vas tomber** !
Le futur proche = le verbe ..... au ..... + le verbe à l'infinitif

20 Répondez.

Les verbes de l'activité 19 sont au futur proche.
Les actions au futur proche :
a) se réalisent maintenant.
b) vont se réaliser bientôt.
c) sont terminées.

Quand ?

bientôt
l'année prochaine
demain
jeudi
ce soir
vendredi prochain
en mai

21 Lisez la lettre et complétez le tableau.

Chère Aiko,
Je suis en stage toute la semaine.
Ce soir, je reste à la maison car je suis fatigué. Je vais lire ou... dormir!
Carla est avec moi à Paris, ses cours à l'université sont finis.
Le week-end prochain, on va visiter Paris.
Tu rentres quand à Paris? Samedi matin?
On va manger au restaurant samedi soir avec toute ta famille?
Je t'appelle demain, bonne semaine.

Fabio

	futur proche	présent
être		
rester		
lire		
visiter		
rentrer		
manger		

22 Complétez les phrases avec ces verbes au futur proche.

avoir – adorer – danser – étudier – téléphoner – visiter

1. L'année prochaine, je ..... le français à Royan.
2. Nous ..... Paris en mai.
3. Nicole et Paul ..... le gâteau au chocolat !
4. Nous ..... tous ensemble vendredi prochain ?
5. Demain, il ..... une belle surprise pour son anniversaire !
6. Vous ..... à Lucie ce soir ? Elle est malade.

La formation du futur proche

aller + ***infinitif***
Demain, je **vais visiter** Annecy.
Samedi, il **va rencontrer** des musiciens.
Le week-end prochain, nous n'**allons** pas **rester** dans les Alpes.

NOTRE, VOTRE, LEUR...

23 Lisez les messages page 34, et complétez.

La sœur de Fabio : **sa** sœur.
Le bébé de Juliette : ..... bébé.
La fille des Jouanet : ..... fille.
Les plantes des voisins : ..... plantes.

24 Complétez le tableau.

je	**mon** ordinateur **mon** université ⚠ ..... sœur	**mes** amis **mes** plantes	nous	..... ordinateur **notre** sœur	..... amis **nos** plantes
tu	..... ordinateur **ta** sœur ..... université ⚠	..... amis ..... plantes	vous	..... ordinateur ..... sœur	**vos** amis **vos** plantes
il/elle	..... ordinateur ..... université ⚠ ..... sœur	**ses** amis ..... plantes	ils/elles	..... **leur** ordinateur ..... sœur	**leurs** amis ..... plantes

36

25 Écoutez et complétez.

1. — Où est ..... vélo ? Je ne le trouve pas !
   — Il est au garage avec ..... skis.
2. — ..... fille arrive en train ?
   — Mais non ! Elle a ..... voiture !
3. — Et comment vont ..... parents ?
   — Très bien, ils sont avec ..... amis dans les Alpes.
4. — On va voir Alain, tu as ..... adresse ?
   — Oui, il habite dans ..... rue.

Avoir

j'ai
tu as
il/elle a
nous avons
vous avez
ils/elles ont

26 Complétez.

1. Pour les vacances d'été, nous allons en Italie avec ..... enfants, nous adorons Rome.
2. Martine et Michel téléphonent tous les jours à ..... fille.
3. Tu emportes ..... grosse valise et ..... ordinateur portable à Paris ?
4. Vous pouvez me donner ..... numéro de téléphone ? Je vous appelle demain.
5. À midi, je déjeune avec ..... collègues de travail et après, je vais travailler dans ..... bureau.

Notre, votre, leur...

SINGULIER		PLURIEL
masculin	**féminin**	**masculin et féminin**
mon, ton, son (ordinateur)	ma, ta, sa (sœur)	mes, tes, ses (voisins)
notre sœur		**nos** parents
votre chat		**vos** copains
leur cadeau		**leurs** amis

27 → ***Vous allez passer le week-end prochain avec votre voisin. Vous parlez de vos projets pour samedi et dimanche.***

tâche finale

→ RENCONTRES

Vous êtes dans un café et vous participez à une soirée de « rencontres rapides ».
Par groupes de deux, présentez-vous rapidement, parlez de vos goûts et de vos projets. Ensuite, changez de table !
Pour chaque personne rencontrée, remplissez une fiche.

Des sons et des lettres

Le → l', me → m'...

A. Observez les phrases et complétez le tableau.

Je m'**a**ppelle Isabelle.
J'**h**abite à Toulouse.
Il s'**a**ppelle comment ?
J'**ai**me les voyages !
Il n'**ai**me pas lire.
C'**e**st toi ?
Elle a une **i**dée géniale.
Mathieu est à l'**u**niversité.
Je vais à l'**î**le de Ré.
La rue d'**A**lésia, s'il vous plaît ?
Quelle **a**dresse ?
Tu t'**a**ppelles bien Alex ?

l', j', s'...				
Devant une voyelle *(a, e, i, o, u, y)* ou certains *h* :				
me :	se :	ce :	le :	te : .....
je :	ne :	la :	de :	
Mais, elle :	une :	..... :		

37 **B. Récrivez les phrases. Modifiez les mots si nécessaire, puis contrôlez avec l'enregistrement.**

Exemple : *je / ai / horreur / de / le / art moderne.*
→ *J'ai horreur de l'art moderne.*

1. Elle / aime / les / gâteaux ?
2. Non, / il / ne / se / appelle / pas / Alexandre.
3. Vous / avez / quel / âge ?
4. Moi, / je / ne / aime / pas du tout / le / sport !
5. Ce / est / le / ami / de / Isa.
6. Il / va / à / la / université.
7. Il / habite / à / quelle / adresse ?
8. Elle / ne / a / pas / de / ami.

[y] ou [u] ?

38 **C. Écoutez et choisissez [y] ou [u].**

	1	2	3	4	5	6	7	8
[y] *(salut)*								
[u] *(bonjour)*								

39 **D. Écoutez et complétez les mots.**

1. C'est mon n.....méro de téléphone.
2. Le n.....veau professeur est là ?
3. Elle a rendez-v.....s à 13 heures.
4. Il vont t.....s à la ré.....nion ?
5. .....ne ét.....diante suisse va arriver demain.
6. Auj.....rd'hui, elle a d.....ze ans.

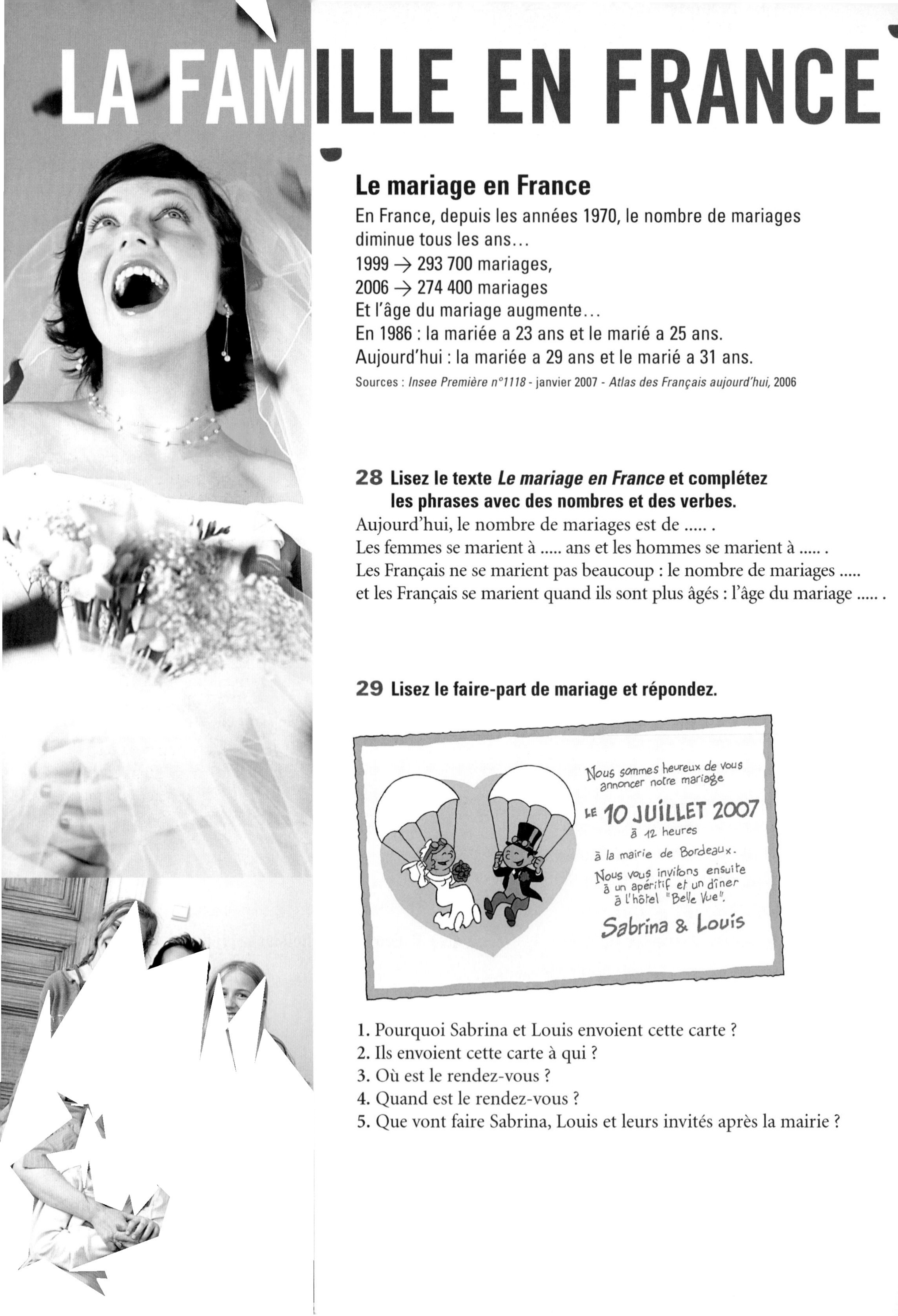

LA FAMILLE EN FRANCE

Le mariage en France

En France, depuis les années 1970, le nombre de mariages diminue tous les ans...
1999 → 293 700 mariages,
2006 → 274 400 mariages
Et l'âge du mariage augmente...
En 1986 : la mariée a 23 ans et le marié a 25 ans.
Aujourd'hui : la mariée a 29 ans et le marié a 31 ans.

Sources : *Insee Première n°1118* - janvier 2007 - *Atlas des Français aujourd'hui*, 2006

28 Lisez le texte *Le mariage en France* et complétez les phrases avec des nombres et des verbes.

Aujourd'hui, le nombre de mariages est de ..... .
Les femmes se marient à ..... ans et les hommes se marient à ..... .
Les Français ne se marient pas beaucoup : le nombre de mariages .....
et les Français se marient quand ils sont plus âgés : l'âge du mariage ..... .

29 Lisez le faire-part de mariage et répondez.

1. Pourquoi Sabrina et Louis envoient cette carte ?
2. Ils envoient cette carte à qui ?
3. Où est le rendez-vous ?
4. Quand est le rendez-vous ?
5. Que vont faire Sabrina, Louis et leurs invités après la mairie ?

30 Regardez les deux graphiques et complétez le tableau avec les phrases proposées.

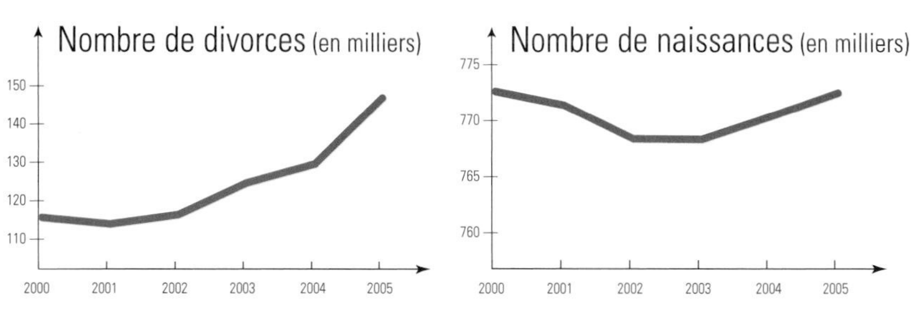

le nombre de divorces	le nombre de naissances
.....	.....

1. En France, il augmente tous les ans.
2. Il ne change pas beaucoup de 2000 à 2005.
3. En 2000, il est de 114 005 puis de 152 020 en 2005.
4. Il diminue un peu en 2002 et 2003.

célibataire ≠ marié
le mariage ≠ le divorce
se marier (avec)
la naissance
un enfant
le PACS [paks]
la femme [fam] / le mari
la famille recomposée
la famille monoparentale
une agence matrimoniale

ET VOUS ?

31 Comparez ces graphiques avec la situation dans votre pays. Quelle est la situation du mariage, du divorce et des naissances ? Qu'en pensez-vous ?

32 Lisez ces informations. Êtes-vous surpris, amusé... ? Comparez avec la situation dans votre pays.

A. En France, la femme porte, généralement, le nom de son mari mais elle peut aussi garder son nom. L'enfant peut avoir le nom de sa mère, de son père ou les deux.

B. Aujourd'hui, il y a 15 millions d'adultes célibataires en France. Les agences matrimoniales, les soirées de rencontres rapides et les sites internet de rencontres se développent.

C. Une famille sur dix est « recomposée » : le mari et la femme ont un enfant ou des enfants avant leur rencontre et ils habitent tous ensemble.

D. Le PACS (Pacte Civil de Solidarité) existe depuis 1999 : deux personnes de plus de 18 ans, de même sexe ou de sexe différent qui habitent ensemble peuvent s'unir.

E. Aujourd'hui, en moyenne, la femme en France a son premier enfant à 28 ans. En 2006, on compte deux enfants par femme. C'est le record depuis 30 ans !

Autoévaluation 1

JE PEUX ENTRER EN CONTACT AVEC QUELQU'UN

1 Supprimez les éléments qui ne conviennent pas.

— Bonjour. Madame Rimet ?
— Oui, (salut / bonjour) monsieur.
— Je suis monsieur Costa.
— (Au revoir / Bienvenue) en France, monsieur Costa !
— Un café ? Un thé ?
— Un thé, (bonjour / merci).
— (S'il vous plaît / Je vous en prie).

1
Comptez 1 point par réponse correcte.
Vous avez…
– 4 points : félicitations !
– moins de 4 points : revoyez les pages 10, 11, 12 de votre livre et les exercices de votre cahier.

2 Complétez.

1. — ..... monsieur. Un café, ... !
— Un café, voilà madame !
— ..... .
2. — Bonjour, monsieur Roy, ... bien ?
— Ça va bien, merci. ..... ?
— Ça va.
3. — ....., Pat, ... vas bien ?
— Oui, merci, ... ?
— Très bien !

2
Comptez 0,5 point par réponse correcte.
Vous avez…
– 4 points : félicitations !
– moins de 4 points : revoyez les pages 10, 11, 12 de votre livre et les exercices de votre cahier.

JE PEUX ME PRÉSENTER ET PRÉSENTER QUELQU'UN

3 Associez.

Elle habite à • • Linda.
Elle s'appelle • • 21 ans.
Elle est • • belge.
Elle a • • Bruxelles.
Elle aime beaucoup • • le tennis.

3
Comptez 1 point par réponse correcte.
Vous avez…
– 5 points : félicitations !
– moins de 5 points : revoyez les pages 14, 15, 23, 24, 32 de votre livre et les exercices de votre cahier.

4 Lisez puis complétez le tableau.

Mon ami s'appelle Bruno. Il habite à Tours et il travaille à Paris. Il est professeur d'espagnol. Il a 36 ans. Son frère, Vincent, a 24 ans. Il adore le ski et il aime beaucoup parler espagnol. Il est étudiant en médecine à Tours. Bruno n'aime pas le sport. Il aime bien cuisiner. Il adore le cinéma et la musique classique.

	vrai	faux	?
1. Bruno a un frère.			
2. Vincent habite à Paris.			
3. Vincent est professeur d'espagnol.			
4. Bruno aime beaucoup le ski.			
5. Bruno adore cuisiner.			
6. Vincent aime bien la musique.			

4
Comptez 1 point par réponse correcte.
Vous avez…
– 6 points : félicitations !
– moins de 6 points : revoyez les pages 15, 23, 24, 32 de votre livre et les exercices de votre cahier.

JE PEUX DEMANDER DE SE PRÉSENTER

5 Retrouvez la question correspondant à chaque réponse.

1. — ..... ?
   — Lili Martinon, et vous ?
2. — ..... ?
   — C'est <lili325@tiscali.fr>.
3. — ..... ?
   — J'ai 32 ans.
4. — ..... ?
   — À Nice mais je travaille à Cannes.
5. — ..... ?
   — Je suis française.
6. — ..... ?
   — 04 93 48 69 10.

5

Comptez 1 point par réponse correcte.
Vous avez...
– 6 points : félicitations !
– moins de 6 points : revoyez les pages 15, 22, 23, 33 de votre livre et les exercices de votre cahier.

JE PEUX EXPRIMER MES GOÛTS

6 Complétez la liste.

j'adore → ..... → ..... → ..... → je n'aime pas du tout → .....

6

Comptez 1 point par réponse correcte.
Vous avez...
– 4 points : félicitations !
– moins de 4 points : revoyez les pages 31 et 32 de votre livre et les exercices de votre cahier.

JE PEUX EXPRIMER LA POSSESSION

7 Supprimez les éléments qui ne conviennent pas.

1. Je te présente (mon / ma / mes) amie Anke.
2. Quel est (votre / ton / sa) numéro de téléphone, s'il te plaît ?
3. Ils s'appellent Karine et Rodolphe et (ses / leur / leurs) fille s'appelle Alix.
4. C'est (mes / ma / ton) professeur ?

7

Comptez 1 point par réponse correcte.
Vous avez...
– 4 points : félicitations !
– moins de 4 points : revoyez les pages 22 et 36 de votre livre et les exercices de votre cahier.

JE PEUX COMPTER

8 Complétez les listes.

– zéro, ... , dix, quinze, vingt, ...
– cinquante, soixante, ..., ...
– soixante-deux, ..., soixante-six, soixante-huit, ...

8

Comptez 0,5 point par réponse correcte.
Vous avez...
– 3 points : félicitations !
– moins de 3 points : revoyez les pages 15, 25, 26, 32, 33 de votre livre et les exercices de votre cahier.

JE PEUX ÉCHANGER SUR MES PROJETS

9 Complétez les phrases.

1. Samedi, je vais all..... voir Sylvie et Marc.
2. Tu ..... travailler à Paris ?
3. Ils vont écout..... le CD ?
4. On ..... habiter rue du Paradis.

9

Comptez 1 point par réponse correcte.
Vous avez...
– 4 points : félicitations !
– moins de 4 points : revoyez les pages 34 et 35 de votre livre et les exercices de votre cahier.

Résultats : ..... points sur 40 points = ... %

PARTIE 1 COMPRÉHENSION DE L'ORAL

EXERCICE 1

Écoutez et associez chaque message à une image.

	1	2	3
Image			

a

b

c

EXERCICE 2

Écoutez et choisissez la réponse qui convient.

1. Quelle est la destination du train 8818 ?
 ☐ Nantes ☐ Paris ☐ Bordeaux ☐ Lille Europe

2. Vous avez un problème technique avec votre service téléphonique : vous tapez le numéro
 ☐ 1 ☐ 2 ☐ 3 ☐ 4

3. Le mardi, le cabinet médical est ouvert
 ☐ seulement le matin.
 ☐ seulement l'après-midi.
 ☐ le matin et l'après-midi.
 ☐ de 12 heures à 14 heures.

PARTIE 2 COMPRÉHENSION DES ÉCRITS

EXERCICE 1

Lisez la carte et répondez aux questions.

Chère Marie,
Nous sommes heureux de pouvoir passer une belle semaine à Cassis. La ville et la région sont superbes et le soleil est au rendez-vous. La mer est belle et nous avons trouvé des petites plages avec moins de 10 personnes au m² ! La maison de nos amis est grande et belle, même si elle n'a pas de piscine. Je profite encore un peu de ces quelques jours pour ne rien faire et je pense bien à Julien et à toi qui travaillez dans le froid du grand Nord.
Bises, Émilie.

Marie Duplessis
14, rue du Verger
64149 Festubert

EXERCICE 2

Observez le document et répondez aux questions.

1. Je travaille le soir jusqu'à 20 h 30. Quel film est-ce que je peux aller voir ?

2. Dans le premier film, que veut faire chaque personnage ? Complétez le tableau avec certaines de ces professions : chanteur, acteur, écrivain, peintre, sculpteur.

Alice	
Bertrand	
Cora	

3. Répondez.
a) Quel film décrit un sentiment ?
b) Quel film est pour les enfants ?

1. Le message est
   - ☐ professionnel. ☐ amical.
   - ☐ publicitaire. ☐ technique.
2. Qui écrit le message ?
   - ☐ Julien
   - ☐ Marie
   - ☐ Émilie
3. Que fait Émilie ?
   - ☐ Elle est en vacances.
   - ☐ Elle travaille.
   - ☐ Elle fait des études dans une école.
   - ☐ Elle est allée voir sa famille.
4. À Cassis, Marie habite
   - ☐ à l'hôtel.
   - ☐ dans sa maison.
   - ☐ dans la maison de ses parents.
   - ☐ dans la maison de ses amis.

Cinéma Les 400 coups

08 92 68 00 72

La vie d'artiste — 2006 – 1h47

FRANCE

Alice, actrice de doublage, rêve d'un grand rôle. Bertrand, professeur de français, souhaite devenir écrivain à plein temps ; Cora, elle, désire percer dans la chanson... Les destins de ces trois personnages vont s'entrecroiser...

De Marc Fitoussi

Avec Sandrine Kiberlain, Émilie Dequenne

13 h 45 I 16 h 20 I 19 h 30

U — 2006 – 1h15

FRANCE

FILM D'ANIMATION

Mona est une princesse. Depuis la disparition de ses parents, elle vit seule dans un château avec deux personnages sinistres, Goomi et Monseigneur. Un jour, elle rencontre une licorne, U, qui devient son inséparable amie... Mona grandit et se transforme en une très jolie princesse...

13 h 30 I 15 h 45 I 19 h 10

3 amis — 2007 – 1h33

FRANCE

Qu'est-ce qu'un ami ? Est-ce que j'en ai un ? Est-ce que j'en suis un ? C'est quoi une relation étrange qu'on appelle l'amitié ? Comment je peux faire du bien à un ami ? Et au fond, quel est le sentiment étrange qui m'habite quand un ami a besoin de moi ? Un bonheur ou un besoin ?

De Michel Boujenah

Avec Mathilde Seigner, Pascal Elbé, Kad Merad

13 h 30 I 15 h 50 I 20 h 05 I 22 h 30

PARTIE 3 PRODUCTION ÉCRITE

EXERCICE 1

Vous vous inscrivez à un organisme d'échanges internationaux. Remplissez le formulaire.

Nom, prénom :

Situation de famille :

Date de naissance :

Lieu de naissance :

Nationalité :

Adresse :

Adresse électronique :

Langues parlées :

Études ou profession :

Pays souhaités (3 dans l'ordre de préférence) :

1) 2) 3)

EXERCICE 2

Vous apprenez le français à l'université, à Lyon. Vous avez commencé les cours depuis une semaine. Vous écrivez une carte postale à un ami français de Paris.
Vous parlez de vos cours, de vos camarades, de la nourriture et de vos impressions : vous aimez ou non, etc.
(environ 50 mots)

PARTIE 4 PRODUCTION ORALE

ENTRETIEN DIRIGÉ

Répondez aux questions de votre professeur.

ÉCHANGE D'INFORMATIONS

Posez des questions à votre professeur à partir des mots suivants :

Nom ? Vacances ?
Nationalité ? Langues étrangères ?
Télévision ? Téléphone ?
Musique ? Restaurant ?

DIALOGUE SIMULÉ

Vous êtes le client. Le professeur est un employé d'une salle de concert.
Vous voulez acheter un billet pour un concert. Vous téléphonez pour savoir s'il reste des places. Vous demandez l'heure du début et de la fin du concert, le prix et l'adresse. Vous voulez réserver par téléphone.

module 2 Échanger

---→ niveau A1

unité 4 Tu veux bien ?

POUR → **Demander de faire quelque chose**

J'APPRENDS
- *entre, vous pourriez...*
- demander poliment
- *moi, lui, eux...*

→ Parler d'actions passées
- le passé composé (1)
- *le, la, les, un, une, des*
- le pluriel des noms

TÂCHE FINALE
Une personne importante vient visiter notre école. Nous discutons pour décider des tâches à réaliser et les répartir entre nous. Nous constituons un programme d'activités.

unité 5 On se voit quand ?

POUR → **Inviter et répondre à une invitation**

J'APPRENDS
- *Vous êtes libres ?*
  Oui, c'est d'accord.
- proposer, accepter, refuser
- *me, te...* compléments directs
- indiquer la date

→ Prendre et fixer un rendez-vous
- *Quel jour ? À quelle heure ?*
- interroger avec *est-ce que*

→ Demander et indiquer l'heure
- *Il est quelle heure ?*
  Il est 8 heures.

TÂCHE FINALE
Je téléphone à un ami pour lui proposer d'aller au cinéma. Nous discutons, puis j'écris un courriel à un autre ami pour l'inviter à venir avec nous.

unité 6 Bonne idée !

POUR → **Exprimer mon point de vue**

J'APPRENDS
- *je trouve que... ça me plaît...*
- la forme et le genre des adjectifs
- les couleurs

→ Exprimer la quantité
- *combien ?*
- s'informer sur le prix
- s'informer sur la quantité
- indiquer une quantité
- *ne... pas de*
- *le, la, les,* compléments directs

TÂCHE FINALE
Nous choisissons, à plusieurs, un cadeau que nous voulons offrir à un ami. J'écris ensuite une lettre à un ami français pour lui proposer d'offrir le cadeau avec nous.

Tu veux bien ?

Il y a

Il y a deux personnes dans le bureau.
Pour Milan, il y a un vol à 10 h 55.
Il n'y a pas de problème.

> *C'est clair ?*

1 Écoutez puis répondez : *vrai, faux* ou *on ne sait pas.*

1. Louise va aller à Milan.
2. Louise et Lucas habitent dans un appartement.
3. Le chat va aller chez Mathieu.
4. Mathieu aime les chats.
5. Mathieu va arroser les plantes de Louise.
6. Mathieu ne travaille pas.

> *Zoom*

2 Écoutez puis choisissez le mot que vous entendez.

1. Euh… tu (veux / peux) un café ?
2. Excusez-moi, vous (voulez / pouvez) répéter ?
3. Bonjour. Je (veux / peux) entrer ?
4. Tu (veux / peux) voir les photos ?
5. Vous (voulez / pouvez) changer de l'argent ? Vous (voulez / pouvez) des euros ?

Pouvoir
je peux
tu peux
il/elle/on peut
nous pouvons
vous pouvez
ils/elles peuvent

3 Lisez les tableaux et complétez les phrases avec *vouloir* ou *pouvoir.*

1. Je ne ..... pas téléphoner à Kamel, je n'ai pas son numéro !
2. Nous ..... payer avec une carte Visa ?
3. Vous ..... un café, un thé ?
4. Elle ne ..... pas aller à Paris, elle est malade.
5. Vous ..... écrire votre nom, s'il vous plaît ?
6. Tu ..... aller au cinéma ou au théâtre ?

Vouloir
je veux
tu veux
il/elle/on veut
nous voulons
vous voulez
ils/elles veulent

4 Lisez le tableau *venir*, et complétez les phrases comme dans l'exemple.

Exemple : *Lucas **vient** à Milan avec moi.*

1. Louise et Lucas ..... à la maison ce soir.
2. Je ..... lundi à huit heures, d'accord ?
3. Bon, vous, vous ..... dans mon bureau.
4. Yasmine est malade, elle ne ..... pas aujourd'hui !
5. Bon, alors tu ..... ? Il est déjà 8 h 30 !
6. Non, pas en voiture : nous ..... en train, lundi.

Venir
je viens
tu viens
il/elle/on vient
nous venons
vous venez
ils/elles viennent

Demander de faire quelque chose

> *Comment on dit ?*

5 Comparez les paroles de Louise et les phrases présentées à droite. Quelle est la différence ?

1. Je voudrais juste te demander une chose.
2. Tu pourrais garder mon chat ?
3. Et tu pourrais arroser mes plantes aussi ?

a. Je veux juste te demander une chose.
b. Tu peux garder mon chat ?
c. Et tu peux arroser mes plantes aussi ?

6 Lisez l'encadré *Demander poliment* puis transformez ces phrases dans une forme plus polie.

1. Je veux un café, s'il vous plaît.
2. Tu peux venir lundi ?
3. Je peux vous poser une question ?
4. Vous pouvez écrire votre nom, s'il vous plaît ?
5. Je veux aller à Bruxelles.

Demander poliment

Je voudrais te demander une chose.
Tu pourrais garder mon chat ?
Vous pourriez arroser mes plantes ?

43 **7 Écoutez à nouveau le début du dialogue et répondez.**

1. Que dit Mathieu pour demander à Louise d'entrer dans l'appartement ?
2. Que dit Louise pour demander à Mathieu de garder le chat ?

8 Lisez les dialogues et trouvez les mots utilisés pour demander à quelqu'un de faire quelque chose.

1. — Vous voulez mon adresse électronique ?
— Oui, écrivez votre adresse ici, s'il vous plaît.

2. — Il y a un problème ?
— Oui, vous pourriez téléphoner à madame Garnier, s'il vous plaît ?

3. — Caroline, je peux te parler ?
— Non, là, maintenant, je n'ai pas le temps. Tu pourrais venir à 14 heures ?

4. — Guillaume, excusez-moi, vous avez cinq minutes ? Je voudrais vous parler.
— Oui, oui, Sylvie, entrez, je vous en prie.

Demander de faire quelque chose

1. Écris ! Écrivez !
Entre ! Entrez !

2. Vous pourriez...
Tu pourrais... } *(+ verbe)*

AVEC MOI – CHEZ TOI

9 Observez, puis complétez les phrases avec *chez* ou *avec*.

Oui, ça va être super, et Lucas vient ***avec*** *moi.*
Garder ton chat… Euh, oui, mais il va rester ***chez*** *toi ?*

1. — On va manger au restaurant ?
   — Non, non, on va ..... moi, c'est plus sympa !
2. — Tu vas au cinéma ?
   — Oui, je vais voir *Pardonnez-moi* . Tu veux venir ..... moi ?
3. — Je vais aller cinq jours à Tahiti pour mon travail.
   — Oh ! Je peux aller ..... toi à Tahiti ?
4. — Tu vas où ?
   — ..... Thomas. On va faire des exercices de maths.

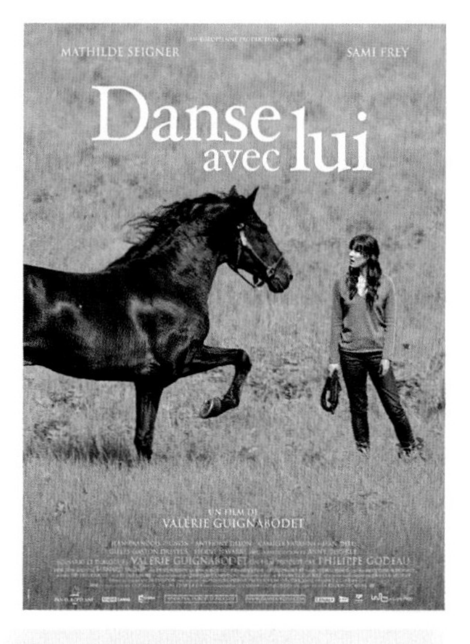

10 a) Observez le tableau et complétez les dialogues.

1. — Je vais à Francfort, le 25. Vous pouvez venir avec ..... ?
   — À Francfort, avec ..... ? Oui, pas de problème !
2. — Tu connais la femme, là, en rouge ?
   — Daphné ? Oui, bien sûr, je travaille avec ..... !
3. — Lucie et Manuel viennent dimanche, non ?
   — Non, on va chez ..... .

b) Remplacez les mots soulignés par *lui, elle, eux* ou *elles*.

1. — On va retrouver Julien au restaurant.
   — Non, non, on va chez <u>Julien</u> et après on va au restaurant.
2. — Je voudrais bien voir tes amis Claire et Jean-Michel.
   — Ah, oui ? Bah, on peut manger avec <u>Claire et Jean-Michel</u> samedi prochain, non ?
3. — Bon, tu pourrais étudier le problème avec Léa et Anne ?
   — Ah, non, je ne veux pas travailler avec <u>Léa et Anne</u>. Je vais demander à Christophe.
4. — Eh, tu sais ? La directrice va aller une semaine au Québec !
   — Oui, je sais : je vais avec <u>la directrice</u> !
5. — Oh, difficile ! Julie et Ahmed ne connaissent pas la ville.
   — Oui, mais Nader va aller avec <u>Julie et Ahmed</u>.

Avec moi, chez toi

je	Il vient chez **moi** ce soir.
tu	Nicolas mange avec **toi** ?
il	Vous allez chez **lui** à midi ?
elle	Tu habites avec **elle** ?
nous	Tu peux venir chez **nous**.
vous	Je vais aller avec **vous**.
ils	Elle va dormir chez **eux**.
elles	Non ! Pas avec **elles** !

Connaître

je connais
tu connais
il/elle/on connaît
nous connaissons
vous connaissez
ils/elles connaissent

11 → *Par groupes de deux, jouez cette situation.*

– A va chez son ami B. Il le salue.
– B répond.
– A dit : C va aller au Japon vendredi prochain. A ne peut pas aller à l'aéroport avec C parce que A travaille. A demande à B d'aller avec C à l'aéroport.
– B accepte.
– A dit : l'avion va partir à 8 heures. B et C vont arriver à 6 heures à l'aéroport.
– B comprend : il va se lever à 3 heures !
– A est désolé.
– B accepte.
– A remercie B.

Parler d'actions passées

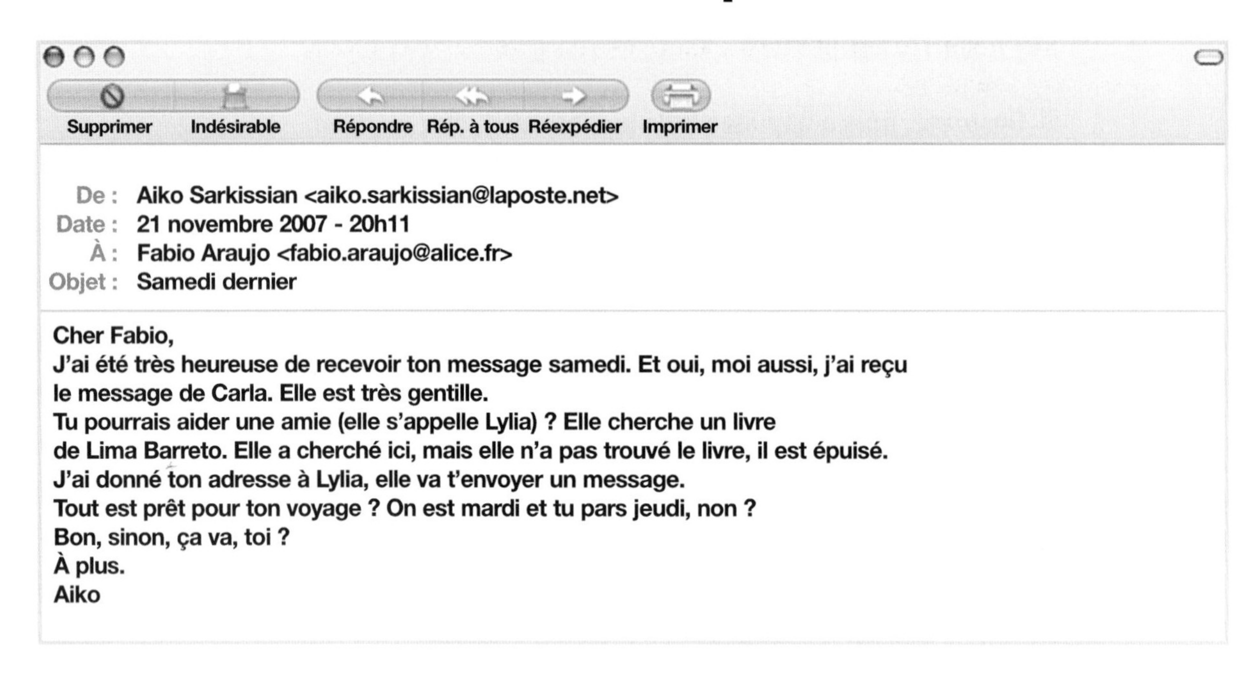

Supprimer Indésirable Répondre Rép. à tous Réexpédier Imprimer

De : Aiko Sarkissian <aiko.sarkissian@laposte.net>
Date : 21 novembre 2007 - 20h11
À : Fabio Araujo <fabio.araujo@alice.fr>
Objet : Samedi dernier

Cher Fabio,
J'ai été très heureuse de recevoir ton message samedi. Et oui, moi aussi, j'ai reçu le message de Carla. Elle est très gentille.
Tu pourrais aider une amie (elle s'appelle Lylia) ? Elle cherche un livre de Lima Barreto. Elle a cherché ici, mais elle n'a pas trouvé le livre, il est épuisé.
J'ai donné ton adresse à Lylia, elle va t'envoyer un message.
Tout est prêt pour ton voyage ? On est mardi et tu pars jeudi, non ?
Bon, sinon, ça va, toi ?
À plus.
Aiko

> *C'est clair ?*

12 Lisez le message et trouvez la réponse qui convient.

1. Aiko écrit son message
a) samedi.
b) mardi.
c) jeudi.

2. Lylia voudrait
a) un livre.
b) des informations sur le Brésil.
c) rencontrer Carla.

3. Aiko demande à Fabio
a) d'envoyer un message à Carla.
b) d'écrire à Lylia.
c) d'aider Lylia.

4. Lylia va
a) aller au Brésil.
b) écrire à Fabio.
c) faire un voyage.

LE PASSÉ COMPOSÉ (1)

13 Observez les formes suivantes dans le message et répondez.

Elle a cherché ici.
J'ai donné ton adresse à Lylia.

1. a) L'action est terminée quand Aiko écrit.
   b) L'action continue quand Aiko écrit.

2. Ces verbes sont au ***passé composé.***
passé composé = ... (au présent) + le verbe (au participe passé)

3. Écrivez l'infinitif des verbes :
elle a cherché → .....   j'ai donné → .....

4. Écrivez les verbes au ***passé composé*** :
demander : J'..... à Valérie.   manger : On ..... chez Thomas.   envoyer : Tu ..... un message

14 Observez les phrases puis écrivez les verbes à la forme négative.

Elle a trouvé le livre. Elle n'a pas trouvé le livre.

1. J'ai oublié. → .....
2. Elle a téléphoné à Louise ? → .....
3. On a travaillé lundi. → .....
4. Ils ont parlé à la directrice. → .....

15 Regardez les participes passés, trouvez l'infinitif, puis complétez.

écrit : *écrire*	→	Vous *avez écrit* au directeur ?
eu : *avoir*		On ..... des problèmes.
été :		J' ..... malade pendant le voyage.
fait :		Elle ..... des études d'économie.
pris :		On ..... un café.
compris :		Je n'..... pas ..... .
dormi :		Nous ..... chez des amis.
entendu :		Il n'..... pas ..... la réponse.
voulu :		Elle ..... venir avec nous.
pu :		Je n'..... pas ..... ouvrir la porte.
reçu :		Elle ..... un message de Fabio.

16 Écoutez et trouvez la phrase que vous entendez.

44

1. J'écris un message. / J'ai écrit un message.
2. Je visite Paris. / J'ai visité Paris.
3. Je dis bonjour à Camille. / J'ai dit bonjour à Camille.
4. Je finis mon travail. / J'ai fini mon travail.
5. J'ai un problème. / J'ai eu un problème.

La formation du passé composé

avoir *au présent* +
***le participe passé** du verbe*
Elle **a trouvé** le livre.
J'ai reçu son message.

Forme négative :
Elle **n'a pas trouvé** le livre.
Je **n'ai pas reçu** son message.

17 → *Par groupes de deux, dites ce qui s'est passé.*

a

b

c

d

e

f

18 → *Lylia voudrait envoyer un message électronique à Fabio. Utilisez, au minimum, les verbes suivants pour écrire son message.*

étudier la littérature
chercher un livre
trouver des informations
envoyer un message
remercier

LE, LA, LES – UN, UNE, DES

19 Relisez le message de Louise.
a) Choisissez la phrase qui explique les mots en rose.

Elle cherche un livre.
1. Nous connaissons le livre.
2. Nous ne connaissons pas le livre.

Elle n'a pas trouvé le livre ici.
1. Nous connaissons le livre.
2. Nous ne connaissons pas le livre.

b) Dans les parenthèses, retrouvez le mot qu'Aiko a choisi et expliquez ce choix.

J'ai reçu (un / le) message de Carla.
Tu pourrais aider (une / l') amie ?
Elle va t'envoyer (un / le) message.

20 Complétez le tableau.

	singulier		pluriel	
masculin	le message l'ami	**un** message **un** ami	..... messages	**des** messages
féminin	la lettre l'adresse	..... lettre ..... adresse	les adresses	..... adresses

21 Complétez avec *le, la, l', les, un, une* ou *des*.
1. Valérie, où est ..... chat ? Il n'est pas dans l'appartement.
2. Je ne peux pas aller chez toi ce soir, j'ai ..... problème.
3. Vous avez ..... adresse électronique, s'il vous plaît ?
4. On va faire ..... exercices 7 et 8, à ..... page 42.
5. Tu connais ..... adresse de Carla ?
6. Tu as ..... chat ou ..... chien, chez toi ?
7. Je vais chez Valérie, je vais arroser ..... plantes.
8. Il y a ..... oranges dans ..... frigo.

22 Complétez la carte postale de Louise avec *le, la, l', les, un, une* ou *des*.

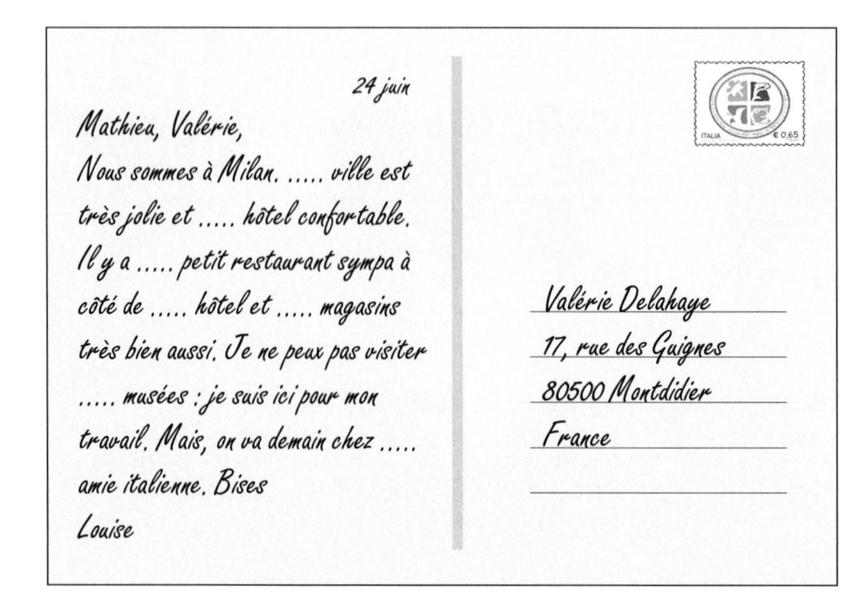
24 juin
Mathieu, Valérie,
Nous sommes à Milan. ..... ville est très jolie et ..... hôtel confortable. Il y a ..... petit restaurant sympa à côté de ..... hôtel et ..... magasins très bien aussi. Je ne peux pas visiter ..... musées : je suis ici pour mon travail. Mais, on va demain chez ..... amie italienne. Bises
Louise

Valérie Delahaye
17, rue des Guignes
80500 Montdidier
France

Le, la, l', les – un, une, des

Elle cherche **un** livre.
Elle n'a pas trouvé **le** livre ici.

Il y a **une** mouche dans mon café.
Regarde **la** mouche !

Ils ont **des** plantes chez eux.
Mathieu va arroser **les** plantes de Valérie.

Le pluriel des noms

la plante	les plante**s**
un problème	des problème**s**
–	les vacances

tâche finale

→ BIENVENUE !

Une personne importante (un directeur, un responsable...) vient visiter votre école et votre ville lundi prochain.
Discutez, en grand groupe, pour décider des tâches à réaliser par jour : accueillir la personne à la gare, faire la visite de l'école, de la ville, organiser un dîner, préparer une petite fête...
Faites une liste de toutes les tâches puis posez-vous des questions pour vous répartir les tâches, en fonction de vos emplois du temps.

Des sons et des lettres

La liaison

45 **A. Écoutez puis répétez.**
1. Nous‿allons chez‿un‿ami.
2. Ils‿ont trois‿enfants.
3. On‿arrive à huit‿heures ?
4. Vous‿êtes français ?
5. C'est‿un bon‿ami.
6. Elle peut quand‿elle veut.

46 **B. Écoutez et marquez la liaison.**
Exemple : *Il a deux‿enfants.*
1. Ils aiment le café.
2. Les étudiants travaillent.
3. C'est très intéressant !
4. Tu vas chez elle ?
5. Vous avez mon adresse ?
6. Ils habitent dans un appartement.

47 **C. Lisez les phrases, marquez les liaisons puis contrôlez avec l'enregistrement.**
1. Ils ont des amis belges ?
2. Vous avez un appartement ?
3. Il vient dans une semaine.
4. J'ai vingt euros.
5. Je n'ai pas son adresse.
6. Elle vient avec ses enfants.

[s] ou [z] ?

48 **D. Écoutez et choisissez [s] ou [z].**

	1	2	3	4	5	6	7	8
[s] (*son*)								
[z] (*visite*)								

La liaison

Il faut faire la liaison :
- *entre* ils, nous, vous, on *et le verbe :* ils‿aiment ; vous‿habitez
- *entre* un, les, des, mes, tes... *et le nom :* les‿amis ; mes‿enfants
- *entre* petit, grand, gros, vieux, bon... *et le nom :* un petit‿homme
- *entre* très, trop... *et l'adjectif :* très‿important
- *entre* chez *et le pronom :* chez‿eux
- *entre* quand *et* il, elle, on, ils, elles : quand‿il veut [kɑ̃tilvø] [t]

MAUX & COMPAGNIE

1 Les animaux de compagnie en France

D'après l'étude FACCO / Sofres 2004, plus de 51 % des familles françaises possèdent au moins un animal familier. La France est au premier rang des pays possesseurs d'animaux de compagnie en Europe avec près de 65 millions de chiens, chats, oiseaux, poissons et autres rongeurs. Le nombre des chiens est estimé à 8,5 millions et celui des chats à près de 10 millions.

D'après : www.veganimal.info

> Poissons : 35 millions
> Chats : 10 millions
> Chiens : 8,5 millions
> Oiseaux : 6,5 millions
> Lapins et rongeurs : 3,5 millions

2 Partir en voyage avec votre animal ?

Vous pouvez voyager avec votre chien ou votre chat.

En train :

Mettez votre chat dans une caisse de transport ou un panier.
Vous pouvez voyager avec un gros chien s'il est muselé et tenu en laisse.

En avion :

Votre chat ou votre chien pèse moins de 5 kg ? Il peut voyager avec vous dans une caisse de transport. Il pèse plus de 5 kg : il va voyager dans la soute de l'avion. Dans la caisse, mettez de l'eau et quelque chose à manger.

En taxi :

Un chauffeur de taxi peut refuser un animal ou faire payer un supplément.

3

Poussette 00001-A

Description :

Poussette ROSE pour chien. Un moyen idéal pour transporter en toute sécurité un chien malade, en convalescence, âgé... mais également dans certains lieux habituellement interdits aux animaux et par tous les temps.
Dimension dépliée : L57xL35xH25 cm
Dimension pliée : 70x40x15 cm, hauteur de toit : 37 cm
2 attaches de sécurité, double frein, démontable et lavable à 30°. Jusqu'à 16 kg.
Couleur rose
RESTE UNE EN STOCK

00001-A-145.00 €

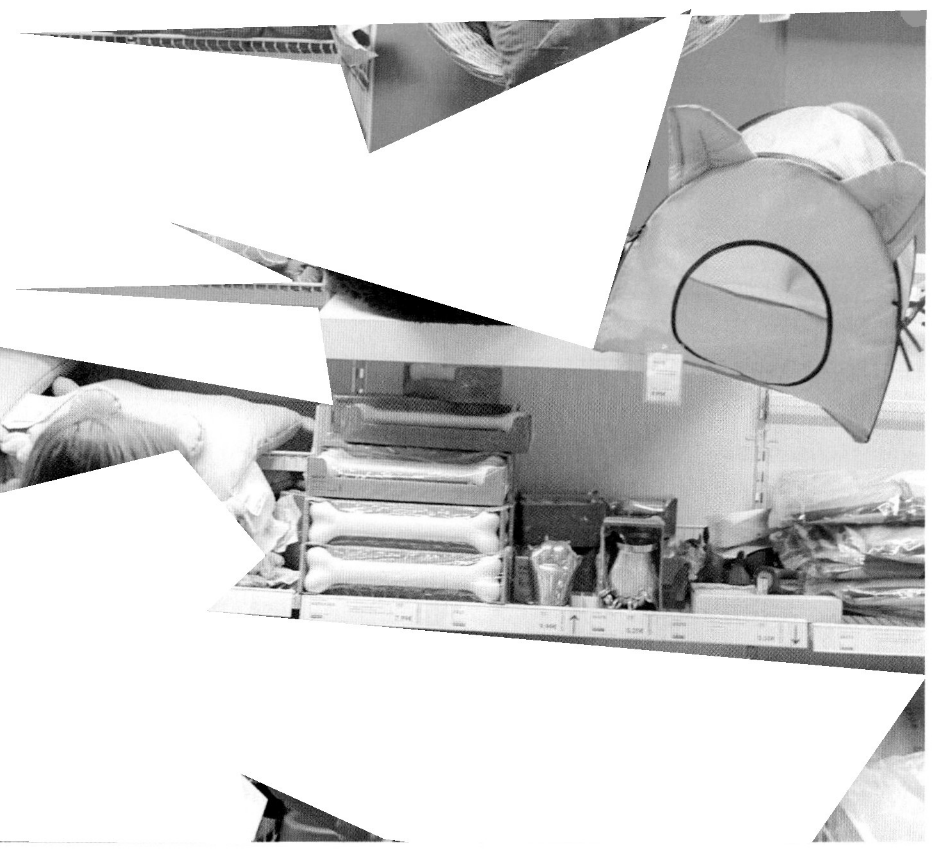

ET VOUS ?

27 Vous avez des animaux ? Et dans votre pays, il y a beaucoup d'animaux dans les maisons (des chiens, des chats, des poissons...) ?

23 Lisez le texte 1 et indiquez pour chaque photo le nombre donné.

....

24 Lisez le texte 2 et expliquez à la femme de la photo du bas de la page 54 comment elle peut voyager.

25 Lisez le document 3 et répondez.

1. Dans ce document, la poussette est un objet pour transporter
a) les enfants.
b) les animaux.
c) les personnes âgées.

2. Avec la poussette, on peut
a) aller dans des magasins interdits aux animaux.
b) transporter des gros chiens.

3. Le prix de la poussette est
a) 16 euros.
b) 30 euros.
c) 145 euros.

26 Écoutez et complétez le tableau.

	Quelle est la situation ?	Quel est l'animal ?	Comment s'appelle l'animal ?
dialogue 1			
dialogue 2			
dialogue 3			

PERDUE !!

Luna, petite chatte siamoise de 6 ans, n'est pas rentrée chez ses maîtres depuis le 4 mai.

N° de tatouage : HGB493

Si vous la voyez, merci de contacter le
09 64 32 59 79

On se voit quand ?

A

Laura

J'AI 10 ANS !

JE T'INVITE À FÊTER MON ANNIVERSAIRE AVEC MOI

LE SAMEDI 17 JANVIER !

(à partir de 15 heures)

MERCI DE CONFIRMER AU 04 47 03 39 15

AGATHE DORN - 10, RUE RABELAIS - 63000 CLERMONT-FERRAND

B

Emmanuelle et Gilles Trély vous invitent à découvrir
le travail de leur ami Thibault Franc - Peintre
dans leur appartement - 45, rue de Maubec - 33000 Bordeaux

Le samedi 2 décembre
à partir de 18 h 30

et le dimanche 3
à partir de 15 heures

Tram - porte de Bourgogne - 3 ème étage interphone -tél : 0870398797
mail : emmanuelle.trely@free.fr

C

François Joly
Open Universe

A Francia Intézet, Bank Center és a Szalóky Anna Galéria
tisztelettel meghívja Önt, családját és barátait

L'Institut Français de Budapest, Bank Center et
la Galerie Anna Szalóky ont le plaisir
de vous inviter au vernissage de l'exposition

The French Institute, Bank Center and the
Gallery Anna Szalóky have the honour to cordially invite you,
together with your family and your friends to come
to the opening of the exhibition

François Joly
Open Universe

című kiállítására

2006. július 6-án, csütörtökön 18 órakor.
Le jeudi 6 juillet 2006 à 18 heures.

Helyszín / Site :
Bank Center, Atrium
H-1054 Budapest, Szabadság tér 7.

A kiállítás megtekinthető 2006. július 5. és 22. között
naponta 9-től 20 óráig
L'exposition est ouverte du 5 au 22 juillet 2006
tous les jours de 9 h 00 à 20 h 00

Információ és árlista / Information and Pricelist at
SZALÓKY ANNA GALÉRIA – Bank Center, Atrium
(H-1054 Budapest, Szabadság tér 7.)

Telefon / Phone: (+36 30) 233-7348, (+36 1) 302-9040
E-mail: gallery.annaszaloky@amtelmail.hu
zsszekelyhidi@greenlight.hu

D

Murielle, Patrick,

Un petit mot rapide. Je viens de chez mon médecin, en face de chez vous. Vous allez bien ? On se voit quand ? Vous êtes libres vendredi ou samedi (13 janvier) pour dîner chez nous ? Je vais aussi inviter Dominique et Christian. Appelez-moi (0 670 250 231).
Grosses bises,

Betty

— On se voit quand ?
— Lundi soir, d'accord ?

> C'est clair ?

1 Regardez les quatre invitations et choisissez la réponse qui convient.

Documents	A	B	C	D
anniversaire				
exposition de peinture				
dîner				
mariage				
théâtre				

2 Regardez les documents et faites les activités suivantes.

a) Document A : répondez.

1. Qui envoie cette invitation ?
2. Quel est son âge ?
3. Qui va recevoir cette invitation ?
4. La fête est où ?
5. La fête commence à quelle heure ?

b) Document B : lisez l'invitation. Répondez : *vrai, faux* ou *on ne sait pas*. Corrigez l'affirmation quand elle est fausse.

1. Gilles Trély est peintre. Faux : → ***Thibault Franc*** est peintre.
2. L'exposition est chez Thibault Franc, à Bordeaux.
3. On peut prendre le tramway pour aller voir l'exposition.
4. On peut prendre le bus pour aller voir l'exposition.
5. Le samedi 2 décembre, l'exposition commence à 18 h 30.
6. Le dimanche 3 décembre, l'exposition finit à 15 heures.

c) Document C : choisissez la réponse qui convient.

1. L'exposition est
   a) en France.
   b) en Hongrie.

2. On fait le vernissage
   a) pour commencer l'exposition.
   b) pour finir l'exposition.

3. L'exposition est
   a) le jeudi 6 juillet.
   b) du 5 au 22 juillet.

4. Le vernissage est
   a) à la banque.
   b) à l'Institut français.

d) Document D : complétez.

Qui écrit ?	À qui ?	Pour quoi ?	Pour quand ?	Contact
.....	.....	.....	.....	.....

Finir

je finis
tu finis
il/elle/on finit
nous finissons
vous finissez
ils/elles finissent

j'ai fini

50

3 Écoutez cette personne et répondez.

Elle répond à quelle invitation ?
Elle dit oui ou non à l'invitation ?
Quel est le prénom de cette femme ?

> *Comment on dit ?*

4 Regardez de nouveau la page 56. Dites dans quel document on trouve chaque phrase.

	document
1. ..... vous invitent à	B
2. Je t'invite à	
3. ..... ont le plaisir de vous inviter à	
4. Vous êtes libres ?	

51

5 Écoutez ces dialogues et complétez.

	type d'invitation	accepter (oui)	refuser (non)
1	*dîner*	–	*Je n'ai pas envie de sortir*
2	*cinéma*	*Oui, merci. C'est d'accord !*	–
3			
4			
5			
6			

6 Des amis vous proposent de dîner chez eux vendredi à 20 h 30. Écrivez deux phrases différentes pour accepter et deux phrases différentes pour refuser.

(oui) → .....
.....

(non) → .....
.....

Proposer	**Accepter**	**Refuser**
Tu veux visiter Paris avec moi ? Je vous invite samedi. Ça te dit (Ça te dirait) de venir ? Je te propose un petit restaurant italien. Je vous propose de regarder un DVD.	Merci de votre invitation. D'accord. C'est d'accord. Avec plaisir ! Ah oui, ça me dit bien de dîner avec toi. Ça marche ! *(fam.)* Je te remercie de ton invitation.	Je suis désolé(e), je ne peux pas venir. Ah ! non, ce n'est pas possible samedi. Je n'ai pas envie d'aller au cinéma. On n'est pas libres ce soir. Non, merci. Ça ne me dit rien. Je ne veux pas sortir, je dois travailler.

7 → ***Vous invitez votre voisin à dîner samedi prochain. Il accepte ou il refuse.***

ME, TE, SE, NOUS, VOUS

8 Observez ces phrases et indiquez ce que *m', t', se, nous* et *vous* remplacent.

— Maman ?
— Oui, Laura.
— Regarde la jolie carte, Agathe **m'**invite à son anniversaire. **m'** = Laura
— C'est gentil. Et elle **t'**invite quand ? En janvier ? **t'** = ...

— Allo, Patrick, c'est Murielle. Betty propose qu'on dîne ensemble bientôt.
— Ah ! Très bien ! et on **se** voit quand ? **se** = ...

— Allo, Dom, c'est Murielle et Patrick. Betty **nous** invite vendredi. On va chez elle ensemble ? **nous** = ...
— Ah ! Elle **vous** invite aussi, c'est bien ! **vous** = ...

9 Complétez avec *me (m'), te (t'), se (s'), nous* ou *vous*.

1. — Et toi, tu es où ? On ne ..... voit pas sur la photo.
   — Si on ..... voit. Cherche bien, tu vas ..... trouver.
2. — Mais vous faites quoi ? Je ..... cherche depuis une heure !
   — Ah ! bon, tu ..... cherches ? Mais on est là !
3. — Tu es rentré à 23 heures, je ..... ai entendu.
   — Oui, à 23 heures ou 23 h 30, je ne sais pas.
4. — Tu vas demander ça à Philippe, tu es sûr ?
   — Mais oui, on ..... connaît bien, il n'y a pas de problème !

Les pronoms compléments directs (1) : *me, te, se, nous, vous*

Il **m'aime** un peu, beaucoup...
Marie **te cherche**. Tu es où ?
On **se voit** quand ?
Elle **nous invite** tous vendredi !
Je ne **vous connais** pas, monsieur.
Elle **va m'inviter**.
Ils ne **vous ont** pas **vu**.

INDIQUER LA DATE

52

10 Écoutez et associez les éléments.

1. Agathe fête son anniversaire	a. mercredi ?
2. Vous êtes libres	b. le samedi 2 décembre.
3. Tu travailles	c. le 17 janvier.
4. Nous allons en Égypte	d. au mois de juin.
5. Léo vient à Paris	e. en 2010.
6. L'exposition commence	f. le mercredi ?

Les mois de l'année

janvier – février – mars
avril – mai – juin
juillet – août – septembre
octobre – novembre – décembre

11 Lisez l'encadré *La date* puis transformez les phrases.

Exemple : *(8 mars) Karine arrive à Paris* ***le 8 mars.***

1. (5 janvier 2008) Le bébé de Micha et Anne est né ..... .
2. (mardi) Je vais chez mon médecin ..... à 14 heures.
3. (lundi 4 juillet) L'exposition commence ..... .
4. (2006) Mon grand-père est mort ..... .
5. (décembre) ....., je vais voir mes parents à Nice.

La date

Marilyne vient lundi.
Je travaille le samedi.
Il arrive le (mardi) 8 mai (2009).
Je vais au Mexique en juillet.
Rémi va venir au mois de mars.
En 2011, on doit aller en Asie.

Prendre et fixer un rendez-vous

> *C'est clair ?*

53

12 Écoutez cette conversation téléphonique et répondez.

1. Qui appelle ?
2. Où est la personne ?
3. Qui répond au téléphone ?
4. Pourquoi est-ce que la personne appelle ?
5. Que vont faire les deux personnes l'après-midi ?
6. À quelle heure et où est le rendez-vous ?
7. Qui est Hiroshi Sugimoto ?

Pourquoi ? Parce que…

— Pourquoi tu m'appelles ?
— Parce que c'est ton anniversaire !

> *Comment on dit ?*

53

13 Écoutez encore la conversation entre Aiko et Fabio. Lisez l'encadré et complétez les phrases.

1. C'est ..... métro pour le centre Pompidou ?
2. Une expo, d'accord mais ..... expo ?
3. Vous êtes libre ..... jours ?
4. ..... sont les heures où vous pouvez venir ?

Quel, quels, quelle, quelles

Tu viens **quel** jour ?
Votre rendez-vous est à **quelle** heure ?
Tu as lu **quels** livres ?
Vous avez reçu **quelles** invitations ?

54

14 Écoutez et complétez le dialogue.

— Victoria coiffure, bonjour. Élodie à votre service.
— Bonjour. ..... un rendez-vous, s'il vous plaît. Juste pour un shampoing et une coupe.
— Oui, vous voulez venir ..... ?
— Jeudi ou ....., c'est possible ?
— Vous êtes libre le matin ? ..... ?
— Je préfère ..... le matin.
— Oui, qui vous coiffe ?
— C'est Victoria.
— D'accord. Alors, je vous propose jeudi, 9 heures ou 10 h 30.
— Euh…
— Ou vendredi 11 ..... .
— Vendredi 11 heures, c'est très ..... .
— ....., s'il vous plaît ?
— Penot. P.E.N.O.T.
— ....., madame Penot. Alors, à vendredi !
— Oui, ... Au revoir.
— ..... !

Prendre et fixer un rendez-vous

— Je voudrais un rendez-vous avec madame Nanty.
— Quel jour ? À quelle heure ?

— Vous êtes libre vendredi à 11 heures ?
— Ah non, je ne suis pas libre./ Je ne peux pas. / Ce n'est pas possible vendredi.

— Mardi à 8 h 30, ça va ?
— Oui, très bien. / Oui, ça va./ D'accord.

INTERROGER AVEC EST-CE QUE

15 Observez les questions à gauche et complétez.

Quand est-ce qu'on se voit ? = *On se voit quand ?*
Est-ce que tu as envie de voir une exposition ? = ...
Où est-ce que vous partez en vacances ? = ...
Est-ce que tu connais Sugimoto ? = ...

16 Observez le tableau puis écrivez des questions avec *est-ce que*.

Interroger avec *est-ce que*

avec l'intonation	*avec* est-ce que
Tu aimes le vin rouge ?	Est-ce que tu aimes le vin rouge ?
Vous allez où ?	Où est-ce que vous allez ?
Julia arrive quand ?	Quand est-ce que Julia arrive ?
Il chante comment ?	Comment est-ce qu'il chante ?
À quelle heure on arrive à Paris ?	À quelle heure est-ce qu'on arrive à Paris ?
Pourquoi tu ne viens pas avec moi ?	Pourquoi est-ce que tu ne viens pas avec moi ?

1. Tu connais mon frère ?
2. Tu vas à ton cours de français à quelle heure ?
3. Il habite où, Emmanuel ?
4. Vous vous appelez comment ?
5. Pourquoi tu veux changer de l'argent ?

Il chante comment ?

17 Imaginez des questions avec l'intonation ou avec *est-ce que*.

Exemple : — *Pourquoi est-ce qu'elle pleure ?*
— *Je ne sais pas.*

1. — ..... ?
   — À 12 h 40.
2. — ..... ?
   — Rue de Rennes, au numéro 149.
3. — ..... ?
   — D'accord. Avec plaisir !
4. — ..... ?
   — Parce que je suis fatigué.
5. — ..... ?
   — François. François Lepetit.

Savoir

je sais
tu sais
il/elle/on sait
nous savons
vous savez
ils/elles savent

j'ai su

Demander et indiquer l'heure

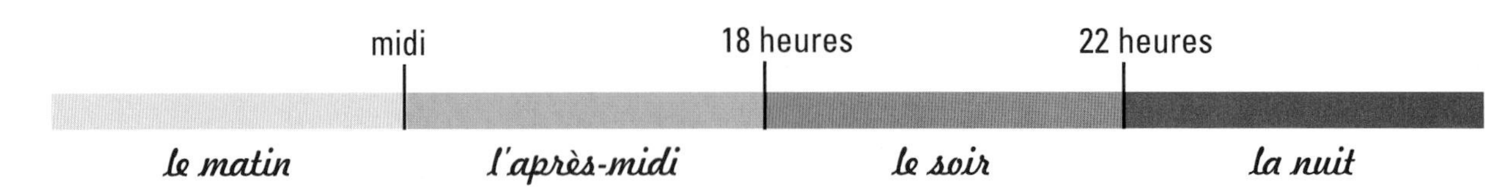

18 Lisez le tableau puis écoutez. Trouvez les heures que vous entendez.

1 heure → 12 heures	12 heures → 00 heure
2 h 40 : deux heures quarante *ou* trois heures moins vingt	13 h 10 : treize heures dix *ou* une heure dix
4 h 15 : quatre heures quinze *ou* quatre heures et quart	14 h 25 : quatorze heures vingt-cinq *ou* deux heures vingt-cinq
7 h 30 : sept heures trente *ou* sept heures et demie	15 h 15 : quinze heures quinze *ou* trois heures et quart
10 h 45 : dix heures quarante-cinq *ou* onze heures moins le quart	17 h 30 : dix-sept heures trente *ou* cinq heures et demie
12 heures : douze heures *ou* midi	18 h 45 : dix-huit heures quarante-cinq *ou* sept heures moins le quart
12 h 15 : douze heures quinze *ou* midi et quart	00 heure : zéro heure *ou* minuit

19 Il est quelle heure ? Écrivez.

Exemple : *16 h 10 = seize heures dix* ou *quatre heures dix*

18 h 20 = ...
12 h 30 = ...
19 h 50 = ...
22 h 45 = ...
00 h 15 = ...

20 Lisez le tableau. Écoutez et complétez les dialogues.

1. — Vous venez ....., ce soir ?
   — ..... 20 heures, ça va ?
2. — Pardon, ..., s'il te plaît ?
   — ..... 19 h 10.
3. — Tu as beaucoup travaillé aujourd'hui ?
   — Oh oui, j'ai travaillé ..... 6 heures ..... 17 heures.
4. — Tu viens, on va acheter mon livre !
   — Il est trop tard, la librairie est ouverte .... 19 heures et il est 20 ..... !
5. — Je t'attends. Tu es prête ?
   — ....., j'arrive !

21 → *Vous téléphonez à votre médecin pour prendre un rendez-vous. Vous travaillez beaucoup. La secrétaire vous propose des rendez-vous et vous n'êtes pas libre. Vous parlez beaucoup avec elle et finalement, vous fixez un rendez-vous. Par deux, jouez la scène.*

Demander et indiquer l'heure

— Quelle heure est-il ? / Il est quelle heure ?
— Il est neuf heures cinq.

— Vous avez l'heure ?
— Oui, il est cinq heures et demie.

— Ton train arrive à quelle heure ?
— À 11 h 08.

Le train arrive **à** 8 h 50.
Je travaille **de** 8 heures **à** 18 heures.
L'école est ouverte **jusqu'à** 17 heures.

tâche finale

→ SORTIE CINÉ

Vous téléphonez à un ami pour lui proposer d'aller au cinéma. Vous parlez des films, des heures, puis vous fixez un rendez-vous à votre ami. Regardez le programme et, par deux, imaginez puis jouez un dialogue.
Écrivez un courriel à un autre ami pour l'inviter à venir avec vous.

Des sons et des lettres

Les lettres finales

57 **A. Écoutez les phrases et trouvez les lettres finales qu'on ne prononce pas.**

Exemple : *Trouvez les lettres finales qu'on ne prononce pas.*

1. Ils vont au restaurant avec vous ?
2. Mes amis tchèques viennent à Paris en juin.
3. Sylvie est une très jolie fille.
4. Tu veux venir chez moi après le concert ?

B. Trouvez les lettres finales que vous ne prononcez pas.

1. On arrive vers une heure moins le quart.
2. Est-ce que tu peux m'aider, s'il te plaît ?
3. J'aime bien les cours de français.
4. J'ai un rendez-vous chez le coiffeur à midi.

[ʃ] ou [ʒ] ?

C. Écoutez et choisissez [ʃ] ou [ʒ].

	1	2	3	4	5	6	7	8
[ʃ] (*chez*)								
[ʒ] (*je*)								

Les lettres finales

En général, on ne prononce pas le «e» final : une belle promenade

Attention à :
«e» + «z» : vous écoutez
«e» + «r» : on va aller
«e» + «s» : les vacances
«e» + «t» : et ; le filet
...

En général, on ne prononce pas les lettres finales (*«t», «d», «s», «x»...*).
petit restaurant – d'accord
dans trois mois – je peux

LES FRANÇAIS CULTIVENT LEUR TEMPS LIBRE...

Le plaisir avant tout !

Depuis plusieurs années, on peut voir qu'en France, le plaisir est devenu plus fort que la réalité. Pourquoi ? Les Français ont peur de l'avenir et dans les loisirs, la réalité se transforme en rêve. Le développement des films, séries télévisées, jeux vidéo le montre bien. La société marche grâce au travail mais le temps, l'argent et la motivation pour les loisirs sont croissants.

Environ 100 € par mois pour la culture

En 2004, les Français ont dépensé en moyenne 1250 € pour les produits et les services culturels : 19 % pour l'image et le son (téléviseurs, lecteurs DVD...), 19 % pour les journaux et les magazines. On note également une forte croissance (+ 12 % entre 1960 et 2000) des achats de produits comme les ordinateurs, les lecteurs de DVD, les baladeurs, les téléphones portables, etc.
L'image et le son ont une place centrale dans les dépenses des Français qui vont beaucoup moins au cinéma (46 % des dépenses audiovisuelles en 1980 et 15 % en 2005).

De plus en plus d'activités culturelles

La croissance du niveau d'études explique que les Français pratiquent de plus en plus la peinture ou la musique, vont de plus en plus visiter les expositions, lisent de plus en plus de livres d'histoire ou de philosophie, visitent de plus en plus de musées ou de monuments. Ils essaient de comprendre le monde grâce à la culture et recherchent aussi des émotions et du rêve.

Dépenses culturelles et de loisirs (en % du budget loisirs des ménages)

	2004	2005	2006
TV, hi-fi, vidéo, photo	10,4	10,7	11,3
Informatique (y compris logiciels, CD Rom)	7,1	7,3	7,5
Disques, cassettes, pellicules photo	5,5	4,9	4,2
Autres biens culturels et de loisirs	3,4	3,5	3,7
Jeux, jouets, articles de sport	9,1	9,2	9,3
Jardinage, animaux de compagnie	12,1	11,9	11,9
Spectacles, cinéma, voyages	17,4	17,9	18,3
Jeux de hasard	9,5	9,6	9,6
Services culturels (y compris redevance télé)	10,9	10,7	10,5
Presse, livres et papeterie	14,5	14,2	13,6

Source : Insee, Comptes nationaux base 2000.

22 **Regardez les documents et complétez le tableau.**

	loisir (cinéma, théâtre…)	date (et heure)	prix
1			
2			
3			
4			
5			
6			

23 **Lisez le texte et observez le tableau *Dépenses culturelles et de loisirs*. Quels sont les loisirs préférés des Français ?**

ET VOUS ?

24 **Discutez dans la classe : quels sont les loisirs pratiqués dans votre pays ? Et vous, qu'est-ce que vous aimez faire quand vous ne travaillez pas ? Combien est-ce que vous dépensez pour vos loisirs ?**

Bonne idée !

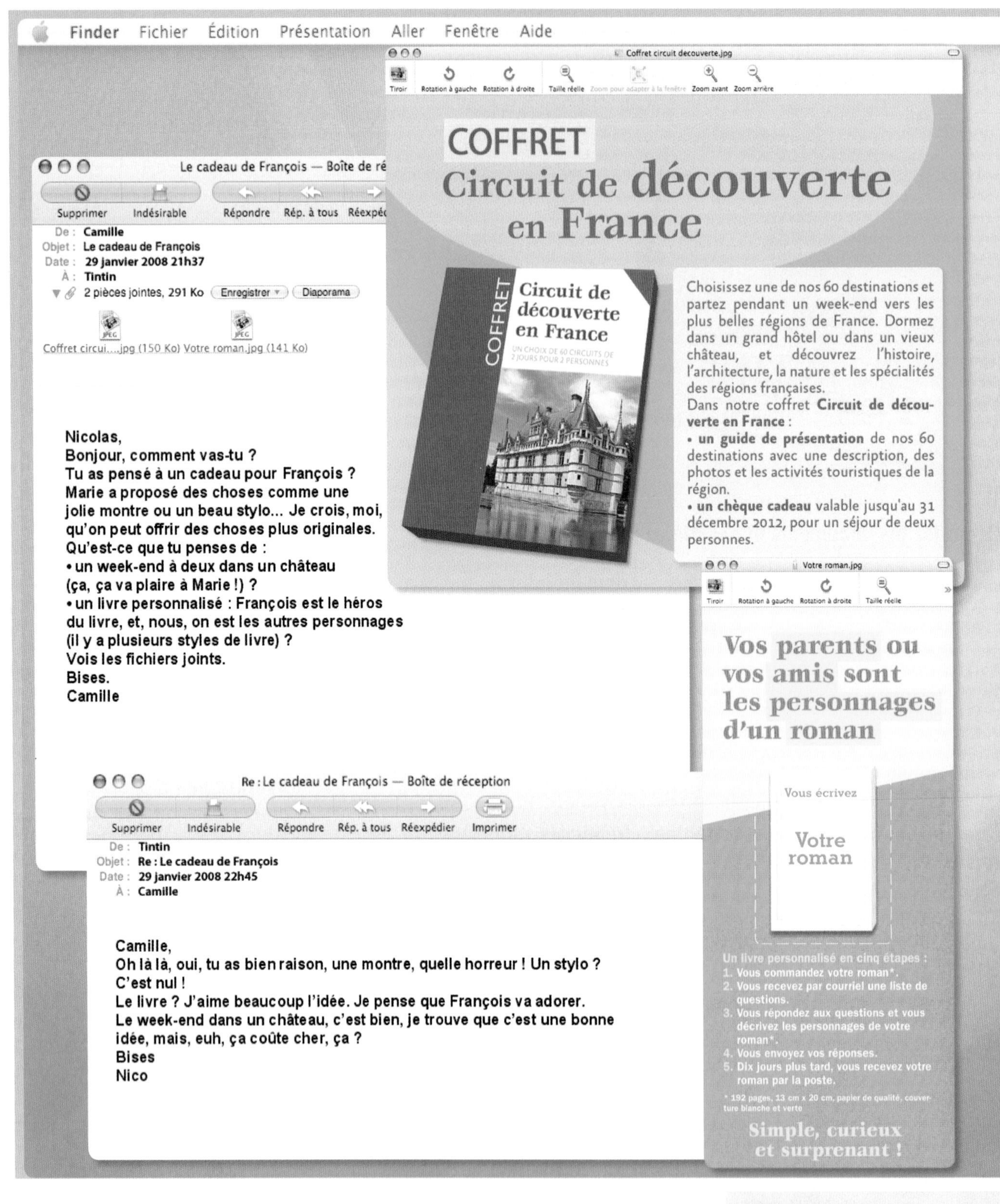

Offrir un cadeau	
j'offre	nous offrons
tu offres	vous offrez
il/elle/on offre	ils/elles offrent

Il **a offert** des fleurs à Julie.

> *C'est clair ?*

1 Lisez puis répondez oralement.

1. Quels cadeaux Marie voudrait offrir à François ?
2. Quels cadeaux Camille voudrait offrir à François ?
3. Avec le Coffret Circuit de découverte en France, on peut aller où ?
4. Avec le Coffret Circuit de découverte en France, on peut dormir où ?
5. Le Coffret Circuit de découverte en France propose un séjour pour une, deux ou trois personnes ?
6. Qui sont les personnages du livre personnalisé ?
7. Le livre personnalisé est écrit comment ?
8. Quels cadeaux est-ce que Nicolas aime ?

> *Zoom*

2 Lisez le tableau *Penser à – penser de* puis choisissez le mot qui convient.

1. — Euh… Anaïs, tu as pensé (à / de) mon livre ?
   — Oh, non, excuse-moi. Demain ?
2. — Alors, qu'est-ce que tu penses (à / de) la maison ?
   — Elle est grande et il y a un jardin, c'est bien.
3. — J'ai pensé (à / de) toi, hier, et j'ai acheté un cadeau pour toi !
   — Oh, merci, c'est gentil !
4. — Oh là là, qu'est-ce qu'il va penser (à / de) moi ?
   — Ce n'est pas important.

Penser à – penser de

Tu as pensé à un cadeau ?

Qu'est-ce que tu penses de mon cadeau ?

3 a) Lisez les phrases et répondez.

Un week-end à deux dans un château, ça va plaire à Marie !
Tes idées ne plaisent pas à la directrice.

Pour Marie, un week-end à deux dans un château est
1. un bon week-end.
2. un mauvais week-end.

« Ça va plaire à Marie » signifie :
1. Marie va aimer ça.
2. Marie ne va pas aimer ça.

b) Dans les phrases, quel est l'ordre des mots ? Donnez un numéro (1, 2, 3) à chaque élément.

plaire	une chose	à une personne

c) Lisez le tableau *Plaire* puis, oralement, trouvez des réponses avec *plaire*.

1. J'ai un cadeau pour toi : deux beaux livres de Victor Hugo !
2. Oh, tu vas en vacances en Belgique ? Génial !
3. Est-ce que tu as aimé le film ?
4. Tu as trouvé un travail dans un supermarché ? C'est bien !
5. C'est vrai ? Louise veut t'inviter au restaurant ?

Plaire

Ça te plaît ?

Ça ne te plaît pas ?

Mes idées ne plaisent pas à Marie !

Ton cadeau a beaucoup plu à ma femme !

Exprimer son point de vue

> *Comment on dit ?*

4 Observez les phrases et complétez.

Je crois, moi, qu'on peut trouver des choses plus originales.
Je pense que François va adorer.
Je trouve que c'est une bonne idée.

Pour présenter leurs idées, Camille et François utilisent *je crois, je pense, je trouve*. Avec quel mot est-ce qu'on utilise les verbes ?

Je crois Je pense Je trouve	.....	c'est une bonne idée.

Croire

je crois
tu crois
il/elle/on croit
nous croyons
vous croyez
ils/elles croient

j'ai cru

5 Classez les phrases dans le tableau et indiquez les éléments positifs ou négatifs.

Une montre, quelle horreur !
Un stylo ? C'est nul !
Le livre ? J'aime beaucoup l'idée.
Je pense que François va adorer.
Le séjour dans un château, c'est bien.
Je trouve que c'est une bonne idée.

avis positif (+)	avis négatif (–)
	Une montre, quelle horreur !

6 Observez les phrases puis, par écrit, transformez avec *quel*.

une horreur → Quelle horreur !
une bonne idée → Quelle bonne idée !
un beau cadeau → Quel beau cadeau !

une gentille invitation → .....
un mauvais film → .....
une horrible ville → .....
un beau bébé → .....
une grande maison → .....
un plaisir → .....
des jolies photos → .....

7 → *Lisez le tableau* Exprimer son point de vue *puis dites ce que vous pensez de ces cadeaux.*

un lecteur de DVD

une bougie

un porte-monnaie

une montre

Exprimer son point de vue

Positif

Je trouve que / Je crois que / Je pense que] c'est beau. c'est joli.

J'aime beaucoup.
J'adore.
Quelle bonne idée !
Ça me plaît beaucoup !

Négatif

Je trouve que / Je crois que / Je pense que] c'est mauvais. ce n'est pas beau.

Quelle horreur !
C'est nul !
Ça ne me plaît pas !

GRAND, BELLE ET AUTRE

8 a) Observez et dites si les mots sont masculins ou féminins.

une jolie montre
un joli cadeau
un grand hôtel
une grande école

une bonne idée
un bon gâteau
un autre personnage
une autre rue

un beau stylo
une belle fille
un vieux château
une vieille maison

b) Comment on écrit le masculin de ces adjectifs ?

jolie → .....
grande → .....
bonne → .....
autre → .....

c) Quel est le féminin de *beau* ?
Quel est le féminin de *vieux* ?

9 Lisez le tableau et écrivez les adjectifs à la forme qui convient.

1. Elle a pris une (joli) ..... photo.
2. Quoi ? Des livres ? C'est (nul) ..... !
3. Oh, vous avez une (grand) ..... maison !
4. Où sont les (autre) ..... étudiantes ?
5. Je trouve que les exercices sont (facile) .....
6. Oh oui ! Quelle (bon) ..... idée !
7. Elle est (vieux) ....., elle a 94 ans !

Les adjectifs : masculin et féminin

En général, le féminin est marqué par un «e» :
grand – grand**e**
joli – joli**e**
La forme est parfois la même :
autre – autre
facile – facile
Attention :
beau – belle
vieux – vieille
nouveau – nouvelle
Attention, avec c'est :
Une montre, c'est nul !
Les gâteaux, c'est bon !

BLEU, BLANC, ROUGE

10 Lisez les trois phrases et le tableau *Les couleurs*. Ensuite, écoutez et complétez avec les couleurs que vous entendez.

Le livre a une couverture blanche et verte.
Tu as un stylo vert ?
Son cadeau est un petit mouton blanc.

1. une voiture .....
2. un thé .....
3. la chemise .....
4. le chocolat .....
5. une mouche .....
6. une barbe .....

Les couleurs

orange *rouge* *rose*

bleu(e) *vert(e)* *jaune*

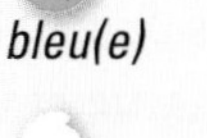

blanc – blanche *gris(e)* *noir(e)*

11 Quelles sont les couleurs des drapeaux ?
Et quelles sont les couleurs du drapeau de votre pays ?

la Belgique

le Canada

la Côte d'Ivoire

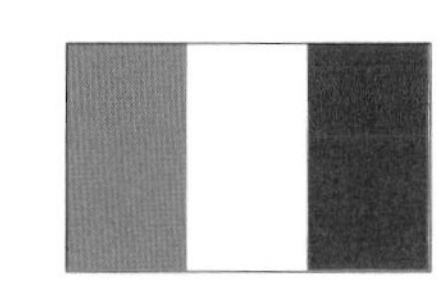

la France

le Japon

Exprimer la quantité

> *C'est clair ?*

12 Écoutez et répondez : *vrai, faux* ou *on ne sait pas.*

1. Fabio connaît bien le restaurant *Le Train Bleu.*
2. Aiko et Fabio vont aller manger au *Train Bleu.*
3. Aiko pense que *L'Échanson* est un bon restaurant.
4. Il n'y a pas de vin à *L'Échanson.*
5. Fabio connaît Tiphaine.
6. Les trois amis vont se retrouver au restaurant à huit heures.

Boire

je bois
tu bois
il/elle/on boit
nous buvons
vous buvez
ils/elles boivent

j'ai bu

COMBIEN ?

13 Écoutez et associez les éléments de chaque colonne.

Dialogue 1 •	• Aiko et Fabio •	• Combien de...
Dialogue 2 •	• Un enfant et sa mère •	• C'est combien ?
Dialogue 3 •	• Deux amies •	• Combien ça coûte ?
Dialogue 4 •	• Une vendeuse et un client •	• Ça coûte cher ?

14 → *Par groupes de deux, jouez la situation.*

– A entre dans un magasin de matériel informatique. Il salue B, le vendeur.
– B salue et demande à A ce qu'il veut.
– A dit qu'il cherche une clé USB.
– B propose trois clés (1, 5, ou 10 gigaoctets).
– A demande le prix et choisit une clé. Il paie.
– B remercie et salue A.
– A salue et sort du magasin.

S'informer sur le prix

Combien ?
C'est combien ?
Combien ça coûte ?
Ça coûte cher ?
Ça ne coûte pas cher ?
Ça fait combien ?

S'informer sur la quantité

Il y a combien de personnes ?
Combien d'argent est-ce que tu as ?

DE L'EAU, UN PEU D'EAU, BEAUCOUP D'EAU

62

15 Écoutez Aiko et répondez.

Aiko dit : « Tu veux boire du vin ? ».

Quelle est la différence entre :

— Tu veux boire **du** vin ?
— Tu veux boire **le** vin du restaurant ?
— Tu veux boire **mon** vin ?
— Tu n'aimes pas **le** vin ?

16 Choisissez le mot qui convient.

1. — Est-ce que Fabio aime (le / du) vin ?
   — Non. On va boire (l' / de l') eau.

2. — Tu as (l' / de l') argent ? Combien ?
   — Cinq euros.

3. — Vous avez reçu (la / de la) carte de Louise ?
   — Oui. Mardi.

Indiquer une quantité

Notion générale ou déterminée
J'aime **le** café.
Le lait est dans **le** frigo.

Notion ou quantité imprécise
Tu veux **du** café ?
Vous avez **de l'**argent ?

17 Lisez et associez les éléments de chaque colonne.

1. Il y a beaucoup de restaurants à Paris.
2. Elle n'a pas assez d'argent.
3. Il y a trop de personnes.
4. Elle a un peu d'argent.
5. J'ai assez de temps pour parler avec toi.
6. Je n'ai pas beaucoup de temps.
7. Elle a peu de temps.

a. Elle a deux minutes.
b. Elle a 5 euros et ça coûte 6 euros.
c. Elle a 50 euros. Moi, j'ai 150 euros.
d. Il y a 5 000 restaurants à Paris.
e. J'ai une heure.
f. Il y a 100 places et 200 personnes.
g. J'ai deux minutes.

18 Complétez avec *peu de, un peu de, assez de, beaucoup de* ou *trop de*.

1. — Ça va, Céline ?
   — Non, j'ai ..... travail !

2. — On peut se voir ?
   — Oui, mais j'ai ..... temps !

3. — Ils ont ..... enfants ?
   — Euh, oui, huit.

4. — Tu viens avec nous au *Train Bleu* ?
   — Non, c'est cher, je n'ai pas ..... argent.

5. — Tu veux ..... vin ?
   — Non, je n'aime pas le vin.

Indiquer une quantité

peu d'argent
un peu de temps
assez d'eau
beaucoup de restaurants
trop de travail

PAS DE TRAVAIL, PAS D'ARGENT

19 Observez les dialogues puis complétez la règle.

— Tu veux boire du vin ?
— Je ne bois pas de vin.

— Tu as une voiture ?
— Je n'ai pas de voiture. J'ai un vélo.

— Vous avez un peu d'argent ?
— Non, je n'ai pas d'argent.

— Vous aimez le café ?
— Non, je n'aime pas le café.

— Elle a des amis, non ?
— Non, elle n'a pas d'amis.

— De l'eau ?
— Non, je ne veux pas d'eau, merci.

À la forme négative : un, ..., du, ..., beaucoup de, ..., ..., ... → **pas de (d')**

20 Associez la réponse à la question qui convient.

1. Vous voulez du café ?
2. Il y a un restaurant dans votre rue ?
3. Vous avez des amis à Nice ?
4. Vos amis vont aller en Belgique ?
5. Vous aimez le café ?
6. Vous connaissez le restaurant *Les Plantes* ?

a. Pas le café. Le thé, oui.
b. Non, pas d'amis, mais deux cousines.
c. Non, pas de café pour moi, merci.
d. Non, pas de restaurant. Une boulangerie.
e. Non, pas ce restaurant. Désolé.
f. Non, pas mes amis. Mon frère, oui.

Ne… pas de

À la forme négative, un, une, du, des, de l', un peu de, beaucoup de, assez de,… → **ne… pas de**

— Vous avez une voiture ?
— Non, je **n'ai pas de** voiture. Je n'aime pas les voitures.

— Tu bois du café ?
— Non, **pas de** café, merci.

LE, LA, LES (PRONOMS COMPLÉMENTS DIRECTS)

63

21 Écoutez encore Aiko et Fabio et indiquez ce que chaque pronom remplace.

Est-ce que tu le connais ? le = ...
Je l'aime bien. l' = ...
Je l'adore. l' = ...

22 Complétez avec *le, la* ou *les*.

1. Tiphaine va venir ? Tu vas ..... inviter ?
2. Non, je n'ai pas les billets de train ! Tu ne ..... as pas pris ?
3. Nicolas ? Oui, elle ..... connaît : Nicolas est un ami de sa sœur.
4. Vous choisissez les personnages et vous ..... décrivez.
5. Un DVD ! Oh merci ! On va ..... regarder ce soir !
6. Non, Léa ne vient pas chez nous. On ..... retrouve au restaurant.

Les pronoms compléments directs (2) : *le, la, les*

Elle **le** connaît.
Tu **la** vois quand ?
Je **l'**aime.
On va **les** recevoir.

Le pronom est devant le verbe.
Je **le** vois. Je ne **le** vois pas.
Je vais **le** voir demain.
Je **l'**ai vu hier.

Vous voulez offrir un cadeau. Discutez par groupes de cinq étudiants.
Pour qui est le cadeau ?
Pourquoi voulez-vous offrir ce cadeau (pour un anniversaire, pour remercier...) ?
Combien de personnes offrent le cadeau ?
Combien d'argent vous avez ?
Quelles idées de cadeaux vous avez ? Donnez votre avis sur les idées des autres étudiants.
Choisissez votre cadeau.

Des sons et des lettres

« C » ou « ç » ?

64 **A. Écoutez puis complétez.**

1. ça va – cadeau
2. recevoir – cédille
3. merci – cinquante
4. comment – leçon
5. reçu – excuse

c + e, ... = [s]
c + a, ... = [k]
..... + a, o, u = [s]

La cédille

Sous le « c », elle marque le son [s] *devant « a », « o » et « u »* : français, leçon, reçu

65 **B. Écoutez puis complétez avec « c » ou « ç ».**

1. Tu .....onnais .....amille ?
2. .....a .....oûte .....ombien ?
3. .....'est un méde.....in fran.....ais.
4. J'ai re.....u .....inq .....artes postales de .....uba.

[k] ou [g] ?

C. Écoutez et choisissez [k] ou [g] .

	1	2	3	4	5	6	7	8
[k] *(cadeau)*								
[g] *(gare)*								

67 **D. Écoutez et trouvez quel mot vous entendez.**

1. un bloc – un blogue
2. mes oncles – mes ongles
3. écoutez – égouttez
4. deux bacs – deux bagues
5. des crues – des grues

Calissons d'Aix

QUEL CADEAU OFFRIR ?

Selon les occasions, trouver une idée de cadeau peut être facile ou très difficile…

La naissance d'un enfant

Vos amis ont eu un enfant ?
Le cadeau est facile : des vêtements pour l'enfant. Pensez à prendre les chaussettes avec le pantalon, ou le chapeau avec le manteau. Quand l'enfant est grand, vous pouvez offrir un jouet qui correspond à son âge.

Info + : Les vêtements d'un bébé, pendant la première année, coûtent 1 200 euros.

Vous êtes d'une autre ville, d'une autre région, d'un autre pays

Facile ! Apportez une spécialité de votre ville, région ou pays !
Une spécialité à manger ou à regarder !

Info + : Il y a, en France, plus de 600 spécialités régionales comme le nougat de Montélimar, le calisson d'Aix ou la bêtise de Cambrai.

Un dîner

Quand ils sont invités à dîner, les Français offrent des fleurs, du vin ou le dessert. Attention, pour le dessert, demandez leur accord aux personnes qui vous invitent. Les fleurs sont toujours un joli cadeau. Les Français offrent beaucoup de roses, de tulipes, d'orchidées et d'œillets. Si vous êtes invité à Noël ou à Pâques, vous pouvez offrir des chocolats (mais pas au mois de juillet !).

Info + : Chaque année, les Français achètent pour environ 990 millions d'euros de fleurs coupées. Le prix moyen d'un bouquet de fleurs est de 20 euros.

Info + : Les Français mangent environ 7 kg de chocolat par an, les Suisses 12 kg.

ET VOUS ?

**25 Dans votre pays, est-ce que vous offrez des cadeaux ? Quel cadeau vous pouvez offrir à vos amis, à votre famille, pour un anniversaire, un dîner ou un mariage ?
Quand est-ce qu'on ouvre les cadeaux ?**

Un cadeau personnel

Si vous connaissez bien la personne, vous pouvez offrir un cadeau personnel : un livre si la personne aime lire, un disque si elle aime la musique, un parfum si vous connaissez le nom de son parfum préféré...
En général, en France, on ouvre un cadeau quand on le reçoit, devant la personne qui l'offre.

Info + : Chaque jour, 170 000 flacons de parfum sont vendus en France.

Un mariage

Vos amis se marient ? Pas de problème : vos amis ont certainement fait une « liste de mariage » dans un magasin. Demandez l'adresse du magasin à vos amis !

Info + : En France, le total des cadeaux d'une liste de mariage est d'environ 5000 euros. Le cadeau moyen coûte 90 euros.

23 Lisez et répondez.

1. Quel cadeau est-ce que vous choisissez pour la fille de vos amis français (elle est née la semaine dernière) ?
2. Vous êtes invité à dîner chez vos amis français, est-ce que vous apportez un gâteau ?
3. C'est Noël, vous allez dîner chez vos amis français, quels sont les deux cadeaux que vous pouvez offrir ?
4. Vous êtes en France et vos amis français se marient. Quel cadeau est-ce que vous allez choisir ?
5. Vous ne connaissez pas la mère de votre ami français, mais elle vous a invité à dîner. Est-ce que vous pouvez offrir du parfum à la mère de votre ami ?

24 Écoutez et dites si la personne a bien choisi son cadeau ou non.

Autoévaluation 2

JE PEUX DEMANDER QUELQUE CHOSE POLIMENT

1 Écrivez ces phrases dans une forme plus polie.

1. Je veux un verre d'eau.
2. Tu peux m'aider ?
3. Je peux vous demander quelque chose ?
4. Vous pouvez me donner votre numéro de téléphone, s'il vous plaît ?

1

Comptez 1 point par réponse correcte.
Vous avez...
– 4 points : félicitations !
– moins de 4 points : revoyez les pages 47 et 48 de votre livre et les exercices de votre cahier.

JE PEUX PARLER D'ACTIONS PASSÉES

2 Mettez les verbes entre parenthèses au temps qui convient.

Nina (avoir) ..... 20 ans hier et on (fêter) ..... son anniversaire avec toute la famille. Nina (ne pas vouloir) ..... inviter ses amis parce qu'elle va faire une fête avec eux samedi prochain. Maman (faire) ..... un bon dîner, on (prendre) ..... de jolies photos. Comme toujours, Nina (recevoir) ..... beaucoup de cadeaux. On (passer) ..... une très bonne soirée.

2

Comptez 1 point par réponse correcte.
Vous avez...
– 7 points : félicitations !
– moins de 7 points : revoyez les pages 50 et 51 de votre livre et les exercices de votre cahier.

JE PEUX INVITER ET RÉPONDRE À UNE INVITATION

3 Complétez le minidialogue.

(Proposer) — .....
— Ah ! oui, c'est une bonne idée ; j'adore la cuisine chinoise.
— Tu viens avec Pierre ?
(Accepter) — .....
— Et après le restaurant, on va marcher un peu sur la plage ?
(Refuser) — .....

3

Comptez 2 points par réponse correcte.
Vous avez...
– 6 points : félicitations !
– moins de 6 points : revoyez les pages 57 et 58 de votre livre et les exercices de votre cahier.

JE PEUX INDIQUER LA DATE

4 Construisez les phrases avec les éléments proposés.

1. (16 juin 2008) La petite Mélina est née ..... .
2. (juillet) Tu pars en vacances ..... ?
3. (samedi) Il y a trop de travail au bureau, je dois aller travailler ..... .
4. (2012) Le tramway de Tours va circuler ..... .
5. (septembre) Il commence ses cours ..... .

4

Comptez 1 point par réponse correcte.
Vous avez ...
– 5 points : félicitations !
– moins de 5 points : revoyez la page 59 de votre livre et les exercices de votre cahier.

JE PEUX PRENDRE ET FIXER UN RENDEZ-VOUS

5 Supprimez la réponse ou les réponses qui ne conviennent pas.

1. — Je voudrais un rendez-vous avec madame Mercier, s'il vous plaît.
   — (Oui, ça va. / Oui, vous êtes libre jeudi matin ? / Ah, mais je ne suis pas libre lundi.)
2. — Mardi à 9 heures, ça va ?
   — (Non, je ne peux pas, désolé. / Euh, non, l'après-midi, ce n'est pas possible. / Oui, ça va, le lundi, c'est très bien.)

> 5
> ***Comptez 1 point par réponse correcte.***
> ***Vous avez...***
> *– 4 points : félicitations !*
> *– moins de 4 points : revoyez la page 60 de votre livre et les exercices de votre cahier.*

JE PEUX EXPRIMER MON POINT DE VUE

6 Associez les éléments.

Quelle •	• n'ont pas plu à Fabio.
Les lunettes de soleil •	• me plaît beaucoup.
Quel •	• joli cadeau !
Ça •	• horreur, ce film !

> 6
> ***Comptez 1 point par réponse correcte.***
> ***Vous avez...***
> *– 4 points : félicitations !*
> *– moins de 4 points : revoyez les pages 60 et 68 de votre livre et les exercices de votre cahier.*

JE PEUX M'INFORMER SUR LE PRIX

7 Complétez ce minidialogue.

— ..... ?
— Le pantalon noir ? 42 euros.
— ..... !
— Non, c'est normal.
— Et ça, ça ..... ?
— 28,50 euros, madame.

> 7
> ***Comptez 2 points par réponse correcte.***
> ***Vous avez...***
> *– 6 points : félicitations !*
> *– moins de 6 points : revoyez la page 70 de votre livre et les exercices de votre cahier.*

JE PEUX EXPRIMER LA QUANTITÉ

8 Choisissez l'élément qui convient.

1. Je n'ai (pas / peu / un peu) d'argent sur moi.
2. Ne mets pas (trop de / assez de / le) sucre dans le gâteau, s'il te plaît.
3. Tu peux acheter (du / de la / de l') eau gazeuse, s'il te plaît ?
4. On a (le / peu / pas) de temps pour vous écouter.

> 8
> ***Comptez 1 point par réponse correcte.***
> ***Vous avez...***
> *– 4 points : félicitations !*
> *– moins de 4 points : revoyez les pages 71 et 72 de votre livre et les exercices de votre cahier.*

Résultats : ..... points sur 40 points = ... %

PARTIE 1 **COMPRÉHENSION DE L'ORAL**

69 **EXERCICE 1**

Écoutez et choisissez.

La femme
- ☐ invite l'homme à un dîner dans son appartement.
- ☐ demande à l'homme de faire quelque chose.
- ☐ prend rendez-vous avec l'homme.

La femme a un problème
- ☐ avec l'électricité de son appartement.
- ☐ avec son travail et son directeur.
- ☐ avec le travail fait par un électricien.

70 **EXERCICE 2**

Écoutez et choisissez.

Mme Coulibaly
- ☐ est une amie de Mme Forget.
- ☐ travaille avec Mme Forget.
- ☐ ne connaît pas Mme Forget.

Mme Forget
- ☐ veut aller chez Mme Coulibaly le samedi.
- ☐ veut offrir un voyage à Mme Coulibaly.
- ☐ veut inviter Mme Coulibaly à aller dans un magasin.

Mme Coulibaly refuse et dit :
- ☐ « je ne peux pas samedi, je ne suis pas libre ».
- ☐ « votre cadeau, ça ne me dit rien ».
- ☐ « votre cadeau m'intéresse bien ».

71 **EXERCICE 3**

Écoutez et répondez.

1. Quelle est la sculpture installée à La Défense ? Choisissez.

a

b

c

d

2. Quel est l'avis des trois personnes qui répondent au journaliste ?

1re personne : ..... 2e personne : ..... 3e personne : .....

PARTIE 2 **COMPRÉHENSION DES ÉCRITS**

EXERCICE 1

Vous venez de recevoir cette invitation. Répondez aux questions.

Les étudiants de troisième année de l'ENSAE et madame Camille Coulon ont la joie de vous inviter à venir partager leur repas annuel,

le 14 avril, à 20 heures,
au restaurant La Braisière,
42, rue Pharaon, Toulouse.

Réponse souhaitée avant
le 30 mars au 05.31.45.63.28,
à bde-3@ensae.org ou à
Diane Noyer, BDE-3, ENSAE,
1, rue Bourdon, 31200 Toulouse

EXERCICE 2

Voici l'emploi du temps de Vicente. Lisez et répondez.

1. Quand est-ce qu'il a un cours de musique ?
2. Quand est-ce qu'il n'a pas de cours l'après-midi ?
3. Combien d'heures de français est-ce qu'il a chaque semaine ?

	Lundi	Mardi
8 h – 9 h		
9 h – 10 h	français	français
10 h – 11 h	français	français
11 h – 12 h	histoire	
14 h – 15 h		multimédia
15 h – 16 h		littérature
16 h – 17 h		littérature
17 h – 18 h		
18 h – 19 h		

1. C'est une invitation pour
- ☐ une visite de l'ENSAE.
- ☐ un dîner.
- ☐ un examen.

2. Que devez-vous faire avant le 30 mars?
- ☐ Prendre rendez-vous avec Diane Noyer.
- ☐ Aller au secrétariat de l'ENSAE.
- ☐ Accepter ou refuser l'invitation.
- ☐ Écrire au restaurant.

4. S'il veut fixer un rendez-vous à une personne, est-ce qu'il est libre
- ☐ le lundi après-midi à quatre heures ?
- ☐ le mardi matin à 11 h 10 ?
- ☐ le mercredi à 17 heures ?

Mercredi	Jeudi	Vendredi
culture		
littérature	histoire	multimédia
histoire	français	culture
multimédia	français	culture
	littérature	
	musique	
sport		
sport		

PARTIE 3 PRODUCTION ÉCRITE

EXERCICE 1

Pour aider la *Société protectrice des animaux*, vous voulez donner un peu d'argent. Remplissez le formulaire ci-dessous.

Faites un don à la SPA

Vous souhaitez faire un don, veuillez remplir le formulaire.

Votre don

❒ 10€ ❒ 20€ ❒ 30€ ❒ 60€ ❒ 90€ Autre montant : _____

Vos coordonnées

Nom :
Prénom :
Date de naisssance :
Adresse :
Téléphone fixe :
Téléphone mobile :
Courriel :

Vous

Vous avez des animaux chez vous ? ❒ oui ❒ non
Si oui, combien ? _______Lesquels ?___________

EXERCICE 2

Vous êtes invité par un ami français à sa fête d'anniversaire. Vous voulez offrir un cadeau. Vous avez trois idées mais vous ne savez pas quel cadeau offrir. Vous écrivez un message électronique à un autre ami français, vous lui expliquez la situation et vous lui demandez de vous aider.

PARTIE 4 PRODUCTION ORALE

ENTRETIEN DIRIGÉ

Répondez aux questions de votre professeur.

ÉCHANGE D'INFORMATIONS

Posez des questions à votre professeur à partir des mots suivants :

Nom ?	Exposition ?
Cadeau ?	Voyage ?
Famille ?	Animaux ?
Cinéma ?	Études ?

DIALOGUE SIMULÉ

Vous téléphonez à votre dentiste pour prendre un rendez-vous. Vous avez des cours de français dans votre école et vous travaillez trois heures par jour dans une boutique. Le professeur joue le rôle du dentiste.

Contrat d'apprentissage

module3 Agir dans l'espace

→ niveaux A1/A2

unité 7 C'est où ?

J'APPRENDS

POUR → **Demander et indiquer une direction**
- *C'est loin ? tout droit, à gauche...*
- l'impératif

→ **Localiser**
- *au, à la, du...*
- le passé composé (2)
- *en face, entre, sous...*
- *premier, troisième...*

TÂCHE FINALE

Je veux aller chez mon ami mais je ne sais pas où il habite. Il m'explique au téléphone. Avec mes notes, je trace le chemin sur mon plan.

unité 8 N'oubliez pas !

J'APPRENDS

POUR → **Exprimer l'obligation ou l'interdit**
- *vous devez..., ne pas fumer, éteignez votre téléphone...*

→ **Conseiller**
- *tu pourrais..., il ne faut pas...*
- *qui, que, où*
- *me, te, lui, leur,* compléments indirects.

TÂCHE FINALE

Un ami français va visiter mon pays. Je réponds par courriel à sa demande d'informations. J'indique les restaurants, les lieux à visiter, les choses à emporter...

unité 9 Belle vue sur la mer !

J'APPRENDS

POUR → **Décrire un lieu**
- *Il y a 10 000 habitants, la région offre...*
- la place des adjectifs

→ **Situer**
- *au sud de la ville, elle est située...*
- *trouver, se trouver*
- *ce, cet, cette, ces*
- *y,* pronom complément
- les prépositions devant les noms de villes et de pays

→ **Exprimer la fréquence**
- *encore, souvent, deux fois...*

TÂCHE FINALE

Par groupes, nous cherchons des informations sur une ville ou une région que nous aimons, puis nous composons une page pour le magazine de notre école ou de notre ville, ou pour Internet.

C'est où ?

Ne... pas, ne... plus

Je **ne** trouve **pas** ta rue.
Je **n'**ai **plus** d'essence.

> C'est clair ?

1 Écoutez le dialogue et répondez oralement.

1. Où habite Marion ?
2. Comment est-ce que Jérôme vient la voir ?
3. Quel problème est-ce qu'il rencontre ?
4. Que fait Marion pour l'aider ?
5. Comment s'appelle la rivière qui traverse la ville ?
6. Que doit faire Jérôme quand il arrive rue des Veaux ?
7. Que propose Marion pour recevoir Jérôme ?

2 Sur le plan, tracez le chemin de Jérôme pour aller chez Marion.

Faire

je fais
tu fais
il/elle/on fait
nous faisons
vous faites
ils/elles font

j'ai fait

> Zoom

3 Associez les mots aux dessins.

 1  2  3  4  5  6

tout droit : n° .....
à droite : n° .....

à gauche : n° .....
autour : n° .....

jusqu'à : n° .....
au coin : n° .....

4 Regardez ce plan. Magali est à Paris, place de l'École militaire. Elle veut aller avenue de Suffren et elle demande son chemin. Écoutez les trois personnes et indiquez la personne qui donne le bon chemin.

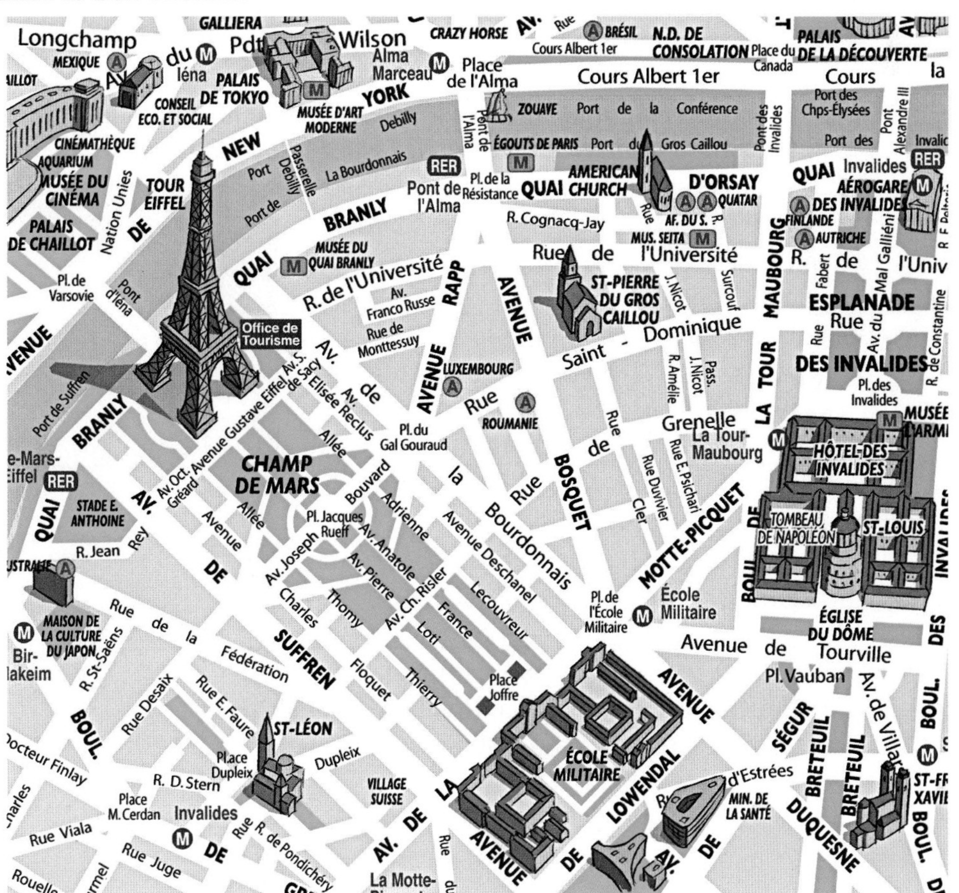

Demander et indiquer une direction

> Comment on dit ?

3

5 Écoutez et relevez comment chaque personne demande son chemin. Complétez.

1. ....., ... la Banque de France.
2. ..... le théâtre du Rond-Point, ... ?
3. ..... madame, ... la station de métro Rambuteau ?
4. Le boulevard Arago, ... ?
5. ....., la poste centrale, ... d'ici ?

6 Choisissez les verbes entre parenthèses qui conviennent.

1. (Prenez / Tournez) la première rue à gauche.
2. (Continue / Tourne) jusqu'au bout de l'avenue Bosquet.
3. Tu (arrives / vas) à droite et tu (prends / vas) la rue des Balais.
4. (Continuez / Tournez) tout droit jusqu'au « stop ».
5. Après, vous allez (traverser / prendre) la Seine.
6. (Tourne / Continue) à droite et (prends / vas) la troisième rue à gauche.

Demander une direction

Où est le musée d'Art moderne, s'il vous plaît ?
Où se trouve la gare, s'il vous plaît ?
Je cherche *Le café d'Isa.*
La poste, s'il vous plaît ?
Vous connaissez la rue Foch ?
C'est loin ?
C'est près d'ici ?

7 → *Regardez le plan de la page 83.*
Vous êtes cours Albert 1er et une personne vous demande comment aller avenue Duquesne.
Par groupes de deux, écrivez un dialogue.

L'IMPÉRATIF

8 Dans cet extrait du dialogue entre Marion et Jérôme, soulignez toutes les formes des verbes *aller, prendre* et *tourner.* Qu'est-ce que vous remarquez ?

— Oui, oui, je connais. Alors prends vite la rue des Bouchers. Tu vas jusqu'au bout et tu arrives sur une place.
— Oui, euh... place du Corbeau.
— Bon, tu vas à droite et tu prends le quai.
— À droite ! Ah zut ! Trop tard... Je suis allé à gauche... Bon, attends... je vais pouvoir faire demi-tour ici... C'est bon, continue...
— Va tout droit. Ensuite, tourne à gauche sur le pont. Tu vas traverser l'Ill.
— Lille ? Attends, je ne comprends rien... Je suis à Strasbourg, pas à Lille !
— L'Ill, c'est le nom de la rivière : I. 2 L.
— Ah... Bon, ça y est. Je vais où, maintenant ?
— Là, va doucement. Tu tournes à droite, tu prends le quai. Il doit s'appeler le quai au Sable, je crois...

Strasbourg

9 Complétez le tableau.

	présent	impératif
prendre	*tu prends*	.....
aller	.....	.....
arriver	.....	*arrive*
tourner	*tu tournes*	.....

4

10 Écoutez et classez dans le tableau les cinq formes à l'impératif.

(tu)	(nous, on)	(vous)
.....	.....	.....

11 Réagissez aux situations en utilisant un impératif.

1. Votre professeur parle très vite et vous n'avez pas compris :
« Madame, (répéter) ....., s'il vous plaît ! »
2. Votre ami fait beaucoup de bruit quand vous lisez :
« S'il te plaît ! (arrêter) ..... de faire du bruit quand je lis ! »
3. Votre petit frère mange beaucoup :
« (Ne pas manger) ..... de gâteau, tu vas grossir ! »
4. Vos deux amies ne font jamais de sport :
« (Faire) ..... du sport avec moi le dimanche ! »
5. Vous invitez vos parents à déjeuner dimanche :
« (Venir) ..... déjeuner à la maison dimanche ! »
6. Vous êtes à Paris ; vous décidez, avec vos amis, de partir demain matin à 8 heures pour visiter le musée du Louvre :
« (Partir) ..... à 8 heures, on arrivera au musée vers 9 heures. »

L'impératif

Présent	***Impératif***
Tu appren**ds**	Appren**ds** !
Vous appren**ez**	Appren**ez** !
Nous appren**ons**	Appren**ons** !

Attention :
être : Sois à l'heure ! Ne soyez pas en retard ! Soyons clairs !
avoir : N'aie pas peur ! N'ayez pas peur ! N'ayons pas peur !

Le «s» final disparaît avec les verbes en «-er» :
Tu chantes → Chant**e**
Tu vas → V**a**

Forme négative : **N'**écoute **pas** ! **Ne** criez **pas** !

Localiser

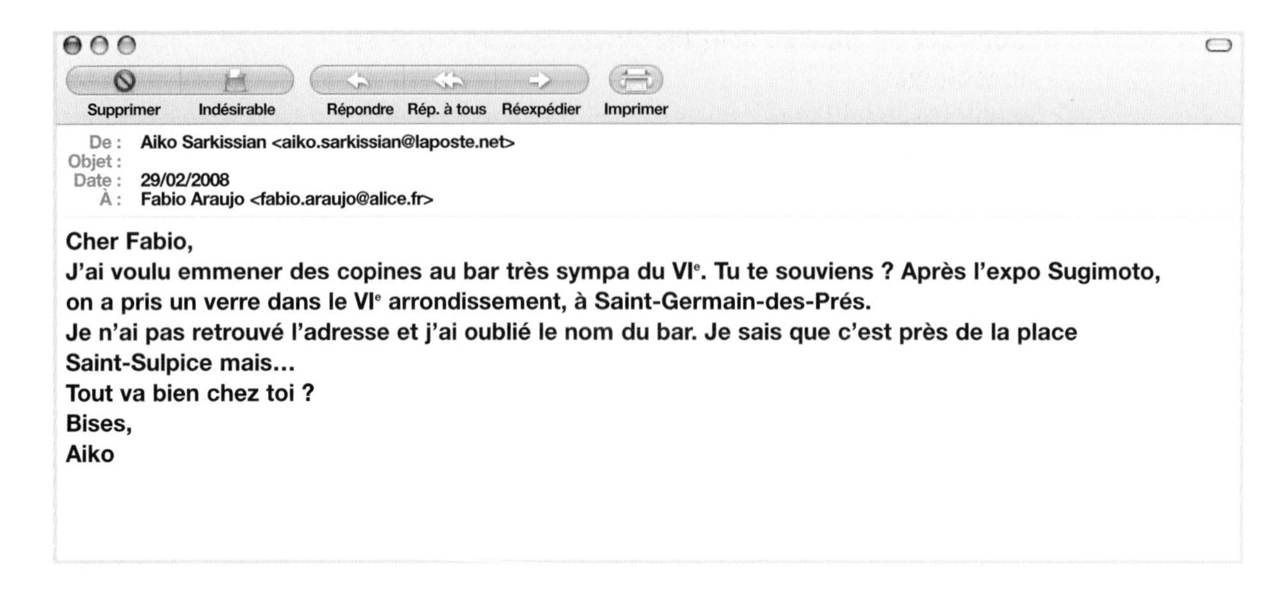

Supprimer Indésirable Répondre Rép. à tous Réexpédier Imprimer

De : Aiko Sarkissian <aiko.sarkissian@laposte.net>
Objet :
Date : 29/02/2008
À : Fabio Araujo <fabio.araujo@alice.fr>

Cher Fabio,
J'ai voulu emmener des copines au bar très sympa du VIe. Tu te souviens ? Après l'expo Sugimoto, on a pris un verre dans le VIe arrondissement, à Saint-Germain-des-Prés.
Je n'ai pas retrouvé l'adresse et j'ai oublié le nom du bar. Je sais que c'est près de la place Saint-Sulpice mais...
Tout va bien chez toi ?
Bises,
Aiko

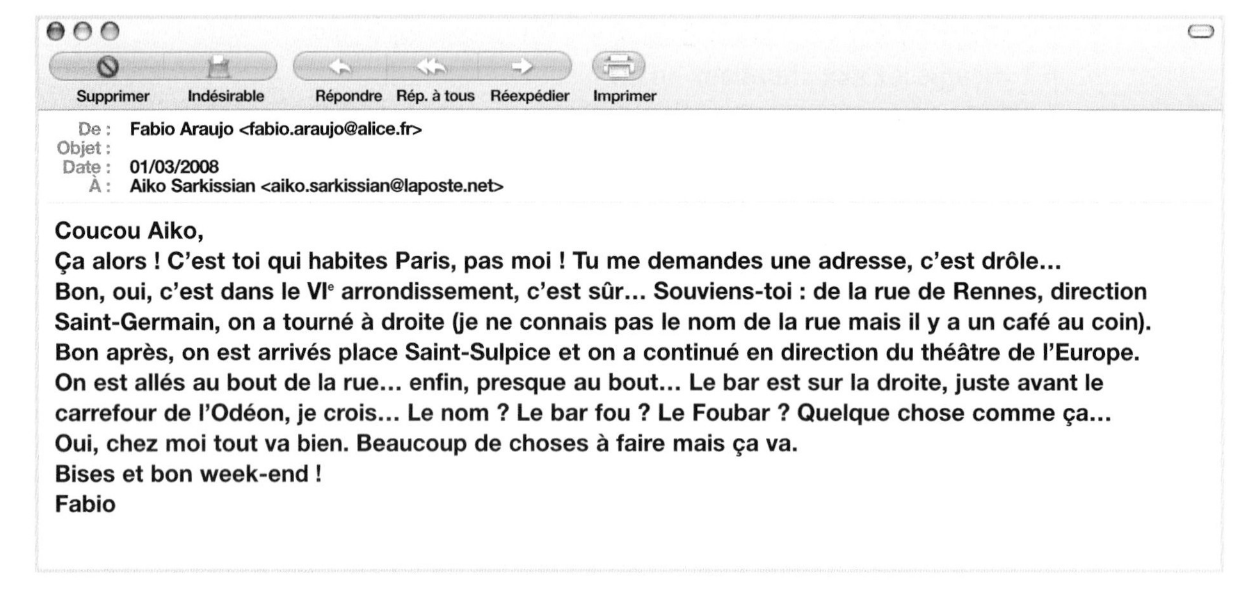

Supprimer Indésirable Répondre Rép. à tous Réexpédier Imprimer

De : Fabio Araujo <fabio.araujo@alice.fr>
Objet :
Date : 01/03/2008
À : Aiko Sarkissian <aiko.sarkissian@laposte.net>

Coucou Aiko,
Ça alors ! C'est toi qui habites Paris, pas moi ! Tu me demandes une adresse, c'est drôle...
Bon, oui, c'est dans le VIe arrondissement, c'est sûr... Souviens-toi : de la rue de Rennes, direction Saint-Germain, on a tourné à droite (je ne connais pas le nom de la rue mais il y a un café au coin).
Bon après, on est arrivés place Saint-Sulpice et on a continué en direction du théâtre de l'Europe.
On est allés au bout de la rue... enfin, presque au bout... Le bar est sur la droite, juste avant le carrefour de l'Odéon, je crois... Le nom ? Le bar fou ? Le Foubar ? Quelque chose comme ça...
Oui, chez moi tout va bien. Beaucoup de choses à faire mais ça va.
Bises et bon week-end !
Fabio

> *C'est clair ?*

12 Lisez les messages puis répondez.

1. Qui a écrit le premier et le second message ?
2. Qu'est-ce qu'Aiko demande ?
3. Pourquoi est-ce que Fabio trouve ça drôle ?
4. Dans quel quartier se trouve le théâtre de l'Europe à Paris ?

AU, À LA, DU...

13 Relisez les messages et complétez.

C'est près ..... place Saint-Sulpice.
Je ne connais pas le nom ..... rue.
Il y a un café ..... coin de la rue.
On a continué en direction ..... théâtre de l'Europe.

14 Observez les photos, lisez les phrases puis complétez le tableau.

On va déjeuner au Café de la grosse tour, *tu viens avec nous ?*
Pardon, vous connaissez la rue des balais, s'il vous plaît ?

	à	de
le café	(à + le) → ..... café	(de + le) → ..... café
la poste	(à + la) → **à la** poste	(de + la) → ..... poste
l'université	(à + l') → à l'université	(de + l') → .....
les toilettes	(à + les) → aux toilettes	(de + les) → .....

15 Complétez les phrases avec *au, aux, à l', à la, du, des, de l'* ou *de la.*

1. On va (à) ..... cinéma ce soir à 21 heures ?
2. Mon frère a des très belles photos (de) ..... îles grecques.
3. Tu m'attends, je vais (à) ..... toilettes.
4. Elle va chercher ses enfants, ils sortent (de) ..... école à 16 h 30.
5. Tu as la clé (de) ..... voiture ?
6. On se retrouve à 18 heures (à) ..... *Café* (de) ..... *amis*, d'accord ?
7. Je dois retourner (à) ..... banque, j'ai des problèmes d'argent.
8. Où est la sortie (de) ..... magasin, s'il vous plaît ?

le bureau → Je vais **au** bureau. / Je viens **du** bureau.
la banque → Il va **à la** banque. / Il vient **de la** banque.
l'école → Elle est **à l'**école. / Elle arrive **de l'**école.
les halles → Ils sont **aux** halles. / Ils sortent **des** halles

LE PASSÉ COMPOSÉ (2)

16 Observez et répondez.

On est arrivés place Saint-Sulpice.
On est allés au bout de la rue.

1. Ces phrases sont
   a) au présent. b) au futur proche. c) au passé composé.
2. Que remarquez-vous ?

17 Lisez les quatre phrases et le tableau puis complétez les phrases.

Bon, après, on ***est arrivés*** *place Saint-Sulpice.*
Aiko et ses copines ***sont allées*** *au Foubar.*
*Fabio n'****est*** *pas* ***parti*** *en voyage.*
Marion ***est restée*** *chez elle pour attendre Jérôme.*

1. Tu ..... retrouvé tes clés de voiture ?
2. Aiko n'est pas rest..... à Paris samedi.
3. Ils ..... partis à quelle heure ?
4. Elles ..... parlé avec Paul.
5. Nous ..... nés en 1979.
6. Vous ..... pris quel train ?
7. Marion et Jérôme ..... sort..... samedi soir.
8. Oui, elle ..... tomb..... amoureuse du voisin.

Le passé composé avec *être*

Avec quelques verbes et avec tous les verbes +* se (s'appeler, se lever...), *il se forme avec* être *+ le participe passé du verbe.*
Elle est partie.
Ils se sont levés tard.

**avec 15 verbes et les verbes de la même famille :* aller, venir, entrer, sortir, monter, descendre, arriver, partir, naître, mourir, rester, retourner, passer, tomber, apparaître.

Remarque : dans les formes avec être, *attention à l'accord du participe passé avec le sujet.*
Il est n**é**. – Ils sont parti**s**.
Elle est all**ée**. – Elles sont rest**ées**.

EN FACE, À CÔTÉ, SUR...

18 Écoutez Jérôme et Marion et, dans la liste, retrouvez les mots que Marion cite.

les pièces de la maison : la cuisine – la salle de bains – le salon – la chambre
les meubles : la table – les chaises – le canapé – le fauteuil – le lit – le bureau – le placard

Ne... jamais

Tu **ne** vas **jamais** sortir avec tes amis ?
Vous **n'**avez **jamais** fumé ?

19 a) Regardez cette chambre et lisez les phrases.

dans
sur ≠ sous
devant ≠ derrière
entre... et...
en face (de)
à côté (de)
à droite (de) ≠ à gauche (de)

La télévision est en face du lit.
La télévision est entre la fenêtre et la porte.
Il y a des fleurs sur la table.
Le vase blanc est derrière le fauteuil.
Devant les fenêtres, il y a une table et deux fauteuils.
Les deux vases marron sont à côté de la porte.
Le tapis est sous le lit.

b) Oralement, corrigez les affirmations.

Exemple : *Les fenêtres sont à droite du lit.* → *Les fenêtres sont à gauche du lit.*

Il y a des coussins sous le lit.
Le fauteuil est sur les fleurs.
Le vase blanc est en face de la télévision.
La porte est à côté du lit.
La télévision est derrière la fenêtre.

PREMIER, DEUXIÈME...

20 Lisez le tableau, puis écrivez les nombres en lettres.

Exemple : *C'est au 4e étage, à droite.*
→ *C'est au quatrième étage, à droite.*

1. Ma fille est au collège ; elle est en 5e.
2. Vous voyagez en 2de classe ?
3. Chenonceau est un château du XVIe siècle.
4. Mes parents sont amoureux de la Bolivie. Ils vont là-bas pour la 4e fois.
5. C'est déjà la 22e année du festival d'Aurillac.
6. Hier, j'ai acheté le 1er CD de Damien Robitaille. Pas mal !

21 Écoutez puis écrivez le nombre que vous entendez.

1. *43e*
2. .....
3. .....
4. .....
5. .....
6. .....

1
Prenez la **première** rue à droite.
C'est son **premier** enfant.
Hum... les **premières** fraises...

2
Tu veux un **deuxième** coca ?
Il voyage en **seconde** classe.

3
J'habite au **troisième** étage.

18
Elle habite place Clichy, dans le **dix-huitième** arrondissement.

Vite, prenons le **dernier** métro !
Je suis en retard, je suis la **dernière** !

→LE BON CHEMIN...

Par deux, travaillez avec le plan de votre ville. Vous voulez aller chez votre ami mais vous ne savez pas où il habite. Vous téléphonez à cet ami, vous lui dites où vous êtes et vous lui demandez de vous indiquer le chemin jusque chez lui. Notez les indications qu'il vous donne. Quand la conversation téléphonique est finie, utilisez vos notes et dessinez le plan pour aller chez votre ami.
Ensuite, tous les deux, comparez votre plan avec le plan de la ville.

Des sons et des lettres

Tournez ou *tourner* ?

7 **A. Écoutez, lisez et relevez les différentes façons d'écrire le son [e] (*télévision*) ou [ɛ] (*père*).**

1. Entr**ez**, madame, je suis pr**ê**t. → *ez – ê*
2. Je n'aime pas le lait. → .....
3. Si ! On a chanté samedi à seize heures. → .....
4. Lynn est anglaise. → .....
5. Achète les billets de train. → .....
6. Vous voulez un thé ? → .....
7. Où est l'entrée du musée, s'il vous plaît ? → .....
8. Tu as mal à la tête ? → .....
9. Il ne peut pas travailler. → .....
10. Tu es fatigué aujourd'hui ? → .....

B. Choisissez un des éléments proposés pour compléter les mots.

1. (ée / é) La voiture est devant l'entr..... .
2. (ez / er) Continu..... tout droit et c'est la deuxième à droite.
3. (ais / ait) Je ne s..... pas où tu habites.
4. (ê / é) Tu peux ouvrir la fen.....tre, s'il te plaît ?
5. (é / er) Tu as tes clés pour rentr..... ?

[p] ou [b] ?

8 **C. Écoutez et choisissez [p] ou [b].**

	1	2	3	4	5	6	7	8
[p] (*premier*)								
[b] (*Strasbourg*)								

ARCHITECTURE ET NATURE

Jean Nouvel, architecte, a voulu, réaliser quatre bâtiments totalement différents pour ce musée qui expose 3 500 objets des arts et des civilisations d'Afrique, d'Asie, des Amériques et d'Océanie. Dans cet esprit, il a confié à Patrick Blanc* l'habillage extérieur et intérieur du bâtiment Branly. Ce dernier a réalisé un mur végétal. Sa surface est de 800 m² et il se compose de 15 000 plantes environ. Ces plantes viennent du Japon, de Chine, des États-Unis et d'Europe centrale.

*chercheur au Centre national de la recherche scientifique et professeur à l'université de Jussieu (Paris).

Le Vistal rassemble l'architecture et la nature.
Construit à l'Île-des-Sœurs (Montréal), c'est un immeuble vert, pensé dans un souci d'économie d'énergie et de respect de l'environnement. C'est un espace de vie harmonieux et écologique. Les deux tours de 25 étages sont construites en verre et l'ensemble possède un jardin suspendu. Les architectes ont réussi à construire un ensemble qui s'intègre parfaitement à l'environnement grâce à sa faible consommation énergétique et à sa faible consommation d'eau et de chauffage.

22 **Regardez les quatre photos, puis lisez les deux textes. Dites à quelle photo correspond chaque texte.**

9 **23** **Écoutez les dialogues et dites si chaque personne aime ou n'aime pas le lieu qu'elle décrit. Complétez le tableau.**

	dialogue 1	dialogue 2
☺		
☹		

10 **24** **Écoutez et dites de quelle photo chaque personne parle.**

	personne 1	personne 2	personne 3	personne 4	personne 5	personne 6
photo A						
photo B						
photo C						
photo D						

L'architecture	**La nature**
un(e) architecte	l'écologie
un quartier	un écologiste
un bâtiment	écologique
un immeuble	l'environnement
une tour	les économies d'énergie
une façade	une éolienne

ET VOUS ?

26 **Est-ce qu'il est important de réfléchir à de nouvelles formes d'architectures, plus proches de la nature ? Pourquoi ?**

Est-ce qu'il y a dans votre pays des quartiers écologiques ou des réalisations comme celles présentées ici ? Qu'en pensez-vous ?

25 **Placez chaque légende sous la photo qui convient.**

Musée des Arts premiers, Paris
Coopérative Vivre en ville, Québec
Le Vistal, Île-des-Sœurs, Montréal
Tour Phare, Paris

N'oubliez pas !

> C'est clair ?

1 Écoutez et choisissez la carte postale qui peut correspondre aux descriptions de France Villeneuve.

2 Répondez.

1. Où se passe la scène ?
2. Combien y a-t-il de personnes et qui sont-elles ?
3. Pourquoi est-ce que France parle des enfants métis, du sable chaud, de la douceur de vivre, etc. ?
4. Est-ce qu'elle est heureuse ou triste d'évoquer ses souvenirs d'enfance ?
   Citez quelques mots qui expliquent votre réponse.

3 Que signifient ces extraits de l'interview ? Choisissez l'une des trois explications.

J'ai pu battre mon record.
a) J'ai pu faire la même course en moins de temps.
b) J'ai dû arrêter le sport pour blessure.
c) J'ai réussi à faire mieux qu'une autre cycliste.

Votre île vous manque ?
a) Vous ne pensez plus à votre île ?
b) Vous aimeriez beaucoup revoir votre île ?
c) Votre famille et vos amis sur votre île ont besoin de vous voir ?

> Zoom

4 Écoutez de nouveau le dialogue et associez chaque mot à sa définition.

1. métis
2. la motivation
3. des souvenirs
4. une île
5. la douceur
6. modeste

a) qui vient du mélange de deux races
b) une terre complètement entourée d'eau
c) simple, discret
d) qualité de ce qui est doux, agréable
e) l'ensemble des éléments qui poussent quelqu'un vers un but
f) des images passées qui reviennent à l'esprit

5 Dans l'interview de France Villeneuve, que veut dire « Il faut en parler » ? Lisez les deux minidialogues et le tableau, puis choisissez la réponse qui convient.

— Que pensez-vous de mon idée ?
— Moi, je n'en pense rien…

— Tu as envie de sortir ce soir ?
— Oh ! oui, j'en ai envie, c'est sûr !

Il faut en parler : Il faut parler
a) à vos amis.
b) de vos résultats.
c) avec les auditeurs de la radio.

6 Transformez chaque réponse comme dans l'exemple.

Exemple : — *Tu voudrais quitter cette ville ?*
— *Oui, j'ai envie de partir. → Oui, j'en ai envie.*

1. — Tes parents connaissent tes problèmes ?
   — Non, je n'ai pas parlé de mes problèmes avec eux.
2. — Tu veux vraiment quitter ton travail ?
   — Oui, j'ai envie de changer.
3. — Tout le monde dit que le cyclisme est un sport très difficile.
   — Et toi, qu'est-ce que tu penses de cet avis ?

En

— Tu as parlé **de ça** avec lui ?
— Non, on **en** parle ce soir.

— Je rêve **d'aller à Cuba…**
— Ah ! moi aussi, j'**en** rêve !

Exprimer l'obligation ou l'interdit

> Comment on dit ?

**7 Dans son interview, Bertrand dit « Il faut en parler ».
Choisissez la phrase (les phrases) équivalente(s).**

Il faut en parler :

a) On va en parler. b) On peut en parler. c) Parlons-en !

8 a) Regardez les panneaux et écoutez ces personnes qui expriment une obligation ou qui interdisent. Associez une phrase à un panneau.

Exemple : *1b*

a

b

c

d

e

b) Regardez de nouveau les documents et relevez les formes qui expriment l'obligation et les formes qui expriment l'interdit.

obligation	interdit
emportez	.....
.....	.....

Devoir

je dois
tu dois
il / elle / on doit
nous devons
vous devez
ils / elles doivent

j'ai dû

9 Lisez le tableau *Exprimer l'obligation* et *Exprimer l'interdit* et écrivez les répliques d'une autre manière.

Exemple : *On doit faire la queue pour entrer au musée.*
→ *Il faut faire la queue pour entrer au musée.*

1. Prendre la direction de Rennes puis tourner à droite juste après Le Mans.
2. Vous devez attacher votre ceinture de sécurité.
3. En France, il ne faut pas fumer dans les restaurants.
4. Il faut battre le record de France Villeneuve.
5. Mettez 3 œufs et 100 grammes de sucre et mélangez bien.
6. C'est un hôpital, ne parle pas trop fort !
7. Monsieur Dupont est en ligne, rappelez un peu plus tard.
8. Il ne faut pas partir après 8 heures.

		Exprimer l'obligation	Exprimer l'interdit
Infinitif	→	Entrer sans frapper.	Ne pas ouvrir la fenêtre.
Devoir + *infinitif*	→	Vous devez avoir un passeport.	Tu ne dois pas faire de bruit.
Il faut + *infinitif*	→	Il faut payer 5€ pour entrer.	Il ne faut pas s'énerver.
Impératif	→	Éteignez vos téléphones.	Ne fumez pas ici, s'il vous plaît.
			On ne peut pas manger ici.
			Il est interdit de stationner.

10 → *La mère de Salomé va partir quelques jours et elle prépare un message pour sa fille qui va être seule à la maison. Avec ses notes, écrivez un message pour Salomé.*

Pour Salomé

Après l'école, tu dois :
– manger un peu (mais pas trop...)
– faire tes devoirs et apprendre tes leçons
– à 17H30, aller chercher Lili chez madame Rousseau et rentrer à la maison
– jouer un peu avec ta sœur mais ne pas allumer l'ordinateur
– vers 18H30, prendre ta douche
– attendre papa qui arrive vers 19H30
– téléphoner à ta pauvre maman qui est seule à Paris ... ☺

Salomé,
- Après l'école, mange un peu...
- N'oublie pas de ....

Paysage de Savoie / Rafting

Je t'envoie un petit bonjour de la région où je passe quelques jours avec mes copains Benoît et Pierre. Programme très sportif : mardi, initiation à l'escalade pour Pierre et moi (Benoît, qui a le vertige, n'aime pas beaucoup l'escalade et il n'a pas voulu venir... et il n'a rien fait).
Hier, randonnée dans le Parc National de la Vanoise et ce matin, rafting sur la rivière : belles sensations et rires aussi pour nous trois ! Demain, randonnée avec une nuit en refuge à 3000 mètres.
Ah ! Ça, c'est vraiment des vacances que j'adore !
J'espère que tes parents ne sont pas déjà partis au Japon...
Je leur souhaite un très beau voyage.
Aiko, n'oublie pas de prendre tes billets de train pour venir me voir en octobre. Il faut les acheter le plus tôt possible, c'est moins cher.
Bon courage à toi qui travailles...
Grosses bises et à bientôt,

Fabio

La montagne, c'est beau mais... ça fatigue ! (personne ne me comprend... toi, peut-être ? ☺) Bises, Benoît.

En fait, Benoît n'aime pas la montagne, on lui a dit d'arrêter, mais... Je t'embrasse, Pierrot.

Quelque chose ≠ rien	Quelqu'un ≠ personne
Tu bois **quelque chose** ? ≠ Tu **ne** bois **rien** ?	Elle attend **quelqu'un** ? ≠ Elle **n'**attend **personne** ?
Quelque chose s'est passé hier soir. **Rien ne** s'est passé hier soir.	**Quelqu'un** a sonné ? **Personne n'**a sonné ?

Attention à l'ordre des mots au passé :
Je **n'**ai vu **personne**. – Pierre **n'**a **rien** fait.

> *C'est clair ?*

11 Lisez la carte postale de Fabio puis répondez : *vrai, faux* ou *on ne sait pas*.

1. Fabio est à la montagne avec deux amis.
2. Benoît adore l'escalade.
3. Hier, Benoît n'a pas fait la grande randonnée.
4. Le rafting se pratique sur l'eau.
5. Demain, les trois garçons font une randonnée.
6. Demain soir, ils vont dormir en montagne.
7. Pierre adore ces vacances.
8. Les parents d'Aiko sont partis au Japon.

> *Comment on dit ?*

12 Relisez la fin de la carte postale de Fabio et choisissez la phrase (les phrases) équivalente(s).

N'oublie pas de prendre tes billets de train.

a) Tu ne vas pas oublier. b) Tu ne dois pas oublier. c) Il ne faut pas oublier.

13 **13 Écoutez et relevez les différentes façons de donner un conseil.**
– *Tu pourrais…*

14 Lisez le tableau *Conseiller* et donnez des conseils à ces personnes. Vous pouvez utiliser les expressions proposées ou trouver d'autres idées.

ne pas boire trop de café – prendre des photos – dormir beaucoup – essayer de comprendre la culture du pays – bien réfléchir – essayer plusieurs voitures – comparer les prix – acheter des livres sur l'Afrique – faire attention au soleil – apprendre les conjugaisons

1. Un ami va passer le DELF.
2. Votre frère va partir vivre en Afrique.
3. Votre amie veut quitter son travail.
4. Un ami veut acheter une nouvelle voiture.

Conseiller

Tu pourrais en parler à Louis.
Vous pourriez essayer une autre fois, non ?
Il ne faut plus penser à ça.
Oublie tes problèmes, Anne !
Il faut faire attention.

QUI, QUE, OÙ

15 Lisez et dites quel mot ou groupe de mots remplace *qui, que* et *où* dans chaque proposition.

Exemple : *Dans la phrase 1,* ***où*** *remplace* ***la région.***

1. Je t'envoie un petit bonjour de la région **où** je passe quelques jours.
2. C'est l'endroit **où** France est née, **où** elle a grandi.
3. Benoît, **qui** a le vertige, n'a pas voulu venir.
4. Elle pense à sa famille **qui** l'attend à Rouen.
5. Elle pense à ses deux enfants **qu'**elle adore !
6. France pense à ses amis **qu'**elle n'oublie pas.

16 Lisez ces phrases et complétez.

Je vous conseille de visiter la Savoie qui est magnifique.
Je vous conseille de visiter la Savoie. La Savoie ..... .

Fabio est dans une région qu'il connaît bien.
Fabio est dans une région. Fabio ..... .

La Savoie est la région où Fabio passe quelques jours.
La Savoie est une région. Fabio passe quelques jours ..... .

17 Faites une seule phrase en utilisant *où, qui* ou *que*.

Exemple : *Le cadeau est pour Sylvie. Le cadeau est dans mon sac.*
→ *Le cadeau qui est dans mon sac est pour Sylvie.*

1. Cette femme est très jolie. Je vois cette femme tous les jours dans le bus.
2. L'hôtel est au centre-ville. Nous avons dormi à l'hôtel.
3. J'aime bien les chaussures noires. Les chaussures noires sont dans la vitrine.
4. Le fauteuil rouge me plaît beaucoup. Mes parents m'ont offert le fauteuil rouge.
5. Lili connaît le village corse. Nous avons visité le village corse en mai dernier.
6. J'ai rencontré Jean au petit café. Tu vas souvent au petit café.

18 Complétez avec *où, qui* ou *que.*

1. La France est le pays ..... Christian habite.
..... reçoit le plus de touristes.
..... j'aimerais bien visiter cet été.
2. C'est Pierre ..... va venir dîner à la maison.
..... nous avons invité à la maison.
3. On pourrait aller au café ..... on peut prendre de bons cocktails ?
..... Béatrice aime bien ?
..... est au bout de la rue Balzac ?

19 Choisissez trois éléments dans la liste et faites une phrase avec chaque élément, en utilisant *où, qui* ou *que.*

Exemple : *Un cinéma est un endroit où on peut regarder des films.*
le cours de français – Paris – chez vous – le musée du Louvre – le professeur de français – Johnny Hallyday – un chien – Chanel n°5 – Audrey Tautou

ME, TE, LUI, LEUR...

20 a) Lisez ces extraits de la carte de Fabio et complétez oralement les phrases.

Je leur souhaite un très beau voyage. = Je souhaite un très beau voyage à .....
On lui a dit d'arrêter, mais... = On a dit à ..... d'arrêter, mais...

b) Que pouvez-vous dire de la construction des verbes *souhaiter* et *dire* ci-dessus ? Remettez les éléments dans le bon ordre.

souhaiter dire	à	une chose	une personne

21 Classez les verbes dans le tableau et faites une phrase.

	Sophie	à Sophie
aider, téléphoner, aimer, comprendre, inviter, souhaiter, demander, écouter, expliquer, regarder, parler, connaître, détester, offrir un cadeau	*J'aide Sophie.*	*Je téléphone à Sophie.*

22 Lisez le tableau et choisissez le pronom qui convient pour compléter les phrases.

1. Elles sont où, les clés ? Je ne (les / leur) vois pas.
2. Je (les / leur) ai souhaité de bonnes vacances.
3. Elles (l' / lui) ont entendu quand il (les / leur) a dit ça ?
4. Je (la / lui) ai donné deux ou trois livres.
5. Ils (l' / lui) ont fait un joli cadeau pour son départ.
6. Leur père (lui / leur) donne beaucoup de conseils.
7. Tu pourrais (le / lui) en parler, non ?
8. Je (l' / lui) ai salué mais il ne (m' / t') a pas répondu.

Les pronoms compléments indirects

Il **me** parle.
Il **te** parle.
Il **lui** parle. *(à Fabio)*
Il **lui** parle. *(à Aiko)*
Il **nous** parle.
Il **vous** parle.
Il **leur** parle. *(aux garçons)*
Il **leur** parle. *(aux filles)*
On ne **se** parle pas !

Le pronom se place devant le verbe.
Tu **lui** offres un verre ?
Je **lui** ai expliqué.
Elle ne **leur** téléphone pas.
Je vais **lui** parler.

tâche finale

→VISITES

Un ami français va visiter votre ville ou votre pays.
Il vous a envoyé un message électronique pour vous demander des informations.
Vous répondez.
Dans votre message, indiquez :
– où on peut manger, boire, dormir, acheter, sortir…
– les endroits qu'il faut visiter ou éviter…
– les choses qu'il doit emporter…

Des sons et des lettres

Prononcer « e »

(14) **A. Écoutez, répétez et écrivez les mots qui manquent.**

1. regarde – ..... – ..... – de – ..... – devoir – ..... – vendredi
2. ..... – cinéma – ..... – idée – ..... – ..... – allé – .....
3. ..... – tête – ..... – chèque – ..... – ..... – première – .....

B. a) Mettez, si nécessaire, les accents aigus « é », graves « è » ou circonflexes « ê » sur ces mots que vous connaissez.

mere – nationalite – feter – reçu – vendredi – demain – cinquieme – repeter – vous etes – frere – pres – reponse

(15) **b) Contrôlez avec l'enregistrement.**

(16) **C. Écoutez et répétez ces mots. Les « e » n'ont pas d'accent mais on prononce [ɛ]. Observez et essayez, pour chaque série, de trouver pourquoi.**

1. exercice – texte – exposition – excuse – exemple – excellent
2. adresse – appelle – terre – quelle – lettre – effet
3. merci – Helsinki – geste – concert – espagnol – belge

D. Dans ces mots, tous les « e » en gras se prononcent [e] ou [ɛ]. Lisez le tableau et mettez ou non les accents sur le « e ».

mexicain – ecrire – espere – eglise – verre – ouvert – déteste – antenne – perle – melange

Les prononciations du « e »

Le « e » n'a pas d'accent et se prononce [ɛ].
– devant un « x » : exemple, exercice, texte
– devant une consonne doublée : elle, lunettes, message
– devant « s », « r » et « l » + autre consonne : reste, merci, belge

[b] ou [v] ?

(17) **E. Écoutez et choisissez [b] ou [v].**

	1	2	3	4	5	6	7	8
[b] *(boire)*								
[v] *(voir)*								

LA FRANCE D'OUTRE-MER

Saint-Barthélémy

La Polynésie

La terre Adélie

La France compte plusieurs territoires situés de l'autre côté des mers : en outre-mer.
La France d'outre-mer comprend aujourd'hui :

DROM : la Guadeloupe, la Martinique, la Guyane et La Réunion
Ce sont les « Départements d'outre-mer ». Ils sont soumis aux lois françaises et peuvent avoir certains « assouplissements », par exemple, la possibilité d'adapter les textes de lois et leur organisation administrative. Ainsi, les DROM bénéficient d'un peu plus d'autonomie que les autres départements français.

COM : Saint-Barthélémy, Saint-Martin, Mayotte, Saint-Pierre-et-Miquelon, Wallis et Futuna
Ces « Collectivités d'outre-mer » ont un statut particulier ; elles ont une certaine autonomie, elles sont distinctes de l'État français.

POM : la Polynésie française et la Nouvelle-Calédonie
La Polynésie française et la Nouvelle-Calédonie forment ce qu'on appelle des « Pays d'outre-mer au sein de la République ». Éventuellement, ces deux régions pourraient obtenir leur indépendance.

TOM : Terres australes et antarctiques
Les « Territoires d'outre-mer » sont les îles Amsterdam et Saint-Paul, les îles Crozet, les îles Kerguelen et la terre Adélie.

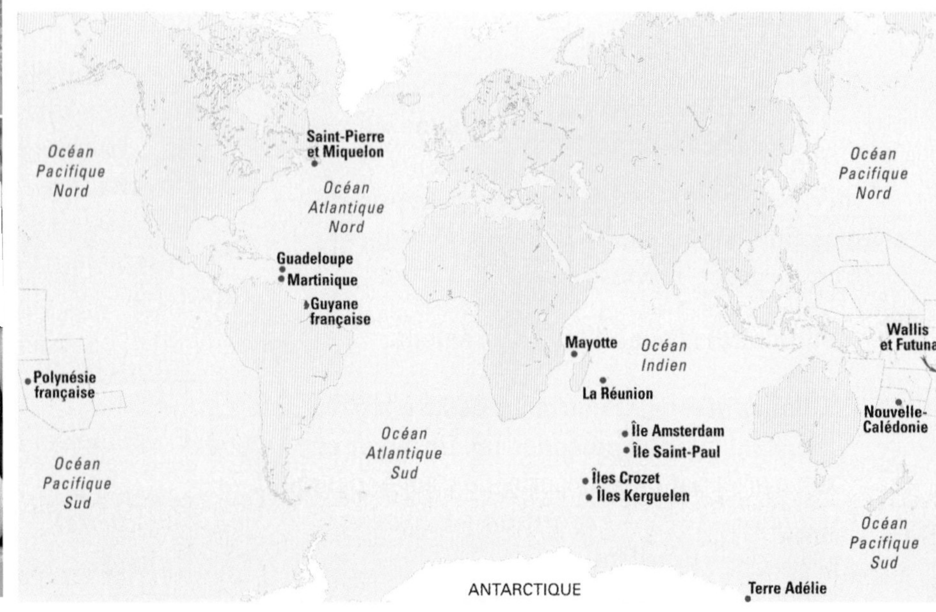

23 Lisez le texte puis répondez.

1. Qu'est-ce que la « France d'outre-mer » ?
2. Quelle est la différence entre un DROM et une COM ?
3. Que peuvent devenir la Polynésie française et la Nouvelle-Calédonie ?

24 Regardez la carte de la France d'outre-mer et complétez le tableau.

Territoire	Situation	Statut	Population	Superficie
la Guyane française	Amérique du Sud	.....	150 000	86 504 km^2
la Guadeloupe	Océan Atlantique	DROM	461 632	1 780 km^2
La Réunion	Océan Indien	.....	675 000	2 512 km^2
la Martinique	.....	DROM	381 467	1 100 km^2
la Nouvelle-Calédonie	Océan Pacifique	.....	196 000	18 585 km^2
la Polynésie française	.....	POM	219 521	4 200 km^2
Wallis-et-Futuna	Océan Pacifique	.....	14 492	200 km^2
Terres australes et antarctiques françaises	Antarctique	.....	128	439 000 km^2
Mayotte	Océan Indien	.....	184 770	375 km^2
Saint-Pierre-et-Miquelon	.....	COM	6 316	242 km^2

25 Lisez ces proverbes et amusez-vous à les comprendre. Associez chaque phrase à sa signification.

Exemple : *1D.*

Langue créole de La Réunion

1
Couler la peau la pas couler lo ker.
La couleur de la peau n'est pas la couleur du cœur.

2
Quand gros bèf y charge, sorte devant !
Quand le gros bœuf est fâché, ne reste pas devant.

3
Faire z'oreilles cochon.
Faire les oreilles de cochon.

Langue créole des Antilles

4
A pa sa ka travay plis ka manjé plis.
Ce n'est pas celui qui travaille le plus qui mange le plus.

5
Dlo pa ka monté mòne.
L'eau ne remonte pas les mornes.*
*les sources

6
Ba yo pyé yo ka pran men.
Donne-leur le pied, ils prennent la main.

A. Quand le chef n'est pas content, il faut faire attention.
B. On a entendu mais on ne veut pas montrer qu'on a entendu.
C. On ne peut pas revenir en arrière.
D. On ne doit pas juger les personnes sur la couleur de leur peau.
E. On veut toujours plus de choses.
F. Les plus riches ne sont pas les plus travailleurs.

Belle vue sur la mer !

BASTIA.
AJACCIO
PROPRIANO
.Figari
Bonifacio.

Propriano est une petite ville de 3500 habitants. Elle est située au sud de la Corse, à 70 km d'Ajaccio.

Partez en Corse

La Corse est une montagne au milieu de la mer, le lieu idéal pour de bonnes vacances sportives, culturelles ou reposantes.
Propriano a le charme authentique des petites villes de Corse. On y trouve de jolies maisons anciennes et des commerces qui proposent toutes les spécialités de la région. La ville est au bord du golfe du Valinco et elle est un point de départ merveilleux pour des promenades dans le Sud, à pied, en voiture, à cheval ou en bateau. La côte offre de belles plages et de petites criques à découvrir. À Propriano, il y a une école de plongée qui accueille les plongeurs débutants ou confirmés.

Nous aimons

La terrasse avec une vue magnifique sur la mer.

Résidence Bartaccia

La résidence est à 1,5 km de la plage de Mancinu. Elle offre de très belles vues sur tout le golfe du Valinco et sur la montagne et elle possède une piscine très agréable.

Hébergement :
- chambres doubles ou triples
- studios pour 2 ou 3 personnes
- appartements pour 4 à 6 personnes

Services :
- piscine extérieure
- aire de jeux pour les enfants
- laverie[1]
- location de vélos et planches à voile
- restaurant et bar

1. Payant

Réservez au 08 91 54 53 52**

**** 0,225 € la minute.**

Résidence Bartaccia
La semaine
290 €*

*** à partir de**
Prix par personne.
Voir tous nos tarifs page 89.

15

> C'est clair ?

1 Lisez et choisissez la réponse qui convient.

1. Le document vient
   a) d'un roman.
   b) d'un guide de voyage.
   c) d'un magazine de géographie.
   d) d'un catalogue de séjours touristiques.
2. La Corse est
   a) une ville. b) un hôtel. c) une île.
3. Propriano est
   a) une ville. b) une montagne. c) un hôtel.
4. Bartaccia est le nom
   a) d'une ville. b) d'un hôtel. c) d'une société commerciale.

2 Répondez.

– Vous êtes deux et vous allez, pendant sept jours, dans la résidence décrite dans le document. Combien allez-vous payer au minimum ?

– Vous êtes à Paris et vous téléphonez au 08 91 54 53 52 pour réserver une semaine de vacances à Propriano. Vous parlez dix minutes avec l'agent de voyage. Combien coûte votre communication ?

3 Associez chaque dessin à sa signification.

- • Animaux acceptés (sous conditions)
- • Restaurant
- • Accueil des personnes à mobilité réduite
- • Bar

> Zoom

4 a) Observez et répondez.

toutes les spécialités – tous nos tarifs – tout le golfe – toute la semaine

Quels sont les mots qui suivent *toutes, tous, tout, toute* ?
Quelle est la différence entre *toute* et *tout* ?

b) Complétez le tableau.

	féminin	masculin
singulier	..... la semaine	..... le golfe
pluriel	**toutes** les spécialités	..... les tarifs

c) Complétez les phrases avec *tout, tous, toute* et *toutes*.

1. On va visiter ..... la région.
2. ..... nos chambres offrent une vue sur la mer.
3. ..... les habitants de Propriano sont très accueillants.
4. Je vais passer ..... le week-end au bord de la mer.
5. Tu as trouvé des souvenirs pour ..... tes amis ?

Tout

toute la ville
tout le texte
toutes les questions
tous les jours

Décrire un lieu

> *Comment on dit ?*

5 Relisez le document page 102 et complétez.
Propriano ..... de 3 500 habitants.
La côte ..... de belles plages
..... une école de plongée.
Elle ..... une piscine très agréable.

Décrire un lieu

C'est une petite ville.
Il y a 10 000 habitants.
C'est une ville de 10 000 habitants.
Il y a un parc et une plage.
La région offre des paysages merveilleux.
La ville possède des maisons traditionnelles.
On peut faire des promenades à cheval.

18 **6 Écoutez le dialogue et associez les éléments.**

Menthon-Saint-Bernard est •	• 2 000 habitants.
Les maisons sont •	• une petite ville.
Il y a environ •	• beaucoup d'immeubles modernes.
Il n'y a pas •	• de style traditionnel.
Dans les Alpes, on peut •	• le lac d'Annecy et une petite plage.
Près de Menthon, il y a •	• faire du ski.

LA PLACE DE L'ADJECTIF

7 Observez puis relevez les adjectifs (en violet) qui sont avant le nom et les adjectifs qui sont après le nom.
Propriano est une petite ville de 3 500 habitants.
La Corse est le lieu idéal pour des vacances sportives, culturelles ou reposantes.
On y trouve de jolies maisons anciennes.
La côte offre de belles plages.
Elle accueille les plongeurs débutants.

8 Lisez les tableaux puis transformez les phrases en ajoutant l'adjectif avant ou après le nom en gras.
1. Il y a des **maisons** à Strasbourg. (traditionnelles)
2. On a visité des **châteaux** pendant les vacances. (vieux)
3. Quelles sont les **activités** de votre école ? (culturelles)
4. On peut voir des **bateaux** dans le port d'Antibes. (grands)
5. Il y a des **restaurants** sur la place Saint-Éloi ? (nouveaux)
6. On a rencontré des **personnes**. (sympathiques)
7. J'ai été contente de le voir, il m'a donné des **conseils**. (bons)

Des → de (d')

Souvent, devant un adjectif, des *devient* de (d').
Il y a des plages **magnifiques**.
Il y a de **belles** plages.

La place de l'adjectif

Ces adjectifs sont devant le nom :
petit, grand, gros, beau, joli, bon, mauvais, nouveau, vieux, autre.
une jolie ville – une ville merveilleuse
Sont aussi devant le nom, les adjectifs qui indiquent un classement :
le troisième livre – le dernier étage

9 → ***Travaillez avec votre voisin.***
Décrivez une ville ou une région que vous aimez.

Situer (1)

> *Comment on dit ?*

10 a) Relisez le document et complétez les phrases avec ces expressions :
au sud de – au bord de – au milieu de – à 1,5 kilomètre de – à 70 kilomètres de

1. La Corse est une montagne ..... la mer.
2. La ville est ..... golfe du Valinco.
3. La résidence est ..... la plage.
4. Elle est située ..... Corse, ... Ajaccio.

b) Regardez les images et complétez les phrases.

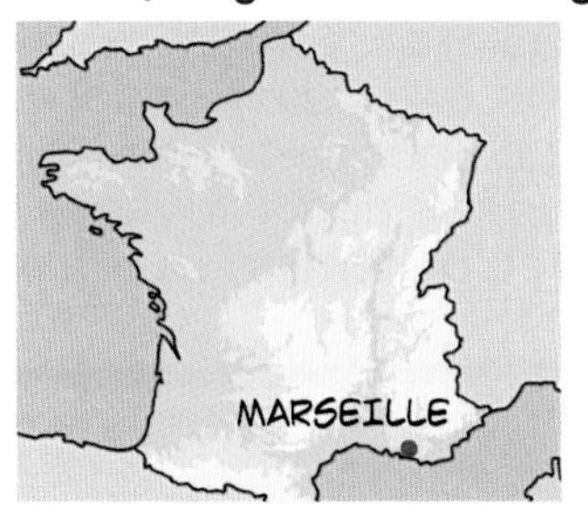

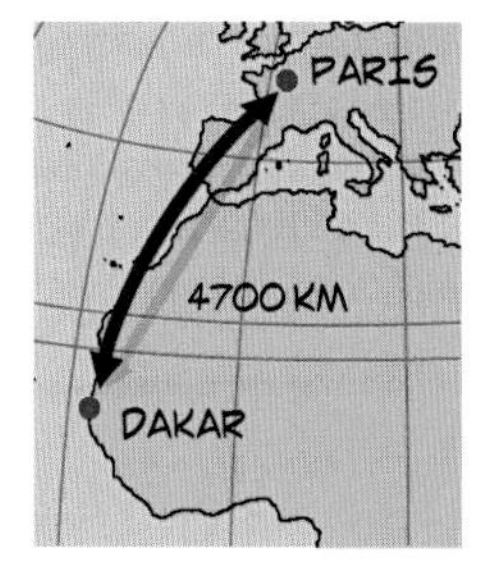

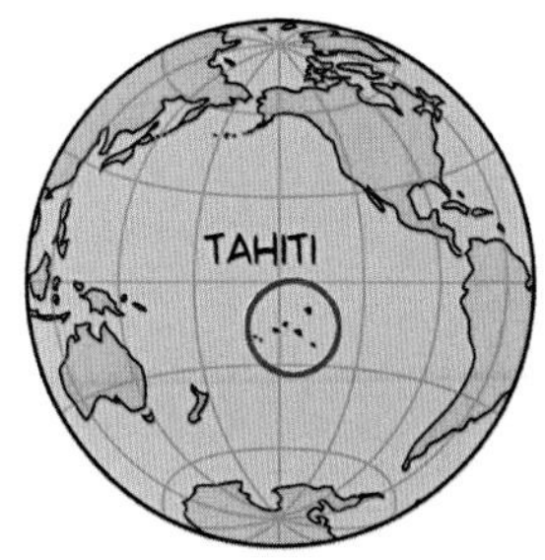

1. Marseille est ..... la France.
2. Le restaurant est ..... la piscine.
3. Dakar est ..... Paris.
4. L'île de Tahiti est située ..... l'océan Pacifique.

Situer

La maison est **au bord d'**un lac.
On est **au sud de** la ville.
La ville est **à 100 km de** Lyon.
Il y a un parc **au milieu de** la ville.
L'école **est située** au sud de Lyon.

11 Choisissez une ville, une région et un pays et demandez à votre voisin où ils sont situés.

Exemple : — *Où est Bamako ?*
— *C'est la capitale du Mali. Elle est au sud du pays, au bord du fleuve Niger.*

SE TROUVER – TROUVER

12 Lisez les phrases et associez.

Au bord du golfe de Valinco, on trouve beaucoup de très belles plages.
L'île de Tahiti se trouve dans l'océan Pacifique.

Avec *se trouve* •
- • on peut situer un lieu.
- • on peut décrire un lieu.
- • on peut donner son opinion sur un lieu.

13 Complétez les phrases avec *on trouve* ou *se trouve*.

1. Dans la région, ... beaucoup de producteurs de pommes et de poires.
2. La ville de Perpignan ..... dans le sud de la France.
3. Excusez-moi, où ..... la rue Montault, s'il vous plaît ?
4. ..... de très belles peintures dans la galerie située au 32, rue Chardon.

Se trouver - Trouver

La Corse **se trouve** au sud de la France.
Où **se trouve** la gare, s'il vous plaît ?
On trouve de jolies choses dans ce magasin.

Situer (2)

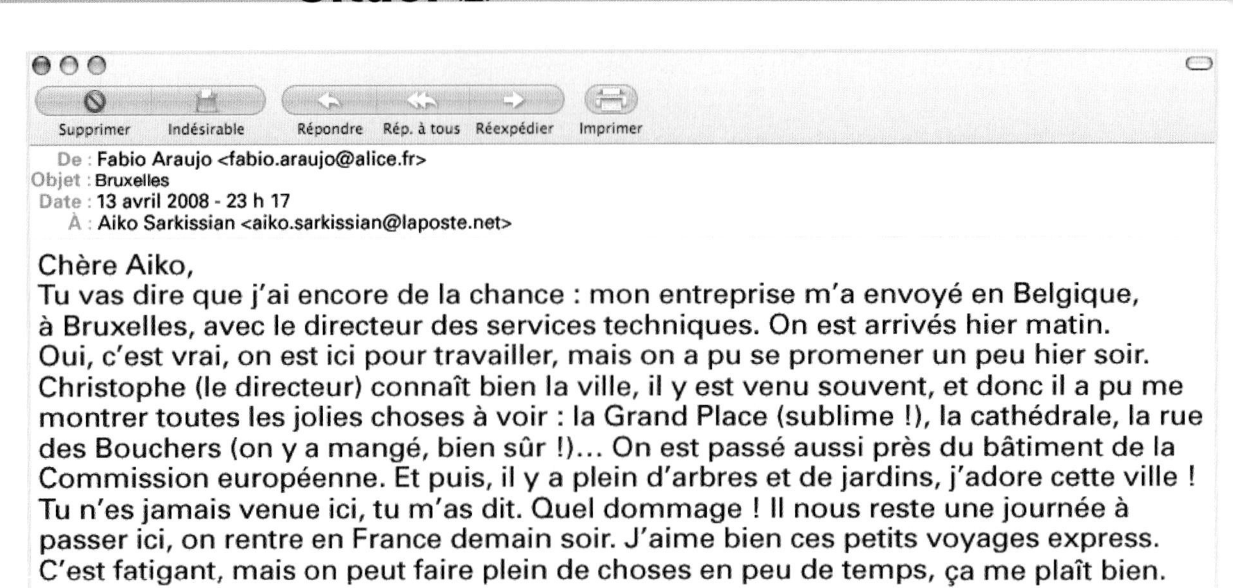
Supprimer Indésirable Répondre Rép. à tous Réexpédier Imprimer

De : Fabio Araujo <fabio.araujo@alice.fr>
Objet : Bruxelles
Date : 13 avril 2008 - 23 h 17
À : Aiko Sarkissian <aiko.sarkissian@laposte.net>

Chère Aiko,
Tu vas dire que j'ai encore de la chance : mon entreprise m'a envoyé en Belgique, à Bruxelles, avec le directeur des services techniques. On est arrivés hier matin. Oui, c'est vrai, on est ici pour travailler, mais on a pu se promener un peu hier soir. Christophe (le directeur) connaît bien la ville, il y est venu souvent, et donc il a pu me montrer toutes les jolies choses à voir : la Grand Place (sublime !), la cathédrale, la rue des Bouchers (on y a mangé, bien sûr !)... On est passé aussi près du bâtiment de la Commission européenne. Et puis, il y a plein d'arbres et de jardins, j'adore cette ville ! Tu n'es jamais venue ici, tu m'as dit. Quel dommage ! Il nous reste une journée à passer ici, on rentre en France demain soir. J'aime bien ces petits voyages express. C'est fatigant, mais on peut faire plein de choses en peu de temps, ça me plaît bien.
Bises,
Fabio

> *C'est clair ?*

14 Lisez le message de Fabio et répondez.

1. Pourquoi est-ce que Fabio est à Bruxelles ?
2. Pourquoi est-ce qu'il aime Bruxelles ?
3. Combien de temps est-ce qu'il reste à Bruxelles ?
4. Est-ce qu'Aiko connaît Bruxelles ?

Ce, cette, ces

un pays → **ce** pays – **ces** pays
une ville → **cette** ville – **ces** villes
un été → **cet** été – **ces** étés
un hôtel → **cet** hôtel – **ces** hôtels

Y, PRONOM COMPLÉMENT

15 Lisez et répondez.

1. *Christophe connaît bien la ville, il y est venu souvent.*
2. *Il a pu me montrer toutes les jolies choses à voir : la rue des Bouchers (on y a mangé, bien sûr !)...*
3. *J'ai pris rendez-vous à la banque, je vais y aller demain matin.*

Que remplace le pronom *y* dans chaque phrase ?
Où se trouve le pronom *y* dans chaque phrase ?

16 Remplacez l'élément souligné par le pronom *y*.

1. — Alors, Rome ? Ça s'est bien passé ?
   — Oui, très bien ! Et j'ai rencontré Gabriel Germain <u>à Rome</u> !
2. — Je vais en Belgique la semaine prochaine.
   — Ah, bon, qu'est-ce que tu vas faire <u>en Belgique</u> ?
3. — Ton maillot, il est dans ton armoire !
   — Non, maman ! Il n'est pas <u>dans mon armoire</u> !
4. — Julie, elle habite bien à Rennes, non ?
   — Ah, elle travaille <u>à Rennes</u>, mais elle n'habite pas <u>à Rennes</u>.
5. — Alors, ma soupe, tu la trouves comment ?
   — Elle a du goût ! Qu'est-ce que tu as mis <u>dans ta soupe</u> ?

Y, pronom complément

— Tu connais le Japon ?
— Oui, j'**y** suis allé en 2007.

EN BELGIQUE, À BRUXELLES

17 Lisez les listes et répondez.

a) Quelle est la dernière lettre de ces noms féminins ?
la Belgique – la Corse – la Chine – l'Algérie – la Colombie
b) Quelle est la dernière lettre de ces noms masculins ?
le Portugal – le Panama – l'Iran – le Japon – le Mali
c) Les pays suivants sont-ils masculins ou féminins ?
..... Croatie - ..... Cameroun - ..... Chili - ..... Corée

18 Lisez puis choisissez la réponse qui convient.

Mon entreprise m'a envoyé en Belgique, à Bruxelles.
On rentre en France demain soir.
La mère d'Aiko va aller au Japon le mois prochain.
La sœur de Fabio est retournée au Brésil.
On va faire un voyage aux Philippines.

Avec le nom d'une ville (Bruxelles), on utilise : à / en / au / aux
Avec un nom de pays féminin (la Belgique), on utilise : à / en / au / aux
Avec un nom de pays masculin (le Japon), on utilise : à / en / au / aux
Avec un nom de pays pluriel (les Philippines), on utilise : à / en / au / aux

19

19 Écoutez les dialogues et relevez les mots devant les noms de villes ou pays suivants, puis expliquez.

Villes : Séoul, Hanoi, Ho-Chi-Minh-Ville
Pays : la Corée, l'Algérie, le Vietnam, l'Indonésie, les Philippines.

20 Complétez.

1. — On peut se voir la semaine prochaine.
   — Non, je suis ..... Canada. Je vais ..... Montréal.
   — Et quel jour tu reviens ..... Canada ?
2. — Tu es restée longtemps en Argentine ?
   — Cinq ans.
   — C'était quand ?
   — Je suis revenue ..... Argentine, euh, en 2003.
3. — Tu peux aller ..... États-Unis début septembre ?
   — Euh, non, début septembre, je vais ..... Syrie !
4. — Elles sont comment, vos oranges ?
   — Excellentes ! Elles viennent ..... Maroc !
5. — Tu viens d'où ?
   — Bon, c'est un peu compliqué. Je suis né ..... Colombie, mes parents habitent ..... France, et là, j'arrive ..... Chine.

En Belgique, à Bruxelles

Villes
Je vais **à** Bruxelles.
Je viens **de** Bruxelles.

Pays et continents
Il est **en** Belgique.
Il va **au** Sénégal.
Il vit **aux** Philippines.
Il travaille **en** Afrique.

Il vient **de** Belgique.
Il arrive **du** Sénégal.
Il est rentré **des** Philippines.
Il vient **d'**Afrique.

Exprimer la fréquence : souvent, jamais...

21 Lisez les quatre phrases ci-dessous. Ensuite, associez chacune des phrases 1, 2 et 3 à une des trois propositions a, b ou c.

Tu vas dire que j'ai encore de la chance.
Christophe connaît bien la ville, il y est venu souvent.
Tu n'es jamais venu ici, tu m'as dit.
Je suis allé deux fois au Japon : une fois en 2001 et une fois en 2007.

1. Julie a eu un troisième accident de voiture.
a) Elle a encore de la chance.
b) Elle n'a jamais de chance.
c) Elle a souvent de la chance.

2. Ahmed est allé à Madrid dix fois, entre 2001 et 2007.
a) Oh, il voyage souvent !
b) Oh, il ne voyage jamais !
c) Oh, il a encore voyagé !

3. Vladimir a visité la Suisse et la France, mais pas la Belgique.
a) Il est souvent allé en Belgique.
b) Il n'est jamais allé en Belgique
c) Il est encore allé en Belgique.

20

22 Écoutez, dites si l'information donnée ici pour chaque dialogue est vraie ou fausse, et expliquez.

Exemple : *Dans le dialogue 1, l'information est fausse. L'homme n'est pas « souvent venu », il vient « pour la première fois ».*

Dialogue 1 : L'homme est souvent venu dans la région.
Dialogue 2 : La femme a téléphoné à Sylvie.
Dialogue 3 : L'homme a vu le film de Jean-Jacques Annaud.
Dialogue 4 : La femme va au théâtre chaque samedi.
Dialogue 5 : La femme a fait deux voyages à Strasbourg en 2008.

23 Dans les minidialogues, choisissez le mot qui convient.

1. — Vous allez souvent en Espagne ?
— (Jamais / Souvent) ! Ma femme est espagnole, on va chez ses parents tous les ans.
2. — Tu as vu l'exposition Triptyque ?
— Ah, oui, j'adore. Et je vais (souvent / encore) aller la voir demain soir.
3. — On a dîné à *L'Entracte*.
— Ah, j'y suis allé (encore / une fois). C'est un bon restaurant.
4. — Je crois que Julien veut le poste de directeur.
— Julien ? (Jamais / Une fois) ! Il n'a pas assez d'expérience !

Souvent, encore, jamais

Il voyage **souvent.**
Il y est venu **souvent.**
Il y est **souvent** venu.
Elle **n'**est **jamais** venue ici.
Elle va **encore** venir le mois prochain.
C'est **la première fois** que je viens ici.
J'y suis allé **quatre fois.**

24 → *Interrogez votre voisin sur ses activités personnelles et ses habitudes (lectures, voyages, spectacles, études...).*

Exemple : — *Tu aimes le cinéma ?*
— *Oui, beaucoup, je vais souvent au cinéma.*

Prague

Prague est la capitale de la République tchèque. C'est une magnifique ville européenne, riche en monuments historiques. Le fleuve Vltava traverse la ville.

La vie culturelle à Prague est très intense : des festivals, des expositions, des pièces de théâtre, des concerts.

L'architecture est un mélange de nombreux styles : des surprises à tous les coins de rues et un vrai plaisir pour les yeux !

→GRAND REPORTER

Par groupes, choisissez une ville ou une région que vous aimez bien (dans votre pays ou dans un autre pays). Cherchez des informations et des photographies puis composez une page qui sera publiée dans un magazine de votre école ou de votre ville, ou diffusée sur l'Internet.

Des sons et des lettres

Aigu, grave ou circonflexe ?

21 **A. a) Écoutez et écrivez les mots dans la colonne qui convient : [e] = « é », comme dans *départ* ; [ɛ] = « è » ou « ê » comme dans *chère* ou *être*.**

	[e] = « é »	[ɛ] = « è » ou « ê »
1.	.....	.....
2.		
3.		
4.		
5.		
6.		
7.		
8.		

b) Qu'est-ce que vous remarquez ?

22 **B. Lisez le tableau. Écoutez et accentuez les mots.**

region – demenager – situe – espere – esperer – desole – fete – eleve – prefere – ete

Aigu, grave ou circonflexe

– **é + a, e, é, i, o, u, y** : idé<u>a</u>l, thé<u>â</u>tre

– **é + *consonne* + a, e, é, è, i, o, u, y** : dé<u>pa</u>rt
Remarque : *« é » est souvent la première ou la dernière lettre d'un mot :* école, été.

– **è + *consonne* (+ e *muet*)** : trè<u>s</u>, chè<u>re</u>
Remarque : *« è » n'est jamais la première ou la dernière lettre d'un mot.*

– **ê**, *dans un nombre de mots limité :* être, fête, prêt

[ø] ou [o] ?

23 **C. Écoutez et choisissez [ø] ou [o].**

	1	2	3	4	5	6	7	8
[ø] *(jeux)*								
[o] *(joli)*								

L'UNION EUROPÉENNE

2007 : l'Union européenne fête ses 50 ans.

L'Union européenne (UE) est composée de vingt-sept pays européens. Tous ces pays ont une histoire particulière, des traditions et des langues différentes, mais ils partagent, dans l'UE, des idées communes comme la démocratie, la liberté et la justice sociale.
L'UE a une population de 490 millions d'habitants et elle s'occupe de nombreuses questions qui concernent directement notre vie quotidienne.

Les frontières

On peut voyager dans la plupart des pays de l'UE sans passeport et sans contrôle aux frontières. Les citoyens de l'UE peuvent vivre, travailler, étudier et prendre leur retraite dans un autre pays de l'UE.
À noter : *les régions d'outre-mer (La Réunion, la Guyane, les Açores…) ne sont pas situées sur le continent européen mais elles font partie de l'UE.*

L'euro

L'euro (*e*) est la monnaie unique partagée par quinze pays et par environ 60 % de la population de l'UE. L'euro permet des échanges économiques plus simples et il permet de voyager facilement dans les pays qui l'utilisent.
On utilise l'euro : en Allemagne, en Autriche, en Belgique, à Chypre, en Espagne, en Finlande, en France, en Grèce, en Irlande, en Italie, au Luxembourg, à Malte, aux Pays-Bas, au Portugal et en Slovénie.
On n'utilise pas l'euro : en Bulgarie, au Danemark, en Estonie, en Hongrie, en Lettonie, en Lituanie, en Pologne, en République tchèque, en Roumanie, au Royaume-Uni, en Slovaquie et en Suède.

À noter : *la Principauté d'Andorre, la Principauté de Monaco, la République sérénissime de Saint-Marin et l'État de la Cité du Vatican ne font pas partie de l'UE mais ces petits États européens utilisent l'euro.*

Les études

Près de deux millions de jeunes ont déjà profité des programmes de l'UE pour faire une partie de leurs études dans un autre pays européen avec les programmes Erasmus, Leonardo et Socrates ; les diplômes nationaux sont reconnus dans les autres pays.

L'emploi

Environ 30 milliards d'euros sont utilisés pour développer l'économie et pour créer des emplois dans les régions défavorisées. Les pays les plus riches apportent de l'argent pour aider les autres pays. La libre circulation des personnes et des produits a permis le développement de l'économie dans tous les pays de l'UE.

Les symboles de l'UE

Le drapeau est bleu avec douze étoiles dorées. Le nombre d'étoiles n'est pas lié au nombre d'États membres.
L'hymne est la *Neuvième symphonie* de Ludwig van Beethoven.
La devise est « Unie dans la diversité ».

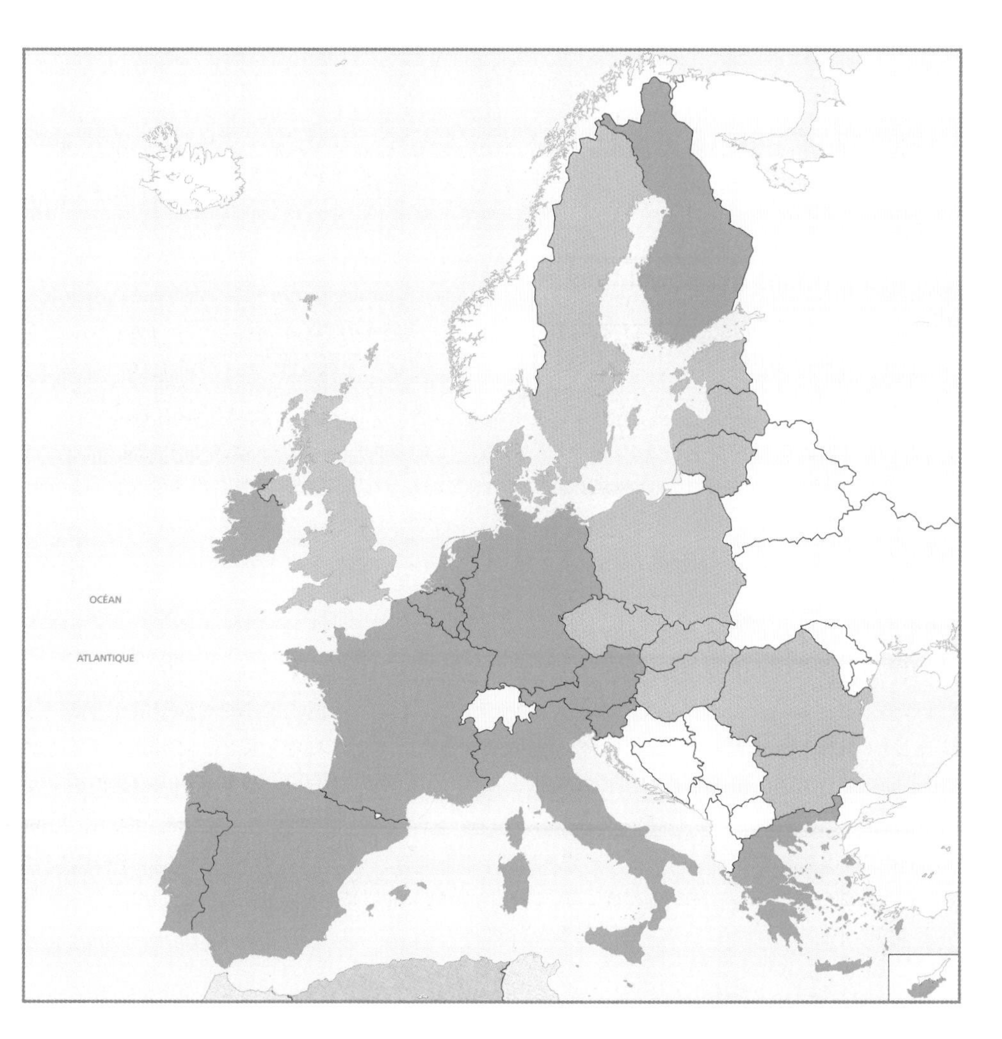

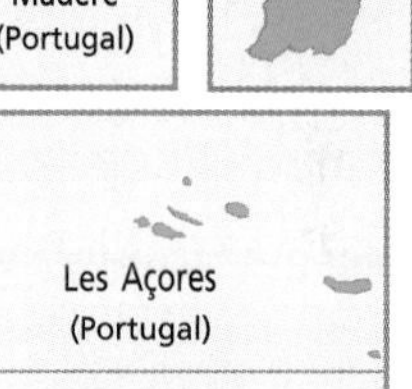

25 Lisez et retrouvez :

– le nombre de pays qui composent l'UE ;
– le nombre de pays qui utilisent l'euro ;
– le nombre d'habitants dans l'UE ;
– le nombre d'étoiles sur le drapeau européen.

26 Observez la carte et indiquez le nom des pays de l'UE qui utilisent l'euro.

27 À votre avis, que signifie la devise « Unie dans la diversité » ?

28 Regardez la liste des traductions de la devise dans les 23 langues officielles de l'UE. Quelles langues reconnaissez-vous ?

Aontaithe d'ainneoin na héagsúlachta
Egység a sokféleségben
Förenade i mångfalden
Forenet i mangfoldighed
In verscheidenheid verenigd
In Vielfalt geeint
Jednotná v rozmanitosti
Magqħuda fid-diversità
Moninaisuudessaan yhtenäinen
Suvienijusi įvairovę
Ühinenud mitmekesisuses
Unida en la diversidad
Unidad na diversidade
Unie dans la diversité
Unità nella diversità
Unitate în diversitate
United in diversity
Vienota dažādībā
Združena v raznolikosti
Zjednoczona w różnorodności
Zjednotení v rozmanitosti
Единство в многообразието
Ενωμένη στην πολυμορφία

ET VOUS ?

29 Que pensez-vous de l'Union européenne ? Est-elle une bonne chose pour les États européens ? Pourquoi ?

Autoévaluation 3

JE PEUX DEMANDER OU INDIQUER UNE DIRECTION

1 a) Lisez puis donnez le numéro des phrases qui permettent de demander une direction.

1. Je cherche la rue du Pin.
2. Elle habite rue de la Rame ?
3. Il y a un café, rue d'Ulm ?
4. Tu connais la rue Boileau ?
5. C'est loin, la rue des Vignes ?

Demander une direction : n°.....

b) Choisissez le mot qui convient.

1. Vous tournez (à droite / tout droit).
2. Tu (prends / tournes) la rue Lepic.
3. Vous allez (jusqu'au bout / autour) de la rue.

1

Comptez 1 point par réponse correcte.
Vous avez...
– 6 points : félicitations !
– moins de 6 points : revoyez les pages 84 et 85 de votre livre et les exercices de votre cahier.

JE PEUX LOCALISER QUELQUE CHOSE OU QUELQU'UN

2 a) Complétez les phrases avec le mot donné entre parenthèses.

1. (cinéma) On va retrouver Ahmed ..... .
2. (bureau) Ma femme sort ..... vers 18 heures.
3. (toilettes) Oh, un instant, je vais ..... .

b) Choisissez le mot qui convient.

1. La banque est (en face de / devant) la boulangerie.
2. Il y a un magasin de fleurs (au coin / entre) de la rue.
3. Louis est malade, il est (dans / sous) son lit.

2

Comptez 1 point par réponse correcte.
Vous avez...
– 6 points : félicitations !
– moins de 6 points : revoyez les pages 86 et 87 de votre livre et les exercices de votre cahier.

JE PEUX EXPRIMER L'OBLIGATION OU L'INTERDIT

3 a) Associez les éléments.

Il est interdit •	• votre passeport à l'entrée.
Vous devez •	• utiliser votre dictionnaire.
Présentez •	• de prendre des photos.

b) Écrivez le verbe entre parenthèses à l'impératif.

1. (attendre) Audrey, ... ta sœur, s'il te plaît.
2. (mettre) ..... une étiquette avec votre nom sur votre sac.
3. (ne pas faire) ..... de bruit, s'il vous plaît.

3

Comptez 1 point par réponse correcte.
Vous avez...
– 6 points : félicitations !
– moins de 6 points : revoyez les pages 94 et 95 de votre livre et les exercices de votre cahier.

JE PEUX CONSEILLER

4 a) Choisissez l'élément qui convient pour donner un conseil dans chaque situation.

1. Votre ami dort très mal la nuit.
   a) Va voir un médecin !
   b) Je voudrais un rendez-vous avec le docteur Martin.
2. L'ordinateur de votre ami ne marche pas.
   a) Tu pourrais utiliser les ordinateurs de l'école.
   b) Quand est-ce que tu as acheté ton ordinateur ?
3. Votre ami a perdu sa carte bancaire.
   a) La banque va te donner une autre carte.
   b) Il faut aller à un commissariat de police.

4

Comptez 1 point par réponse correcte.
Vous avez...
– 6 points : félicitations !
– moins de 6 points : revoyez les pages 96 et 97 de votre livre et les exercices de votre cahier.

b) Transformez les phrases avec les éléments proposés.

1. Demande à ton prof ! → Tu pourrais ..... !
2. Fais attention ! → Il faut ..... !
3. Ne prends pas l'avion ! → Il ne faut pas ..... !

JE PEUX DÉCRIRE UN LIEU

5 Associez les éléments.

C'est •	• de belles maisons anciennes.
Il y a environ •	• de nombreuses activités sportives.
Elle possède •	• une petite ville de 5000 habitants.
On peut y faire •	• 3 millions d'habitants.
On trouve •	• beaucoup de châteaux dans la région.

5

Comptez 1 point par réponse correcte. Vous avez...

– 5 points : félicitations !

– moins de 5 points : revoyez la page 104 de votre livre et les exercices de votre cahier.

JE PEUX SITUER DANS L'ESPACE

6 a) Lisez puis donnez le numéro des phrases qui permettent de situer un lieu.

1. L'hôtel possède un restaurant.
2. L'agence de location est située à la sortie de la ville.
3. Dijon est à trois cents kilomètres de Paris.
4. Je suis allé à Bordeaux plusieurs fois.
5. Sa maison est au nord de la ville.

Situer un lieu : n° .....

b) Complétez les phrases avec certains de ces mots :

trouve – se trouve – au sud de – au bord – au milieu – à 100 km

1. Biarritz ..... dans le sud de la France.
2. Il y a une petite île ..... du lac.
3. La Tunisie est ..... de la mer Méditerranée, en Afrique.

6

Comptez 1 point par réponse correcte. Vous avez...

– 6 points : félicitations !

– moins de 6 points : revoyez les pages 105, 106 et 107 de votre livre et les exercices de votre cahier.

JE PEUX EXPRIMER LA FRÉQUENCE : SOUVENT, JAMAIS...

7 Complétez les dialogues avec ces mots :

la première fois – plusieurs fois – jamais – encore – souvent

1. — C'est ..... que vous venez à Fort-de-France ?
   — Oui. Je découvre la ville ! Et j'adore !
2. — Je vais à l'opéra la semaine prochaine, tu veux venir avec moi ?
   — À l'opéra ? Oui, pourquoi pas ? Je n'y vais ..... .
3. — Tu vas ..... à l'étranger ?
   — Euh, oui, je fais environ un voyage par mois.
4. — Est-ce qu'Élodie a accepté ton offre ?
   — Non, mais je vais ..... lui parler demain.
5. — Il connaît bien l'Ukraine ?
   — Oui, il y est allé ..... : une fois en 2005 et deux fois en 2007, je crois.

7

Comptez 1 point par réponse correcte. Vous avez...

– 5 points : félicitations !

– moins de 5 points : revoyez la page 108 de votre livre et les exercices de votre cahier.

Résultats : ..... points sur 40 points = ... %

PARTIE 1 COMPRÉHENSION DE L'ORAL

24 EXERCICE 1

Regardez le plan. Les deux personnes sont au point rouge. Écoutez et dites où est la poste : en A, en B ou en C.

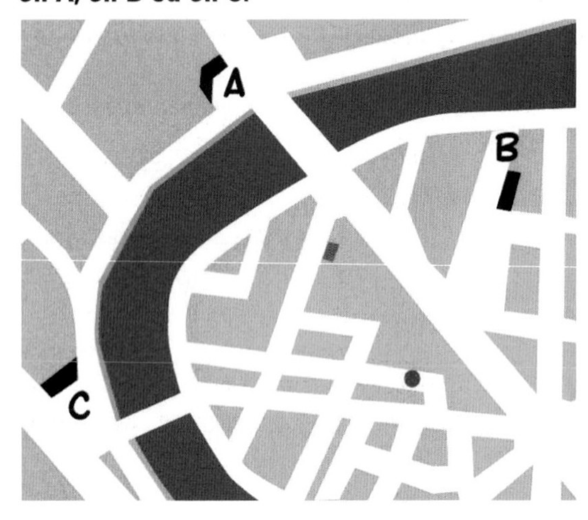

25 EXERCICE 2

Écoutez et associez chaque dialogue à un dessin.

Dialogue 1 : ..... Dialogue 2 : ..... Dialogue 3 : .....

26 EXERCICE 3

Écoutez et répondez.

À Saint-Domingue, il y a
- ☐ 2 000 habitants.
- ☐ 150 000 habitants.
- ☐ 2 000 000 d'habitants.

Saint-Domingue est
- ☐ au sud de la mer des Antilles.
- ☐ au milieu de la mer des Antilles.
- ☐ au bord de la mer des Antilles.

La ville possède
- ☐ un vieux quartier.
- ☐ un quartier commercial.
- ☐ un quartier d'affaires international.

La bibliothèque de l'université
- ☐ est de style colonial.
- ☐ possède beaucoup de matériel pour étudier.
- ☐ n'est pas assez grande pour tous les étudiants.

PARTIE 2 COMPRÉHENSION DES ÉCRITS

EXERCICE 1

Lisez cet extrait du règlement de la bibliothèque puis choisissez pour chaque phrase : *vrai, faux* ou *on ne sait pas.*

1. Mon fils a six ans. Il peut aller à la bibliothèque avec sa sœur qui a quinze ans.
2. Les employés peuvent demander de quitter la bibliothèque à une personne qui a bu beaucoup d'alcool.
3. On ne peut pas entrer dans la bibliothèque avec une grande valise ou un gros sac.
4. Je fais partie d'un groupe de théâtre. Je peux donner dans la bibliothèque des petites affiches qui présentent notre prochain spectacle.
5. Je suis fatigué, je peux dormir un peu dans la bibliothèque.

12 La bibliothèque est ouverte à tous.
Les enfants de moins de 7 ans doivent être accompagnés par un adulte. Les groupes doivent prendre rendez-vous.
13 L'accès est interdit à toute personne qui, par son comportement ou sa tenue (saleté, ivresse, bruit, violence physique ou verbale), entraîne des difficultés pour le public ou le personnel.
14 Il est interdit :
- d'entrer dans la bibliothèque avec des animaux ;
- de boire ou de manger ;
- d'apporter et de consommer de l'alcool ;
- de distribuer des documents ou de poser des affiches.
15 Les personnes qui souhaitent faire des photos, films, enregistrements ou enquêtes doivent demander une autorisation.

EXERCICE 2

Lisez le message et placez le numéro de la maison et des magasins sur le plan. Attention : il y a deux magasins en plus sur le plan.

Tu sais, Julie, j'adore notre nouveau quartier.
Notre maison (1) est à côté de plusieurs magasins. En face, nous avons un restaurant (2), à droite on a un marchand de journaux (3), on a une boulangerie (4) au coin de la rue ; entre la maison et la boulangerie, il y a un marchand de fleurs (5) et derrière chez nous, il y a une pharmacie (6). Génial, non ?

PARTIE 3 PRODUCTION ÉCRITE

EXERCICE 1

Dans un forum d'Internet, un étudiant explique qu'il a des difficultés pour apprendre le français. Il voudrait savoir comment apprendre plus facilement. Répondez à sa demande et donnez des conseils à cet étudiant.

Vous pouvez utiliser ces idées : prendre des cours dans une école – écrire le vocabulaire nouveau dans un cahier – lire des livres – regarder la télévision sur Internet – communiquer sur des forums

EXERCICE 2

Dans une des pages de votre site d'Internet, vous voulez parler de la région où vous habitez. Écrivez cette page et décrivez votre ville et votre région.

PARTIE 4 PRODUCTION ORALE

ENTRETIEN DIRIGÉ

Répondez aux questions de votre professeur.

ÉCHANGE D'INFORMATIONS

Posez des questions à votre professeur à partir des mots suivants :

Nom ?	Rue ?
Musée ?	Ville ?
Souvent ?	Interdit ?
Maison ?	Photographie ?

DIALOGUE SIMULÉ

Vous avez invité un ami français à venir chez vous. Il est à la gare et il vous téléphone : il ne trouve pas de taxi et il ne connaît pas votre rue. Vous lui expliquez comment aller chez vous, à pied ou en bus. Le professeur joue le rôle de votre ami.

module4 Se situer dans le temps → niveau A2.1

unité 10 Quel beau voyage !

J'APPRENDS

POUR → **Raconter**
- les verbes pronominaux
- *d'abord, puis, ensuite...*

→ **Exprimer l'intensité et la quantité**
- *peu, tellement, trop...*
- *en*, pronom de quantité

→ **Interroger**
- *Où va-t-il ? Allez-vous partir ?*
- les trois formes d'interrogation

TÂCHE FINALE

Dans la rue, ce matin, j'ai vu une scène étonnante. Je suis amusé ou choqué et je raconte cette scène en détails à mon voisin, puis j'écris un article sur mon blogue.

unité 11 Oh ! joli !

J'APPRENDS

POUR → **Décrire quelqu'un**
- *il est grand, il a l'air...*

→ **Comparer**
- *le même, ils se ressemblent, elle est plus jeune que moi...*

→ **Exprimer l'accord ou le désaccord**
- *Tu as raison. Vous plaisantez ?*

→ **Me situer dans le temps**
- l'imparfait
- l'imparfait ou le passé composé ?

TÂCHE FINALE

Dans mon entreprise, je recrute un « responsable commercial ». Je parle à mon chef de service de trois candidats. Puis j'explique par écrit au directeur qui je préfère et pourquoi.

unité 12 Et après ?

J'APPRENDS

POUR → **Parler de l'avenir**
- *Tu viens demain ? Il va parler...*
- le futur simple

→ **Exprimer des souhaits**
- *Bon appétit ! À votre santé !...*
- le subjonctif
- la place des pronoms à l'impératif

TÂCHE FINALE

Nous organisons un voyage en France avec notre classe. Nous exprimons nos souhaits par petits groupes. Nous préparons ensuite une fiche projet que nous remplissons.

Quel beau voyage !

B

C

A

D

> C'est clair ?

27

1 Écoutez le récit de voyage et associez une photo à chacun des quatre moments du commentaire.

« Le son d'un djembé… vers le Mali » : photo .....
« Plus tard, plus calme… jusque tard dans la nuit » : photo .....
« Le 26, nous nous arrêtons à Tombouctou… encore un vieux rêve ! » : photo .....
« Quelques jours plus tard… mais tellement heureux ! » : photo .....

27

2 Écoutez de nouveau et répondez : *vrai, faux* ou *on ne sait pas*.

1. Les trois personnes sont allées ensemble en Afrique.
2. Ouagadougou est une ville très calme.
3. Ils arrivent à Teli le matin de Noël.
4. À Noël, les Dogons font la fête.
5. Le couple voulait venir à Tombouctou depuis plusieurs années.
6. À Gao, le couple s'est couché tard dans la nuit.

Partir

je pars
tu pars
il/elle/on part
nous partons
vous partez
ils/elles partent

je **suis parti**

> Zoom

3 Lisez cet extrait du récit de voyage et associez les éléments.

« Ici, on peut tout acheter à la pièce comme un sachet de thé, un morceau de sucre, une cigarette ou un bonbon. »

un kilo	•	•	de champagne
une tasse	•	•	d'eau
une part	•	•	de chocolats
une bouteille	•	•	de tomates
une boîte	•	•	de café
un verre	•	•	de tarte

28

4 a) Dans ce texte, tous les mots en vert sont mélangés. Retrouvez la bonne place pour faire un texte cohérent. Contrôlez ensuite avec l'enregistrement.

Écoute un peu ça... Hier, tout d'abord, je me lève tôt pour prendre mon avion pour Berlin à 7 heures. Je cours dans la salle de métro où je prends une douche en cinq minutes ! Je quitte la maison, à l'heure... Tout va bien. J'arrive à la station de champagne et là, il y a un monde fou ! Je décide alors de prendre le métro jusqu'à l'aéroport. Zut, je n'ai plus de ticket d'avion et il y a la queue pour en acheter. Après un long moment, j'ai mon carnet de taxi et je peux partir. Maintenant, je suis en retard... J'arrive à l'aéroport, nerveux, et je ne trouve pas mon billet de tickets dans mon sac... Ah ! si... Ouf ! Je passe les contrôles... « Vite, l'avion va partir », me dit l'hôtesse. Tu m'imagines dans l'avion : fatigué, énervé. Heureusement, on me propose tout de suite une bonne coupe de bains, que je ne refuse pas.

b) Faites la liste des expressions que vous avez trouvées et par deux, ajoutez d'autres expressions que vous connaissez et qui ont la même formation (nom + *de* + nom).

la salle de .....

À la pièce, au kilo...

On peut acheter **à la** pièce, **au** kilo, **au** mètre...

Combien ? 6,30 € **le** kilo ?

Ouh ! 1,50 € **les** 100 grammes, c'est cher !

Les melons sont à 2 € **la** pièce.

Raconter

JE M'HABILLE, NOUS NOUS COUCHONS...

5 Lisez les phrases. Relevez les verbes, puis répondez.

Nous nous amusons jusque tard dans la nuit.
La ville s'anime avec les premiers rayons du soleil.
Tu te rappelles quand on a visité Ouagadougou ?
Ils se lèvent tôt pour partir au Mali.
Je me souviens de ce beau voyage.
Vous ne vous couchez pas trop tard ?

– Comment est-ce qu'on construit la forme verbale ?
– Est-ce que vous connaissez d'autres verbes qui ont la même formation ? Quels verbes ?
– Observez la dernière phrase et mettez les autres phrases à la forme négative.

6 Complétez les phrases avec le verbe entre parenthèses à la forme qui convient.

1. Et toi, tu (se maquiller) tous les jours, Nadia ?
2. Ce matin-là, nous (se lever) très tôt pour aller visiter la ville.
3. En général, je (ne pas se coucher) avant minuit.
4. À quelle heure est-ce que le bus (s'arrêter) à la station Jaurès ?
5. Je (s'amuser) beaucoup quand je vais danser avec mes copines.
6. On (ne jamais s'ennuyer) en cours de français. Notre professeur est très drôle !

je **me** lève
tu **te** réveilles ?
il/elle/on **s'**arrête
nous **nous** ennuyons
vous **vous** installez
ils/elles **s'**amusent

je **me** suis couché(e)

29

7 a) Écoutez et complétez les phrases.

1. Pierre dort encore, il déteste ..... lever tôt le matin !
2. Vous pouvez ..... asseoir là, si vous voulez attendre madame Richard. Elle va arriver.
3. Tu veux ..... laver maintenant ou après le petit-déjeuner ?
4. Moi, je préfère ..... coucher tôt pour être en forme demain.

b) Complétez les phrases.

1. À quelle heure est-ce que vous voulez ..... lever demain matin ?
2. J'emporte des livres, je ne veux pas ..... ennuyer dans le train.
3. On va bien ..... amuser, j'en suis sûr !
4. Non, nous ne voulons pas ..... installer sur ce terrain de camping sans arbre.

8 Lisez les phrases puis complétez le tableau.

Assieds-toi ! – Lève-toi vite ! – Dépêchez-vous, il est 8 heures !

infinitif	présent	impératif
s'asseoir	tu t'assieds vous vous asseyez	....
se lever	tu ..... vous vous levez	....
se dépêcher	tu te dépêches vous	....

9 Lisez les exemples, puis donnez des conseils avec les éléments proposés.

Exemples : *Lève-toi, il est 8 heures ! Ne te lève pas, il est 8 heures !*
Asseyez-vous ici ! Ne vous asseyez pas ici !

1. À des amis qui partent faire la fête :
   (S'amuser) ..... bien !
2. À votre ami, quand vous partez loin en voyage :
   (Ne pas s'inquiéter) ....., tout ira bien !
3. À des copains qui se disputent :
   Restez calmes, (ne pas s'énerver) ..... !
4. À un ami qui travaille beaucoup et qui est fatigué :
   (Se reposer) ..... un peu, prends des vacances.
5. À votre enfant, le matin :
   (Se brosser les dents) ..... et (se coiffer) ..... correctement avant de partir !

Les verbes pronominaux

Ils se conjuguent avec un pronom :
Je **me** lève.
Tu **t'**es coiffé, aujourd'hui ?
Asseyez-**vous** !

Remarques :
– *à l'impératif affirmatif,* te *devient* **toi**.
Dépêche-toi ! – Ne te dépêche pas !
– *au passé composé, tous les verbes pronominaux se conjuguent avec* être (il s'est couché).

D'ABORD, PUIS...

10 Lisez le récit des voyageurs, observez le tableau, puis, par deux, racontez vos actions quotidiennes du matin en utilisant un mot de chaque liste (1, 2 et 3).

D'abord, chaque matin, notre guide nous réveille vers 7 heures. Ensuite, tous ensemble, on prend le petit-déjeuner qu'il a préparé, on se lave rapidement puis on s'habille, on se coiffe, les hommes se rasent (parfois...). Après, on prépare nos sacs, le guide donne à chacun son pique-nique du midi et hop ! on est enfin prêts à partir !

Pour relier une action à une autre :
1. D'abord, tout d'abord, pour commencer.
2. Ensuite, puis, après, plus tard, un peu plus tard.
3. Enfin, pour finir.

11 Remettez ces éléments dans l'ordre chronologique puis écrivez la biographie de Vanessa Paradis. Utilisez *d'abord, ensuite,* etc.

– Elle revient à la chanson en 2000, avec un nouvel album, *Bliss*.
– En 1987, elle fait ses débuts avec la chanson *Joe le Taxi*.
– Vanessa tourne son premier film *Noce blanche* en 1989.
– En mai 1999, Vanessa met au monde son premier enfant : Lily-Rose.
– En 2007, elle sort l'album *Divinidylle*.
– En 1991, elle remporte la victoire de la musique grâce à son deuxième album, *Variations sur le même t'aime*.
– Elle naît le 22 décembre 1972 près de Paris.
– Elle part aux États-Unis et elle sort son troisième album, *Vanessa Paradis*.

Exprimer l'intensité et la quantité

Supprimer Indésirable Répondre Rép. à tous Réexpédier Imprimer

De : Fabio Araujo <fabio.araujo@alice.fr>
Date : 19 avril 2008 – 15h12
À : Aiko Sarkissian <aiko.sarkissian@laposte.net>
Objet : Bruxelles !
2 pièces jointes, 596 Ko
DSC0067.jpg (430 Ko) DSC0071.jpg (166 Ko)

Aiko,
Je ne comprends pas tout dans ton message, la ligne est très mauvaise et puis tu parles un peu vite... Où es-tu ? Pas encore à Bruxelles ? Quand pars-tu exactement ? Je suis sûr que tu vas aimer cette ville, c'est tellement agréable de s'y promener. J'ai pris des photos la semaine dernière, je t'en envoie deux. Dis-moi si tu en veux plus. J'en ai pris aussi à Gand qui est une autre jolie ville belge. Je peux t'en envoyer. Dis-moi...
En tout cas, tu as l'air très contente et ça fait plaisir.
Bon séjour belge et donne de tes nouvelles !
Bises,
Fabio

> *C'est clair ?*

12 Écoutez Aiko puis répondez.

1. À qui est-ce qu'elle laisse ce message ?
2. Pourquoi est-ce qu'elle a l'air très contente ?
3. Qu'est-ce qui est drôle, à son avis ?
4. Est-ce qu'Aiko pense qu'elle a de la chance ou non ? Pourquoi ?

13 Lisez le message de Fabio puis remettez ces éléments dans l'ordre.

1. Il demande à Aiko où elle est maintenant.
2. Fabio dit qu'il n'a pas bien entendu toutes les informations.
3. Il propose à Aiko de lui envoyer des photos de Gand.
4. Il dit à Aiko qu'il joint à son message deux photos de Bruxelles.
5. Il demande à Aiko quand elle part à Bruxelles.
6. Il souhaite un bon séjour à Aiko.
7. Il dit qu'il a pris des photos de Gand.
8. Il dit que Bruxelles est une belle ville qu'Aiko aimera sûrement.

Ordre : *n°2*, ...

> *Comment on dit ?*

14 a) Relisez la réponse de Fabio. Complétez ces phrases.

La ligne est ..... mauvaise et puis tu parles ..... vite.
C'est ..... agréable de s'y promener !
Tu as l'air ..... contente.

b) Essayez de vous souvenir : que dit Aiko à la fin de son message ? Choisissez l'élément qui convient.

Bon, je suis (trop / assez / peu) chanceuse, c'est vrai et aussi, (tellement / un peu / très) contente !

(31) **15 Écoutez ce dialogue et choisissez la réponse qui convient.**

Maria dit que…
– elle travaille (un peu / peu / tellement).
– au travail, elle court (trop / un peu / beaucoup).
– elle travaille (trop / très / si) vite.
– ce n'est pas (trop / un peu / très) sérieux.
– elle espère qu'il n'est pas (trop / très / assez) tard.
– les femmes sont (si / trop / peu) gentilles.
– elle est (très / si / peu) calme.
– elle est (trop / un peu / peu) fatiguée.

Exprimer l'intensité

peu / un peu / assez / très / si / tellement / trop } + *adjectif* / + *adverbe*

C'est très gentil, merci.
Il travaille trop lentement.

----

verbe + peu, un peu, assez, beaucoup, tellement, trop

Je fume trop, je sais.
Elle l'aime peu.

16 Lisez le tableau *Exprimer l'intensité* puis complétez ces phrases avec *peu, un peu, assez, très, trop, beaucoup, tellement* ou *si.*

1. Moi, je suis assez petite mais ma sœur est vraiment différente : elle est ..... grande.
2. On ne peut pas aller au Pérou cette année. Les billets d'avion sont ..... chers.
3. Chéri, tu manges ....., tu vas grossir, fais attention.
4. Je suis prudente en voiture, je ne roule jamais ..... vite !
5. Je n'ai pas beaucoup écouté ta mère, elle parle ..... !
6. Elle aimerait faire plus de sport mais elle n'est pas ..... disponible.

TU EN VEUX, J'EN AI DEUX…

17 Lisez les phrases et récrivez-les : remplacez *en* par le nom qui lui correspond.

J'ai pris des photos la semaine dernière, je t'en envoie deux. Dis-moi si tu en veux plus. J'en ai pris aussi à Gand qui est une autre jolie ville belge. Je peux t'en envoyer.

→ *J'ai pris des photos la semaine dernière, je t'envoie deux photos. Dis-moi…*

18 Dites ce que remplace *en* dans chaque phrase.

1. — Tu veux de l'eau ?
 — Non merci, je n'en veux plus.
2. — Tu as des enfants ?
 — Oui, j'en ai quatre.
3. — Vous avez assez d'argent ?
 — Oui, on en a assez.

19 Imaginez la question ou la réponse qui manque dans chaque dialogue. Utilisez *en* dans chaque réponse.

1. — Vous voulez combien de pommes, madame ?
 — .....
2. — ..... ?
 — Ah ! non, je n'en ai pas.
3. — Tu mets beaucoup de morceaux de sucre dans ton café ?
 — .....
4. — Vous avez du poisson au menu ?
 — .....
5. — ..... ?
 — Oui, j'en ai acheté une hier.

***En* pour exprimer la quantité**

En *remplace un nom précédé d'une* ***expression de quantité***.

— Vous avez **une** voiture ?
— Non, je n'**en** ai pas.

— Tu veux **du** vin ?
— Oui, j'**en** veux bien **un peu**.

— Ils ont **combien d'**enfants ?
— Ils **en** ont **deux**.

Interroger

20 Observez ces deux questions que Fabio pose à Aiko et trouvez une autre façon de les exprimer.

Où es-tu ? = ...

Quand pars-tu exactement ? = ...

21 Lisez le tableau puis transformez les questions sur le même modèle que celles de Marco.

Exemples : *Est-ce que vous allez partir avec nous ?* → *Allez-vous partir avec nous ?*
Tu te lèves à quelle heure ? → *À quelle heure te lèves-tu ?*

1. Vous pourriez m'aider, s'il vous plaît ?
2. Où est-ce qu'on va dîner demain soir ?
3. Et Bruno, comment il va ?
4. Vous vous reposez un peu avant de partir ?
5. À quelle heure est-ce que tu penses arriver ?
6. Vous savez que j'ai changé de travail ?
7. Pourquoi tu ne parles pas ?
8. Il y a une fête jeudi ?

Interroger

Il existe trois formes de questions.

Tu veux un café ? *(standard, surtout à l'oral)*

Est-ce que tu veux un café ? *(standard)*

Veux-tu un café ? *(soutenu)*

Attention :

Comment s'appelle-**t**-il ?

32

22 a) Écoutez les réponses et retrouvez à quelle question chacune correspond.

	Réponses
a. Est-ce qu'ils sont déjà partis à Londres ?	.....
b. Tu t'es levé à quelle heure, ce matin ?	.....
c. Quand est-ce que vous venez nous voir en Touraine ?	.....
d. Elle travaille toujours chez Renault ?	.....
e. Vous avez mis combien de temps ?	.....
f. Est-ce qu'il va inviter Martine et Marco ?	.....
g. Où est-ce que tu as mis les clés ?	.....

b) Lisez les exemples et transformez chaque question.

Exemples : *a) Sont-ils déjà partis à Londres ?*
b) À quelle heure t'es-tu levé, ce matin ?
.....
.....

23 → *Par groupes de deux, posez-vous des questions sur vos activités quotidiennes (heure de lever, etc.). Prenez des notes puis racontez oralement les habitudes de votre voisin.*

Exemple : *En général, il se lève à 7 heures mais c'est difficile, ... Ensuite...*

tâche finale

→ QUELLE HISTOIRE !

Dans la rue, ce matin, vous avez vu une scène étonnante entre plusieurs personnes. Vous êtes amusé ou choqué et vous racontez cette scène en détails à votre voisin. Ensuite, vous écrivez un article sur votre blogue.

Des sons et des lettres

[ɛ] (comme dans *fait*) et [ɛ̃] (comme dans *fin*)

A. a) Écoutez et soulignez le son [ɛ].

1. Tu l'as dit à ta mère ?
2. Ouvre la fenêtre, il fait chaud.
3. Tu peux venir, s'il te plaît ?
4. Il pleure, il a de la peine.
5. Tu connais son frère ?
6. Ne fais pas la tête…
7. Non, non, il n'y a pas de problème !

b) Écoutez et soulignez le son [ɛ̃].

1. Je suis parti avant la fin du film.
2. Est-ce que tu viens demain ? Et lundi ?
3. Ce n'est vraiment pas simple !
4. Non merci, je n'ai plus faim.
5. J'adore la peinture du XIXe siècle.
6. J'ai un examen ce matin.
7. Antonin est brun ou blond ?

B. Complétez.

[ɛ] peut s'écrire :
« è » exemples : *mère*, ...
«.....» exemples : .....
«.....» exemples : .....
«.....» exemple : .....

[ɛ̃] peut s'écrire :
« in » exemples : *fin*, ...
«(i)en» exemples : *viens*
«.....» exemples : .....
«.....» exemples : .....
«.....» exemples : .....
«.....» exemples : .....
«.....» exemples : .....
«.....» exemples : .....

35 **C. Écoutez et cochez les cases qui conviennent.**

	1	2	3	4	5	6	7	8
[ɛ] (*fait*)								
[ɛ̃] (*fin*)								

FRANCOPHONIE

En 1880, le géographe français Onésime Reclus (1837-1916) invente le terme « francophonie » pour définir l'ensemble des personnes et des pays qui utilisent le français.

Le français, langue internationale

Environ 200 millions de personnes parlent français dans le monde. Le français est langue officielle dans une trentaine de pays et il est langue officielle de nombreuses organisations internationales comme l'Union européenne, l'Organisation des Nations unies (ONU), l'Agence spatiale européenne, l'Union africaine, la Cour internationale de justice, l'Organisation mondiale du commerce, l'Union postale universelle, le Comité international olympique, etc.

La francophonie, un lieu d'expression artistique

Ils écrivent en français : Samuel Millogo (Burkina Faso), Agota Kristof (Hongrie), Raphaël Confiant (Martinique, France), Amin Maalouf (Liban), Yasmina Khadra (Algérie), Boubacar Boris Diop (Sénégal)...
Ils chantent en français : Papa Wemba (Congo), Amadou et Mariam (Mali), Souad Massi (Algérie), Jeff Bodart (Belgique), Natasha Saint-Pierre (Nouveau-Brunswick, Canada)...
Ils filment en français : Jean Odoutan (Bénin), Ousmane Sembene (Sénégal), Jean-Pierre et Luc Dardenne (Belgique), Denys Arcand (Québec, Canada)...

Papa Wemba

L'OIF

L'Organisation internationale de la Francophonie (OIF) regroupe 55 États et gouvernements, comme, par exemple, la Belgique, le Burkina Faso, le Cambodge, le Cameroun, le Canada, la Côte d'Ivoire, le Gabon, Haïti, Madagascar, le Maroc, la Roumanie, Sainte-Lucie, le Sénégal, la Tunisie, le Vietnam... L'OIF a pour objectif de développer les relations entre les pays francophones pour favoriser la coopération, la solidarité, la paix et le développement. Elle organise, en particulier, des actions pour l'éducation, la culture et l'information.

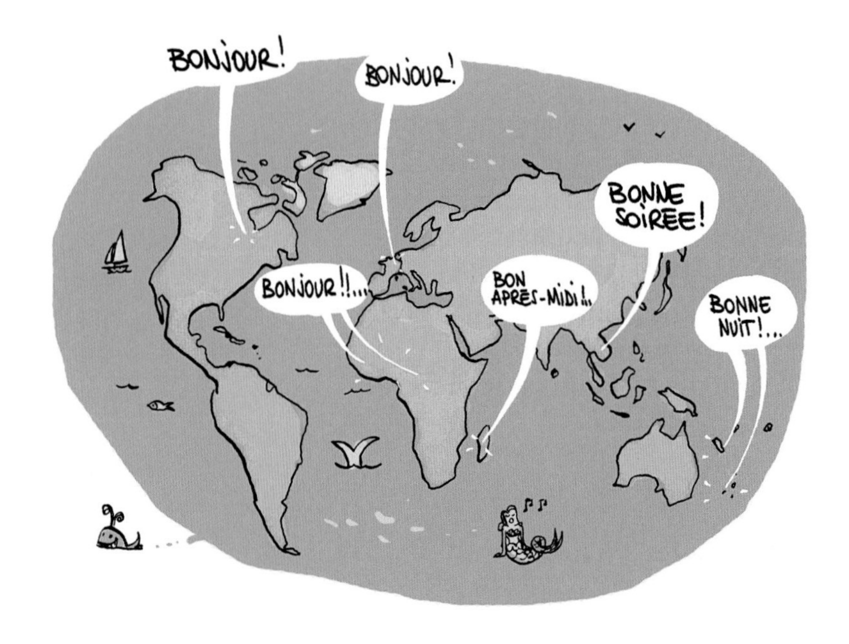

Syrie
Sénégal
Inde

Tunisie

24 Lisez le premier paragraphe. Associez le nom de chaque organisation à une image.

l'Agence spatiale européenne – l'Union postale universelle – le Comité international olympique – l'Union européenne – l'Organisation des Nations unies

1

2

3

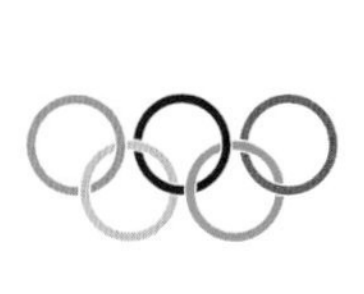
4

5

25 Regardez la carte à la fin du livre et retrouvez le pays de Papa Wemba, Jean Odoutan, Jeff Bodart, Amin Maalouf et Raphaël Confiant.

26 Chaque région ou pays francophone possède « sa » langue française. Trouvez pour chaque phrase (1 à 6) sa signification en français de France (a à f).

Exemple : *1e*

1. Il ne peut pas te voir maintenant, il est dans la douchière. *(Niger)*
2. Tu ne peux pas sortir maintenant, il drache. *(Belgique)*
3. Tu as vu l'heure ? Va au lit. Demain, tu vas te dématiner. *(Suisse)*
4. Cet après-midi, il va magasiner au Centre Eaton. *(Québec)*
5. On a une grosse commande alors, demain, tu vas travailler en surtemps. *(Québec)*
6. Non, il n'est pas là, il est parti à l'essencerie. *(Sénégal)*

a. Il pleut beaucoup.
b. Tu vas te lever tôt.
c. Tu vas rester plus longtemps au bureau.
d. Il est parti avec la voiture dans une station-service.
e. Il se lave.
f. Il va aller voir les boutiques.

ET VOUS ?

27 Parle-t-on français dans votre pays ? Peut-on voir des mots français dans votre ville ?

28 Où parle-t-on votre langue maternelle ? Votre langue maternelle est-elle présente dans d'autres pays ?

Oh ! joli !

C'est la nuit et le jour, la terre et le ciel, ma mère et Paulina.

Les deux sœurs.

Paulina est plus jeune que ma mère et ça se voit 5 terriblement.

Au départ elles se ressemblaient sûrement comme se ressemblent deux sœurs, filles d'une même famille, où les nez sont légèrement busqués, les yeux couleur noisette et les mains 10 fines et petites.

À l'arrivée personne ne peut deviner, même en les voyant côte à côte, qu'elles sont encore — puisque c'est pour toujours — filles d'une même famille.

15 Ma mère porte des souliers plats, des vêtements sérieux et confortables et quelques bijoux si discrets que personne ne les remarque. Sauf pour les grandes occasions, où maladroitement elle se colle quelques couleurs sur la figure, elle ne 20 se maquille pas. Naturel, bon goût et discrétion : telle est la devise de ma mère. Tristesse aussi. Elle rit rarement, elle sourit poliment mais jamais n'éclate de rire.

Elle ne cherche pas à plaire et surtout pas à se 25 faire remarquer.

Paulina avance en équilibre sur des talons incroyablement hauts, dans des fringues de luxe aux couleurs qui claquent, l'œil charbonneux, la bouche rouge et pulpeuse, les bras chargés de bra-30 celets, laissant derrière elle un sillon de parfum. Sophistiquée et provocante.

Anne, ma mère, est documentaliste dans une grande entreprise. Paulina travaille dans la mode.

Irène Cohen-Janca, *Fashion victim*, 2005.

> C'est clair ?

1 Lisez l'extrait du roman *Fashion victim* et répondez.

1. Qui écrit ?
2. Quel lien unit Anne et Paulina ?
3. Qui n'a pas l'air très sérieux : Anne ou Paulina ? Relevez dans le texte les éléments qui le montrent.
4. Qu'est-ce qui, dans le texte, montre le naturel d'Anne ?
5. Comment est-ce que la profession de chaque femme peut expliquer son apparence ?
6. Pourquoi l'auteur évoque-t-il « le jour et la nuit », « la terre et le ciel » en parlant des deux femmes ?

2 Relisez cet extrait et associez chaque mot à sa définition.

1. terriblement — a. être aimé par quelqu'un
2. se ressembler — b. d'une mauvaise manière, pas très bien
3. discret — c. beaucoup
4. maladroitement — d. les chaussures
5. plaire — e. avoir un peu le même visage
6. les fringues — f. qu'on ne voit pas beaucoup
7. les souliers — g. les vêtements

3 Complétez ce tableau qui marque les oppositions entre Anne et Paulina.

Anne	Paulina
porte des souliers plats	des talons incroyablement hauts
des vêtements sérieux	.....
.....	les bras chargés de bracelets
elle ne se maquille pas	.....
.....	sophistiquée et provocante
.....	elle travaille dans la mode

> Zoom

4 Associez un mot de la colonne de gauche à une liste de mots de la colonne de droite. Aidez-vous du texte de la page 128.

les mains •	• de couleur claire, d'un noir profond, couleur noisette, bleu azur
les yeux •	• sérieux, amusants, aux couleurs vives, confortables
le nez •	• discrets, voyants, dorés, argentés
les vêtements •	• long, pointu, petit
les bijoux •	• larges, fines, longues, petites

5 → *Discutez en classe : préférez-vous le style d'Anne ou de Paulina ? Pourquoi ?*

Décrire quelqu'un

> *Comment on dit ?*

6 Lisez et dites, pour chaque phrase, si elle parle d'Anne, de Paulina ou des deux.

1. Elle a les yeux noisette.
2. Elle a l'air triste.
3. Elle se maquille beaucoup.
4. Elle a des mains fines.
5. Elle porte des vêtements discrets.
6. Ses vêtements ont des couleurs vives.
7. Elle a l'air dynamique.
8. Elle porte peu de bijoux.

36 **7 Observez les dessins. Écoutez les huit descriptions et indiquez le numéro de l'enregistrement qui correspond à chaque personne.**

8 Lisez l'encadré *Décrire quelqu'un* et choisissez les mots qui conviennent.

1. C'est une (chinois – jolie – brun) jeune fille, (grande – haute – courte) avec de longs (moustaches – nez – cheveux) bruns.
2. Paulina, elle rit tout le temps, elle a l'air très (drôle – timide – fatiguée).
3. Sa (barbe – chaussure – pantalon) noire lui donne l'air sérieux.
4. Sur la photo, je porte une jupe blanche, un tee-shirt noir et des (casquettes – baskets – cheveux) noires.
5. Mon père est grand, mince et a de grands (cheveux – yeux – pantalons) verts.
6. Oui, je la connais, elle est très (blond – grande – raide).

Décrire quelqu'un

Il, elle est :
- grand(e), petit(e)
- mince, gros(se), fort(e)
- blond(e), châtain, brun(e)
- jeune, vieux (vieille)

Il, elle a :
- les yeux marron, bleus, verts
- les cheveux longs, courts, raides, frisés
- un petit, un grand nez
- des lunettes
- une moustache, une barbe

Il, elle a l'air :
drôle, sympathique, triste, fatigué, timide

Il, elle porte :
- un pantalon
- une jupe, une robe
- un pull, une veste, un tee-shirt, une chemise
- des chaussures noires, marron ; des baskets
- une casquette, un chapeau

Comparer

> *Comment on dit ?*

9 Relisez l'extrait de *Fashion victim*, page 128, et écrivez le contraire des phrases.

Elle est moins jeune que sa sœur. ≠ .....
Elles étaient différentes. ≠ .....
Elles sont de familles différentes. ≠ .....

37

10 Écoutez les dialogues et classez dans le tableau les mots proposés.

différent – même – autre – pareil – comme – ressembler à

=	
≠	

11 Regardez la photo des deux filles et complétez les phrases.

— Regarde, ce sont mes sœurs. Elles sont jumelles.
— Ah oui, elles ..... ! Elles ont quel âge ?
— Bientôt 19 ans. Le 26 avril.
— C'est incroyable : elles ont le ..... visage, les ..... cheveux.
— Oui, mais Camille a les cheveux un peu plus longs. Là, on ne peut pas voir…
— Et elle est un peu ..... grande, non ?
— Oui, c'est vrai.
— Elles ne s'habillent pas ..... ?
— Non, pas tout à fait. Regarde : elles n'ont pas ..... pull.
— Oui, ils sont ..... mais ils sont de ..... couleur.
— Ah ! Et puis, leurs pantalons aussi sont ..... .
— En tout cas, elles sont très jolies, tes sœurs !

12 → *Lisez le tableau et décrivez ces deux personnes.*

Comparer

Adrien **ressemble à** son père.
Les deux frères **se ressemblent.**
J'ai **le même** pull **que** toi.
Pour moi, un Boeing et un Airbus, c'est **pareil**.
Elle est **comme** sa mère : très jolie.
Ses enfants sont très **différents.**
\+ Ma sœur est **plus** jeune **que moi**.
– Tu es **moins** grand **que** Philippe ?
= Elle est **aussi** drôle **que** son mari.

Exprimer l'accord ou le désaccord

De : Aiko Sarkissian <aiko.sarkissian@laposte.net>
Date : 13 mai 2008 – 20h11
À : Fabio Araujo <fabio.araujo@alice.fr>
Objet : Un film génial !

Salut Fabio,

Comment vas-tu ? Ici, ça va. Hier, je suis allée au cinéma avec Jérémie. Je t'ai déjà parlé de Jérémie ? On était au lycée ensemble, on jouait au tennis tous les deux et on est toujours restés très copains. On a vu un excellent film : *La Question humaine*, de Nicolas Koltz, un drame psychologique, une histoire qui se passe en entreprise... Je ne te dis rien de plus parce que si tu veux aller le voir... C'était bouleversant, les personnages étaient très profonds, touchants, l'histoire troublante et émouvante... On a tous les deux adoré ce film. Il y avait beaucoup de monde dans la salle et tout le monde semblait ému à la fin. Je te le recommande ; vas-y vite !
Ma mère aussi l'a vu. Elle a trouvé le film trop long mais moi, je ne suis pas d'accord.
Et toi, tu es allé au cinéma ? à des concerts ? Raconte-moi !
À part ça, rien de bien nouveau. Donne-moi de tes nouvelles.

Je t'embrasse,
Aiko

PS : Ah ! Si... Lucie m'a proposé d'aller avec elle au concert de Mademoiselle K. C'est une bonne idée ! Je vais lui dire que c'est d'accord si j'ai assez d'argent parce que c'est un peu difficile en ce moment... Ça te dirait de venir ?

> *C'est clair ?*

13 Lisez le message d'Aiko et répondez.

1. Qui est Jérémie ?
2. Qu'a fait Aiko hier ?
3. Que pense Jérémie de ce film ? Et que pense la mère d'Aiko ?
4. Que va faire Aiko avec Lucie ? C'est sûr ?

> *Comment on dit ?*

14 Dans le message, relevez une phrase où Aiko dit qu'elle est d'accord et une phrase où elle dit qu'elle n'est pas d'accord.

15 a) Écoutez et dites si les personnes sont d'accord ou en désaccord.

	1	2	3	4	5	6	7	8
accord								
désaccord								

b) Lisez le tableau ci-dessous. Écoutez de nouveau les dialogues et relevez les expressions qui expriment l'accord et le désaccord.

16 → *Par groupes de deux, jouez la scène.*

Exprimer l'accord	Exprimer le désaccord
D'accord.	Pas d'accord
C'est vrai.	Ce n'est pas vrai.
Tu as raison.	Tu as tort.
C'est parfait.	Pas du tout !
C'est une bonne idée.	Tu plaisantes ?
Pas de problème !	C'est nul.
Absolument !	Bien sûr que non !

Se situer dans le temps

L'IMPARFAIT

17 a) Dans le récit d'Aiko, relevez les verbes et classez-les dans le tableau.

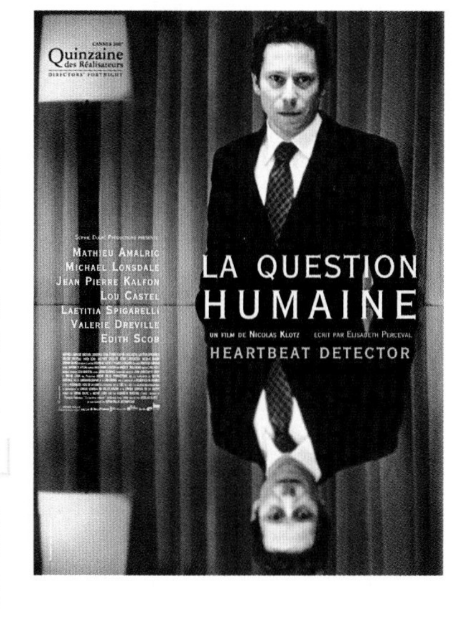

Hier, je suis allée au cinéma avec Jérémie. Je t'ai déjà parlé de Jérémie ? On était au lycée ensemble, on jouait au tennis tous les deux et on est toujours restés très copains. On a vu un excellent film : *La Question humaine*, de Nicolas Koltz, un drame psychologique, une histoire qui se passe en entreprise... Je ne te dis rien de plus parce que si tu veux aller le voir... C'était bouleversant, les personnages étaient très profonds, touchants, l'histoire troublante et émouvante... On a tous les deux adoré ce film. Il y avait beaucoup de monde dans la salle et tout le monde semblait ému à la fin.

verbes au passé composé	autres verbes
suis allée	*était*

b) Les « autres verbes » sont à l'imparfait. Choisissez la case qui convient.

L'imparfait exprime des actions

☐ dans le présent. ☐ dans le passé. ☐ dans le futur.

18 Complétez le tableau et comparez les formes des verbes des colonnes 1 et 3.

imparfait	infinitif	présent
il y avait	.....	nous avons
on jouait	.....	nous .....
tout le monde semblait	.....	nous .....

19 Complétez le tableau avec les formes des verbes à l'imparfait.

	je	tu	il/elle/on	nous	vous	ils/elles
faire	faisais					
avoir		avais				
étudier			étudiait			
sembler				semblions		
manger					mangiez	
être						étaient

39

20 Écoutez cet extrait de chanson et complétez les formes des verbes.

Dis, pourquoi tu ne me reconnais plus, mais c'est moi, ta jumelle de rue
Même qu'on nous grond..... tous les soirs, qu'on nous appel..... les « Sœurs trottoirs »
De tout ça, tu ne te souviens plus ? Ne me regarde pas comme une inconnue
Tu as les mêmes yeux que celle que je trouv..... la plus belle
Dis, dis, tu ne te souviens de rien ? Pas même d'un seul de ces dessins
Qu'on se mett..... dans les boîtes aux lettres pour s'inventer des jours de fête
Ni du facteur, ni de sa tête ? Quand on lui piqu..... sa casquette
On l'appel..... monsieur « *Chou-fleur* », le facteur du bonheur

Extrait de la chanson *Tu t'souviens de moi*, interprétée par Hiripsimé, 2007.

IMPARFAIT OU PASSÉ COMPOSÉ ?

21 Lisez de nouveau cet extrait puis associez les éléments.

Hier, je suis allée au cinéma avec Jérémie. Je t'ai déjà parlé de Jérémie ? On était au lycée ensemble, on jouait au tennis tous les deux et on est toujours restés très copains. On a vu un excellent film : *La Question humaine*, de Nicolas Koltz, un drame psychologique, une histoire qui se passe en entreprise... Je ne te dis rien de plus parce que si tu veux aller le voir... C'était bouleversant, les personnages étaient très profonds, touchants, l'histoire troublante et émouvante... On a tous les deux adoré ce film. Il y avait beaucoup de monde dans la salle et tout le monde semblait ému à la fin.

Les verbes à l'imparfait •	• présentent des actions ou des états non terminés ou qui n'ont pas de limites précises dans le temps.
Les verbes au passé composé •	• présentent des actions ou des états terminés ou qui ont des limites précises dans le temps.

22 Écrivez les verbes entre parenthèses à l'imparfait ou au passé composé.

1. Ce jour là, il (faire) froid et Barbara (porter) un grand manteau noir.
2. Tu (voir) nos photos d'Argentine ?
3. Il y (avoir) beaucoup de monde. Je (devoir) attendre une heure et puis, je (partir). Je (ne pas être) content !
4. Ce matin, je (dormir) bien quand le téléphone (sonner).
5. Nous (rouler) tranquillement quand un animal (traverser) juste devant notre voiture. Ouh ! on (avoir) peur !

23 → *Choisissez un des trois sujets et écrivez un texte d'environ 60 mots.*

Racontez votre plus grand bonheur.
Racontez votre plus grande peur.
Racontez votre plus belle surprise.

L'imparfait

On l'utilise pour décrire une situation passée.
Quand j'étais petit, j'adorais l'école.

Formation *: la forme du verbe au présent avec* nous + *les terminaisons de l'imparfait.*
nous allons → j'all**ais**, tu all**ais**, il/elle/on all**ait**, nous all**ions**, vous all**iez**, ils/elles all**aient**

Sauf être : j'étais, nous étions

▶ tâche finale

→ EN ENTREPRISE

Dans votre entreprise, vous devez recruter un « responsable commercial ». Vous avez reçu trois candidats et maintenant, vous en parlez à votre chef de service. Vous parlez de leur passé professionnel, vous décrivez ces personnes, leur physique, leurs goûts…
Ensuite, vous écrivez une note pour le directeur de votre entreprise. Vous expliquez quel candidat vous préférez et pourquoi.

Des sons et des lettres

[a] (comme dans *d'accord*) et [ɑ̃] (comme dans *grand*)

(40) **A. a) Écoutez et soulignez le son [a].**
1. Elle arrive à Paris samedi.
2. Ma femme s'appelle Maria.
3. On va au théâtre avec Laura et Ana.
4. Nos amis habitent là, à Marseille.

(41) **b) Écoutez et soulignez le son [ɑ̃].**
1. Mes vacances commencent le trente janvier.
2. Je suis là, dans ma chambre !
3. On n'a pas le temps d'attendre.
4. Jean et Françoise ne sont plus ensemble.

B. Complétez.

[a] peut s'écrire :	[ɑ̃] peut s'écrire :
« a » exemples : *arrive*, ...	« ..... » exemples : .....
« ..... » exemples :	« ..... » exemples : .....
« ..... » exemples :	« ..... » exemples : .....
« ..... » exemples :	« ..... » exemples : .....
	« ..... » exemples : .....

(42) **C. Écoutez les phrases et choisissez la case qui convient.**

1.	☐ Il est las.	☐ Il est lent.
2.	☐ Elle tâte.	☐ Elle tente.
3.	☐ le plat	☐ le plan
4.	☐ la plaque	☐ la planque
5.	☐ Vous y passez ?	☐ Vous y pensez ?
6.	☐ il sable	☐ il semble
7.	☐ J'adore ce chat.	☐ J'adore ce chant.
8.	☐ Tu vas où ?	☐ Tu vends où ?

(43) **D. Écoutez et complétez.**
– J'ai m.....l ..... une j.....be.
– J..... .....dore les .....nimaux.
– Mon c.....deau ? Une belle l.....pe.
– On v..... ..... N.....tes .....s.....ble?
– Je p.....sse ..... l..... b.....que .....v.....t d'.....ller au ciném..... .

MODE ET SOCIÉTÉ

Êtes-vous victime de la mode ?

1. **Vous apprenez que, cet été, les couleurs à la mode seront l'orange et le jaune.**
   - ❖ Vous voulez bien faire des efforts pour être à la mode et vous cherchez dans vos vêtements ces deux couleurs.
   - ✢ Quelle horreur ! Ah ! non ! Je n'aime pas du tout ces couleurs.
   - ❁ Très joli ! Vous partez vite dans les magasins.

2. **Vos vêtements…**
   - ❖ sont toujours les mêmes depuis 10 ans.
   - ✢ doivent vous plaire mais ils restent toujours dans le même style.
   - ❁ vous ne savez plus ce que vous avez exactement : vous achetez très souvent de nouveaux vêtements et accessoires !

3. **Votre meilleure amie arrive avec des lunettes très spéciales.**
   - ❖ Magnifique, quelle originalité ! Vous voulez absolument les mêmes.
   - ✢ Elle est vraiment ridicule...
   - ❁ Dans des soirées, d'accord, mais dans la rue, ça non ! Moi, je ne porterai jamais des lunettes rouges et aussi grandes que ça !

4. **Un nouveau gadget électronique a beaucoup de succès en France.**
   - ❖ C'est pour quoi faire ? Vous n'avez pas envie d'en acheter un. En plus, c'est sûrement très cher !
   - ✢ Vous allez faire la queue des heures dans un magasin pour en acheter un.
   - ❁ C'est vrai que c'est marrant, ce truc ! Vous allez peut-être l'acheter dans quelque temps.

5. **Pour la musique...**
   - ❖ vous écoutez la musique actuelle à la radio, et vous achetez ensuite les CD qui vous plaisent.
   - ✢ vous allez dans les bars écouter de petits concerts pour découvrir les stars de demain.
   - ❁ vous écoutez de vieux disques qui vous rappellent votre jeunesse !

6. **Chez vous...**
   - ❖ la décoration change tout le temps : vous êtes fier d'avoir tous les objets à la mode.
   - ✢ vous décorez avec des objets que vous avez achetés en voyage.
   - ❁ c'est avant tout pratique : peut-être pas très beau, mais confortable...

7. **Ce mois-ci, vous n'avez plus beaucoup d'argent. Vous remarquez qu'une jolie jupe Kenzo ou qu'un pantalon Armani est en solde (– 30 %).**
   - ❖ Même en solde, c'est beaucoup trop cher pour moi ! Pas question d'acheter ce vêtement. Et puis, je me demande pourquoi ce vêtement est si cher !
   - ✢ C'est sûr, vous avez envie, mais ce mois-ci vous n'avez plus beaucoup d'argent, alors, ce sera pour une prochaine fois.
   - ❁ Vous savez qu'il ne faut pas, mais… vous achetez le vêtement.

ET VOUS ?

26 Discutez en classe.
Que pensez-vous des citations 1 et 2 ?
Quelle est votre attitude face à la mode ?

24 Amusez-vous à faire le test puis lisez vos résultats.

25 Lisez bien ces cinq citations. Écoutez ces minidialogues et associez chaque citation à un minidialogue.

1. Faut-il en être victime ou l'ignorer ? Car suivre la mode, ce n'est pas un crime, après tout !
2. S'habiller est un mode de vie. *(Yves Saint Laurent)*
3. Je ne crée pas des vêtements, je crée des rêves. *(Ralph Lauren)*
4. Les femmes suivent la mode pour que les hommes les suivent !
5. Il n'y a pas de mode si elle ne descend pas dans la rue. *(Coco Chanel)*

Résultats du test

Vous avez un maximum de ❖
La mode d'accord, mais pas trop. Vous la suivez seulement quand elle vous plaît et que le style vous va bien. Là, vous n'hésitez pas à acheter. Mais on ne vous fera pas changer de style même si ça devient à la mode ! Bref, vous vous intéressez aux styles qui marchent tout en gardant votre personnalité : c'est l'équilibre idéal !

Vous avez un maximum de ✛
La mode ? Très peu pour vous. Vous pensez que la mode est superficielle, sans intérêt. Vous aimez un style de vêtements ou de musique... et vous lui restez fidèle. Est-ce vraiment la mode qui ne vous plaît jamais, ou êtes-vous un peu contre les changements en général ?

Vous avez un maximum de ✿
Vous êtes totalement accro ! Vous connaissez toutes les nouveautés, et vous êtes fier de suivre de près les dernières tendances. Êtes-vous sûr de ne pas exagérer parfois ? Avez-vous réellement besoin de cette paire de chaussures ou de cette robe pour plaire ou vous sentir bien ? Arrêtez de suivre systématiquement la mode et essayez de trouver votre style.

Et oui !

Tu m'as quitté donc tu es partie, eh oui !
Tu es partie pour refaire ta vie, bah oui !
Refaire ta vie sans moi, tant pis, eh, bah oui !
Tu m'as quitté alors que tu m'avais promis...

5 Et je pensais que tu étais différent, eh nan !
Je pensais que tu pensais autrement, bah nan !
Je pensais qu'on avait du talent, eh, bah nan...
Je pensais que tu avais des tripes, que tu
m'aimais vraiment...

10 Tu vas tout quitter sans regrets, eh ouais !
Tu vas partir à tout jamais, bah ouais !
Tu vas t'en aller pour de vrai, eh, bah ouais !
Tu pars et moi, je perds tout ce qu'il me fallait.

Je ne me ferai plus jamais d'illusion, ah non ?
15 Et t'oublier de toutes façons, c'est non !
Voir d'autres choses, d'autres horizons,
nom de nom !
Je voulais que tu sois ma moitié, ma passion...

On me dit : « Ça ira mieux demain », c'est bien !
20 On me dit : « Ça passe mieux si tu tiens »,
c'est bien !
On me dit : « L'amour ça va, ça vient », et,
c'est bien...
Moi je me dis que tu n'es pas loin, dans une
25 heure, tu reviens... (3)
Moi je me dis que tu n'es pas loin, dans une
heure, on prend le train...
Moi je me dis que tu n'es pas loin, dans une
heure, ce sera bien...
30 Moi je me dis que tu n'es pas loin, serre-moi bien !
Tu n'es pas loin, dans une heure...

Les Ogres de Barback, 2007.

S'en aller

s'en aller = partir
Je m'en vais.
Tu veux t'en aller ?
Il s'en est allé. (*soutenu*)

> *C'est clair ?*

1 Écoutez la chanson des Ogres de Barback et répondez.

1. Que pensez-vous du style de musique ?
2. Quel est le sujet de cette chanson ?
3. Est-ce une chanson gaie ou triste ? Pourquoi?
4. Quels sont les sentiments de l'homme ? de la femme ?
5. Comment comprenez-vous « dans une heure tu reviens », « dans une heure on prend le train », « dans une heure ce sera bien » qu'on entend à la fin de la chanson ?

45

2 Écoutez de nouveau la chanson et répondez: *vrai* ou *faux*.

1. La femme a quitté l'homme.
2. L'homme est malheureux et voudrait que la femme reste avec lui.
3. Elle n'a jamais aimé cet homme.
4. Elle ne regrette rien et veut partir pour toujours.
5. L'homme et la femme veulent garder l'espoir de se retrouver.

> *Zoom*

3 Lisez ces phrases et choisissez les réponses qui conviennent.

a. Je sais que **dans** une heure tu reviens.
b. **Dans** une heure, on prend le train.
c. C'est génial ! Avec le TGV, on peut aller de Paris à Strasbourg **en** seulement 2 heures 20 !
d. Tu as fait tous tes exercices **en** 10 minutes ? Ouh... Tu travailles vite !

La phrase a signifie :
– Tu reviens une heure avant.
– Tu reviens une heure après.

La phrase c signifie :
– Le TGV quitte Paris à 2 heures 20.
– Avec le TGV, il faut 2 heures 20 pour aller de Paris à Strasbourg.

4 Complétez les phrases avec *dans* ou *en*.

1. Bon allez, on part tout de suite, pas ..... deux heures !
2. Je ne sais pas ce que je vais faire ..... un an, après le baccalauréat.
3. Un match de rugby se joue ..... 80 minutes, c'est le football qui se joue ..... 90 minutes !
4. Mon père a repeint toute ma cuisine ..... une matinée.
5. Le bus devrait être là ..... cinq minutes, je pense.
6. Vivement les vacances ! On part ..... une semaine en Sicile.

Dans – En

Je vais partir **dans** une heure.
Elle a nagé le 200 mètres **en** deux minutes !

5 a) *Partir, quitter, s'en aller*... Faites les associations possibles.

Je vais partir •	• en Bolivie.
Elle a quitté •	• de chez lui hier à 8 heures.
Il est parti •	• à Paris.
Il va quitter •	• Mario.
Elles s'en vont •	• la France en décembre.

b) Écrivez trois phrases de votre choix : une avec *partir*, une avec *quitter* et une avec *s'en aller*.

Parler de l'avenir

> *Comment on dit ?*

6 Relisez le texte de la chanson. Quelles parties parlent du passé ? Quelles parties parlent de l'avenir ? Relevez les éléments qui le montrent.

46

7 Écoutez ces personnes et dites si elles parlent du passé, du présent ou de l'avenir.

	1	2	3	4	5	6	7	8
parle du passé								
parle du présent								
parle de l'avenir								

LE FUTUR SIMPLE

8 a) Relisez le texte de la chanson des Ogres de Barback et retrouvez les infinitifs de chaque forme.

ça ***ira*** mieux demain : ..... ce ***sera*** bien : .....

b) Quand est-ce qu'on utilise *ça va* et *ça ira* ? *c'est bien* et *ce sera bien* ?

9 Observez ces formes au futur simple, puis répondez aux questions.

je dormirai – tu choisiras – il partira – nous parlerons – vous penserez – ils étudieront

1. Comment forme-t-on le futur simple ?
2. Quelles sont les terminaisons pour chaque personne ?

47

10 Écoutez les titres des informations à la radio et complétez avec les formes de ces verbes au futur.

décoller : ..... entendre : ..... jouer : .....
parler : ..... rencontrer : ..... pouvoir : .....
expliquer : .....

11 Complétez la liste.

être	je serai	il	elles .....
avoir	tu	nous aurons	vous .....
faire	je ferai	tu	nous ferons
pouvoir	il	vous pourrez	ils .....
devoir	je devrai	tu	on .....
vouloir	tu	on voudra	nous .....
aller	j'irai	elle	vous .....
venir	tu	nous viendrons	ils .....
courir	je	tu	elles .....
il faut	il faudra		

12 Complétez cet extrait de roman français avec les verbes entre parenthèses au futur simple.

Rien n'a changé dans leur vie. Elle a simplement cinq kilos de trop. D'ailleurs, lui aussi s'est épaissi depuis qu'il multiplie les repas d'affaires, et qu'il n'a plus le temps pour ses soirées de squash au Country Club. Il a pris du ventre, une petite brioche, bien installée autour du nombril. Elle sait que ça ne (partir) plus. Il n'y a pas de raison : le nombre de repas d'affaires (être) proportionnel à la réussite professionnelle de son mari, et Alexandre est bien parti pour réussir. Alors voilà : ils (grossir) et (vieillir) ensemble, côte à côte ; ils (rouler) dans la 806 de fonction sur les routes radieuses de l'existence.

Blandine LE CALLET, *Une Pièce montée*, 2006.

13 a) Associez les phrases par deux quand elles expriment la même idée.

a. Pas de problème, il va finir demain.
b. Il partira à Marseille en mai.
c. Il termine bientôt son travail.
d. Il va certainement cuisiner.
e. Ce week-end, il regarde Lyon-Barcelone avec quelques amis.
f. C'est lui qui préparera le dessert pour la fête de samedi soir.
g. Il verra le match dimanche après-midi, c'est sûr !
h. Il va bientôt aller vivre dans le sud de la France, au soleil.

b) Exprimez ces actions futures d'une autre manière.

Exemple : *Ça ira mieux après l'hiver.*
→ *Ça va aller mieux après l'hiver.*

1. Tu nages à quelle heure demain matin ?
2. Bien sûr, Pierre sera à l'heure au rendez-vous.
3. Qu'est-ce que vous allez faire pour retrouver un travail ?
4. J'irai avec toi voir Nathalie à l'hôpital.
5. Tu vas où samedi soir ?
6. Mais comment on va faire pour trouver cette rue ?
7. Lucie et Paul rentrent tard vendredi ?

Le futur simple

Il se forme sur l'infinitif:
je chanterai
tu finiras
il/elle/on sortira
nous étudierons
vous prendrez
ils/elles liront
sauf pour certains verbes:
être (je **serai**)
avoir (j'**aurai**)
pouvoir (je **pourrai**)...

Remarque : les verbes en «-re» perdent le «e» final (je prendrai, il écrira).

Parler de l'avenir

Tu viens avec nous, ce soir ? (*présent*)
Je vais en parler à mes parents. (*futur proche*)
Quand il fera beau, on ira à la plage. (*futur simple*)

14 → ***Par groupes de deux, échangez sur vos projets de vacances. Interrogez-vous sur les dates, le lieu, les visites, les personnes qui accompagnent, etc.***

Exprimer des souhaits

Salut Aiko !

Je n'ai pas oublié que samedi, nous serons le 3... Je te souhaite un très, très, très joyeux anniversaire. Crois-moi, j'aimerais beaucoup être là pour la fête que tu organises chez toi et je trouve que c'est bien dommage qu'on habite aussi loin l'un de l'autre.
Je souhaite qu'avec tes amis, vous vous amusiez, que vous dansiez toute la nuit, que tu aies de bonnes surprises et surtout, que tu passes une soirée inoubliable !
Un petit cadeau arrive par la poste ; dis-moi si je me suis trompé ou pas... Aiko, j'espère qu'on va se voir très bientôt... Oui, il faut qu'on se voie très bientôt ! Je voudrais bien aussi revoir Stéphane, il est vraiment sympa ! Demande-lui quand il est libre et appelle-moi pour qu'on organise un week-end chez moi ou chez toi. D'accord ?

Grosses bises et très bonne soirée samedi !
Je penserai à toi.

Fabio

> *C'est clair ?*

15 Lisez la carte de Fabio et répondez : *vrai, faux* ou *on ne sait pas.*

1. Aiko est née le 3 mars.
2. Fabio écrit qu'il ne pourra pas venir à la fête.
3. Il veut qu'Aiko s'amuse bien pour sa fête d'anniversaire.
4. Aiko et ses amis vont danser toute la nuit.
5. Fabio a envoyé un cadeau à Aiko.
6. Fabio a envie de revoir bientôt Aiko.
7. Stéphane est un ami d'Aiko.
8. Finalement, Fabio va faire une surprise à Aiko et venir à la fête.

> *Comment on dit ?*

16 Relisez la carte postale et retrouvez les expressions.

Que dit-on à quelqu'un :
– qui fête bientôt son anniversaire ?
– qui va faire une fête ?

17 Adressez des souhaits à quelqu'un. Choisissez l'expression qui convient pour chaque situation.

Exemple : *Quelqu'un éternue.* → *À tes (vos) souhaits !*

1. *Bon appétit !*
a) à quelqu'un qui part travailler.
b) à quelqu'un qui va manger.
c) à quelqu'un qui fait les courses.

2. *Bonne chance !*
a) à quelqu'un qui va prendre le train.
b) à quelqu'un qui part dîner chez des amis.
c) à quelqu'un qui a un examen important.

3. *Bonne année !*
a) à vos amis le 1er janvier.
b) à quelqu'un qui part dans un autre pays.
c) à quelqu'un qui est malade.

4. *Joyeux Noël !*
a) le 1er janvier.
b) le 25 décembre.
c) le 26 décembre.

5. *Meilleurs vœux !*
a) à quelqu'un pour son anniversaire.
b) à quelqu'un pour sa fête.
c) à quelqu'un le 1er janvier.

6. *À votre santé !*
a) à quelqu'un avec qui vous buvez un verre.
b) à quelqu'un qui est malade.
c) à quelqu'un qui sort de l'hôpital.

LE SUBJONCTIF

18 Relisez la carte de Fabio et complétez ces phrases.

..... être là.
..... vous vous amusiez, que vous dansiez…
J'espère ..... très bientôt.
..... qu'on se voie très bientôt !
..... revoir Stéphane.

19 Lisez ces groupes de phrases. Dans les phrases b, le verbe est au subjonctif. Comment expliquez-vous l'emploi du subjonctif ? Lisez le tableau *Le subjonctif : emploi* pour vérifier vos réponses.

a) Vous **allez danser** toute la nuit.
b) Je souhaite que vous **dansiez** toute la nuit.

a) On **va** se **voir** très bientôt.
b) Il faut qu'on se **voie** très bientôt.

a) Je sais qu'il **viendra** demain.
b) J'aimerais bien qu'il **vienne** demain.

20 Lisez les tableaux et mettez les verbes proposés à la forme qui convient.

1. — Je voudrais bien que vous (venir) mardi.
— Avec plaisir, mais il faut que je (voir) si c'est possible.
2. — Le professeur voudrait qu'on (apprendre) tout ça pour lundi…
— Tu ne veux pas qu'on lui (dire) qu'on a déjà plein de travail ?
— Si, je veux bien que nous lui en (parler).

Le subjonctif : emploi

La réalisation des actions ou des événements exprimés au subjonctif est incertaine.

Je **veux** que vous écoutiez.
Elle **voudrait** qu'il revienne.
On **aimerait** bien que tu écrives à ta grand-mère.
Il faut qu'ils comprennent bien.

Le subjonctif : formation

Pour écrire le subjonctif avec je, tu, il / elle / on, ils / elles :
– *prendre le verbe au présent avec* ils : ils prennent
– *enlever* -ent : prenn~~ent~~
– *ajouter* -e, -es, -e,… -ent :
je prenn**e**, tu prenn**es**, il prenn**e**, …ils prenn**ent**

Pour écrire le subjonctif avec nous *et* vous :
– *prendre le verbe au présent avec* nous : nous prenons
– *enlever* -ons : nous pren~~ons~~
– *ajouter* -ions *et* -iez :
nous pren**ions**, vous pren**iez**

21 → ***Par groupes de deux, jouez la situation.***

Vous rencontrez votre voisin et vous discutez quelques minutes. Il vous dit qu'il part dîner chez des amis et qu'après ils iront écouter un concert. Vous posez des questions sur le concert puis vous expliquez que vous allez passer la soirée chez vos parents parce qu'aujourd'hui, c'est votre anniversaire.

DEMANDE-LUI, APPELLE-MOI

22 Regardez ces quatre formes extraites de la carte d'anniversaire et répondez.

crois-moi – dis-moi – demande-lui – appelle-moi

a) Dans ces formes, les verbes sont :

au futur simple / au présent / à l'impératif / au futur proche ?

b) Mettez chacune de ces formes au présent. Que pouvez-vous dire sur la place du pronom ?

c) Quel type de pronom est utilisé dans chaque forme ? Associez.

crois-moi •	
dis-moi •	• pronom complément indirect
demande-lui •	
appelle-moi •	• pronom complément direct

23 Lisez le tableau et transformez les phrases : mettez le verbe à l'impératif et remplacez les deux noms soulignés par le pronom qui convient.

1. Tu te lèves. Allez, vite !
2. Vous téléphonerez à <u>vos parents</u> le samedi.
3. Tu écris à <u>Line</u> pour lui demander.
4. S'il te plaît, tu me donnes ton numéro de portable ?

La place des pronoms à l'impératif

Dis-moi* où tu vas.

Dépêche-toi* !

Prenez-le (la, les).

Offrez-lui (leur) un joli cadeau.

Parlez-en à vos amis.

* me *et* te *deviennent* moi *et* toi *à l'impératif.*

L'Auvergne

La Provence

Carcassonne

Le Louvre

tâche finale

→VOYAGE

Vous organisez un voyage de deux semaines en France avec votre classe. Par groupes de deux, discutez. Où aimeriez-vous aller ? Pourquoi ? Que visiterez-vous ? Combien de temps resterez-vous ? Et après ? Ensuite, discutez par groupes de quatre et mettez-vous d'accord sur un projet commun. Faites la même chose par huit et finalement, tous ensemble, arrivez à un seul projet de voyage.
Préparez ensuite tous ensemble une fiche projet (jour du départ, modes de déplacement en France, lieux visités, durée…) et remplissez-la.

Des sons et des lettres

[o] (comme dans *mot*) et [ɔ̃] (comme dans *mon*)

48 **A. a) Écoutez et soulignez le son [o].**

1. Un kilo de pommes, s'il vous plaît !
2. Tu t'es levé très tôt ce matin ?
3. Mets-moi beaucoup d'eau, s'il te plaît.
4. Oui, j'ai lu les journaux dans le train.

49 **b) Écoutez et soulignez le son [ɔ̃].**

1. Hum… Ils sont bons, tes gâteaux, mamie.
2. C'est à gauche après le pont.
3. J'espère que je ne me suis pas trompée.
4. Attention, tu vas tomber !

B. Complétez.

[o] peut s'écrire :
« o » exemples : *trop*, ...
«.....» exemples : .....
«.....» exemples : .....
«.....» exemple : .....

[ɔ̃] peut s'écrire :
«.....» exemples : .....
«.....» exemples : .....

50 **C. Écoutez et choisissez [o] ou [ɔ̃].**

	1	2	3	4	5	6	7	8
[o] *(mot)*								
[ɔ̃] *(mon)*								

MUSIQUE, MUSIQUES...

A

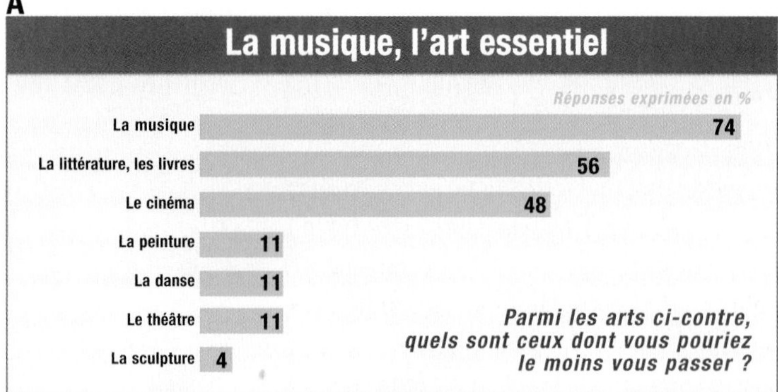

B

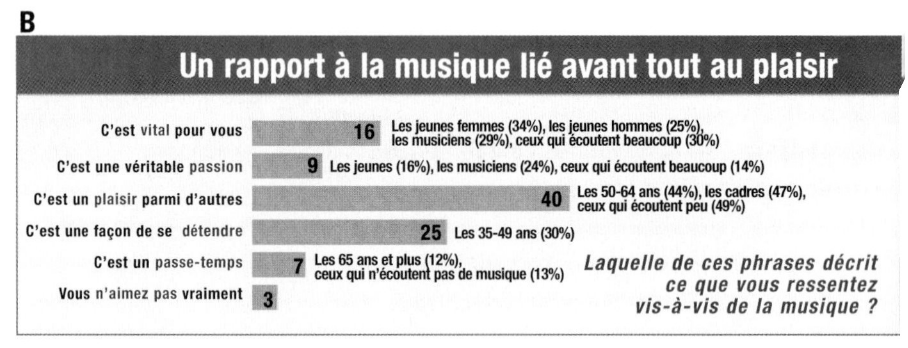

C

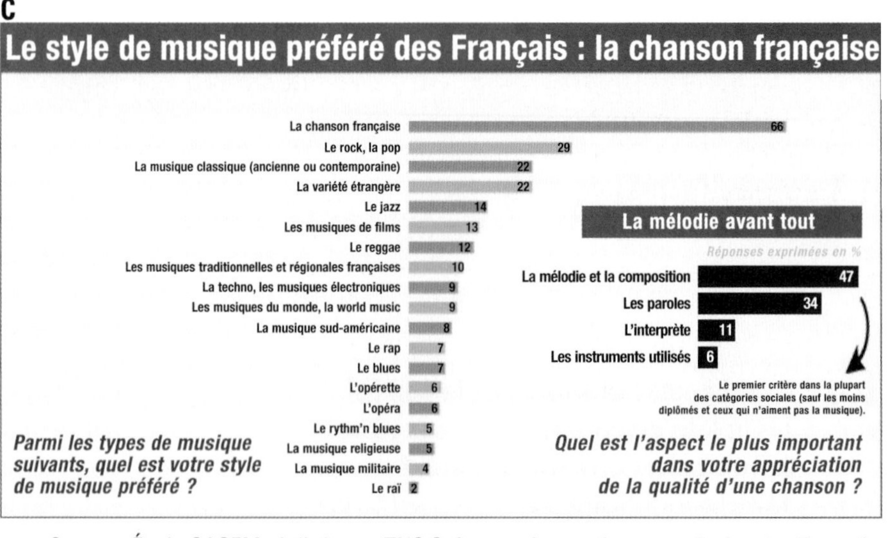

Source : Étude SACEM réalisée par TNS Sofres sur les pratiques musicales des Français, *Musique Info Hebdo* - n°353 - 24 juin 2005.

24 Regardez les trois affiches à gauche et répondez : *vrai, faux* ou *on ne sait pas.*

1. « Les FrancoFolies » est le nom d'un festival de musique.
2. Les FrancoFolies ont lieu chaque été en France, en Belgique, au Canada et au Mali.
3. Les FrancoFolies durent trois jours.
4. On peut écouter des chanteurs et des musiciens internationaux.

Description
Avoir 19 ans à la folie avec Calogero, Misia, Kassav, Grand Corps Malade...
Genre
Scène Française
Dates
Du 26-07-2007 au 05-08-2007
Lieu
Canada – 9999 Montréal

Présentation

19e édition du Festival !
De consonance électronique, rock, latine, world, hip-hop, populaire ou plus classique, les musiques de la francophonie convergent toutes au cœur du centre-ville de Montréal pour la durée de l'événement francofou. Quelques 900 000 personnes de tous âges ont participé, l'année passée, à cette grande célébration de la chanson d'expression francophone, qui laisse une place de plus en plus importante aux musiques du monde et aux nouveaux courants musicaux.
Plus de 200 spectacles dont 150 gratuits en plein air seront présentés par des artistes francophones de plus de treize pays différents.

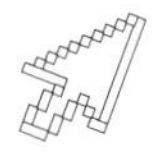

Rendez-vous sur www.francofolies.com pour la programmation détaillée

Infos pratiques
Tel : 5145257732
Bars : Oui
Restaurants : Oui
Parkings

ET VOUS ?

27 Discutez en classe des informations données par les documents A, B et C de la page 146. Êtes-vous surpris par ces résultats ? Pourquoi ?

25 Lisez puis répondez.
1. De quelles FrancoFolies parle cet article ?
2. À votre avis, à quoi renvoient les noms Calogero, Misia, Kassav, Grand Corps Malade ? Faites une recherche, si vous le pouvez.
3. Quels types de musique est-ce qu'on peut entendre aux FrancoFolies ?
4. Trouvez, dans le texte, un mot de la même famille que FrancoFolies.
5. D'où viennent les artistes qui participent aux FrancoFolies ?
6. Comment est-ce qu'on peut avoir des informations sur les FrancoFolies ?

26 Observez les documents A, B et C et indiquez dans quelle partie vous retrouvez les informations suivantes.
D'après cette étude :
1. Les Français écoutent peu de musique religieuse et ils aiment surtout la chanson française et francophone.
2. Pour aimer une chanson, ce n'est pas le chanteur qui est le plus important.
3. Pour la plupart des personnes, la musique est un plaisir comme un autre.
4. Pour beaucoup, la musique est plus importante que le cinéma ou la lecture.

Autoévaluation 4

JE PEUX RACONTER

1 Complétez les phrases avec les verbes de la liste à la forme qui convient.

se reposer – se coucher – se lever – se laver

Le matin, je ..... vers 6 h 30, je ..... et je prends mon petit-déjeuner. Ma femme et mes enfants ..... encore un peu, jusqu'à 7 h 30. Le soir, en général, on ..... tôt mais hier, des amis sont venus dîner à la maison et je ..... à une heure du matin ! Dur de ..... ce matin à 6 h 30 !

> 1
> ***Comptez 1 point par réponse correcte.***
> ***Vous avez...***
> *– 6 points : félicitations !*
> *– moins de 6 points : revoyez les pages 120 et 121 de votre livre et les exercices de votre cahier.*

JE PEUX INTERROGER DANS UNE FORME SOUTENUE

2 Transformez les questions comme dans l'exemple.

Exemple : *Vous avez déjeuné où ?*
→ *Où avez-vous déjeuné ?*

1. Tu t'appelles comment ?
2. Il va partir avec vous ?
3. Et Siam, elle habite où ?
4. Vous pourriez l'aider ?
5. Pourquoi tu pleures ?
6. Elle a bien compris ?

> 2
> ***Comptez 1 point par réponse correcte.***
> ***Vous avez...***
> *– 6 points : félicitations !*
> *– moins de 6 points : revoyez la page 124 de votre livre et les exercices de votre cahier.*

JE PEUX COMPARER

3 Lisez les informations puis complétez les phrases.

Agathe
Âge : 14 ans
Taille : 1,60 mètre
Poids : 47 kilogrammes
Adresse : 115, rue Colbert
72000 LE MANS

Laura
Âge : 14 ans
Taille : 1,63 mètre
Poids : 51 kilogrammes
Adresse : 104, rue Colbert
72000 LE MANS

Agathe et Laura sont de grandes copines. Elles ont ..... âge et elles ..... beaucoup. Agathe est juste un peu ..... grande que Laura. Pour le poids, Laura est un peu plus ..... que sa copine. Elles habitent dans ..... ville et leurs adresses sont juste un peu ..... .

> 3
> ***Comptez 2 points par réponse correcte.***
> ***Vous avez...***
> *– 6 points : félicitations !*
> *– moins de 6 points : revoyez les pages 130 et 131 de votre livre et les exercices de votre cahier.*

JE PEUX EXPRIMER L'ACCORD OU LE DÉSACCORD

4 Choisissez l'élément entre parenthèses qui convient pour compléter chaque phrase.

1. — Ah ! C'est vrai ? Pierre est d'accord avec ce projet ?
   — Oui, quand je lui ai proposé, il m'a répondu :
   (« Tu as raison. » / « Tu plaisantes ? » / « Tu as tort. »)
2. — Ah ! bon, tes parents ne veulent pas ?
   — Non, mon père m'a juste dit :
   (« Pas de problème ! » / « C'est parfait. » / « Bien sûr que non ! »)

> 4
> ***Comptez 1 point par réponse correcte.***
> ***Vous avez ...***
> *– 2 points : félicitations !*
> *– moins de 2 points : revoyez la page 132 de votre livre et les exercices de votre cahier.*

JE PEUX ME SITUER DANS LE TEMPS

5 Racontez cette histoire au passé. Modifiez les verbes en italique.

C'est bizarre, ce matin, je *me lève* en retard, moi qui ne suis jamais en retard, puis, je *me prépare* très vite et je *sors* de la maison en courant. Malheureusement, il *fait* très froid et je ne *vois* pas que la rue *est* glissante… Je *tombe* lourdement sur le trottoir… Heureusement, je n'*ai* pas mal et je *peux* me relever tout de suite. Quelle mauvaise journée !

5

Comptez 1 point par réponse correcte.
Vous avez...
- *9 points : félicitations !*
- *moins de 9 points : revoyez les pages 121 et 134 de votre livre et les exercices de votre cahier.*

JE PEUX PARLER DE L'AVENIR

6 Exprimez ces projets d'une autre manière.

1. En 2010, je vais aller au Népal et au Tibet.
2. Jean-François achète une nouvelle voiture en avril.
3. Ils achèteront une grande maison pour leur famille.

6

Comptez 1 point par réponse correcte.
Vous avez...
- *3 points : félicitations !*
- *moins de 3 points : revoyez les pages 140 et 141 de votre livre et les exercices de votre cahier.*

JE PEUX EXPRIMER DES SOUHAITS

7 Choisissez la proposition qui convient.

1. À un ami qui va dîner au restaurant, vous dites :
a) À votre santé ! b) Bonne soirée ! c) Bonne chance !
2. À vos voisins qui vont prendre le train :
a) Bonnes vacances ! b) Meilleurs vœux ! c) Bon voyage !
3. À vos amis français, le 1er janvier :
a) Joyeux Noël ! b) Bonne fête ! c) Bonne année !

7

Comptez 1 point par réponse correcte.
Vous avez...
- *3 points : félicitations !*
- *moins de 3 points : revoyez les pages 142 et 143 de votre livre et les exercices de votre cahier.*

8 Choisissez le verbe entre parenthèses qui convient pour compléter les phrases.

1. Je sais bien qu'il (viendra / vienne) nous voir à Noël.
2. Il faut qu'elle (dort / dorme) dans la chambre du 1er étage.
3. Je suis sûre que Patrick (comprend / comprenne) la situation.
4. Marie voudrait que nous en (parlons / parlions) avec tous nos collègues.
5. Tu aimerais qu'on (part / parte) en vacances ensemble ?

8

Comptez 1 point par réponse correcte.
Vous avez...
- *5 points : félicitations !*
- *moins de 5 points : revoyez la page 143 de votre livre et les exercices de votre cahier.*

Résultats : ..... points sur 40 points = ... %

PARTIE 1 COMPRÉHENSION DE L'ORAL

EXERCICE 1

Écoutez le récit de madame Vasseur et remettez ses actions dans le bon ordre.

1. Elle va prendre le bus.
2. Elle prend le petit-déjeuner.
3. Elle mange au bureau.
4. Elle se maquille.
5. Elle regarde la télévision.
6. Elle se coiffe.
7. Elle se repose un peu.
8. Elle s'habille.

Ordre : n° .....

EXERCICE 2

Écoutez et choisissez la réponse qui convient.

1. Le frère d'Antony est
- ☐ Philippe.
- ☐ Ronan.
- ☐ Richard.

2. Antony est
- ☐ plus petit que son frère.
- ☐ plus grand que son frère.
- ☐ exactement comme son frère.

3. Antony a les yeux
- ☐ noirs.
- ☐ bleus.
- ☐ verts.

4. Le frère d'Antony est
- ☐ brun.
- ☐ blond.
- ☐ on ne sait pas.

EXERCICE 3

Écoutez l'horoscope puis associez chaque signe du zodiaque à l'affirmation qui lui correspond.

1. Il doit se reposer un peu.
2. Il passera une très bonne journée !
3. Il n'ira pas très bien aujourd'hui.
4. Il faut qu'il parte un peu en vacances.
5. Il a des soucis au travail mais bientôt ça ira bien.
6. Maintenant, ça va mieux.
7. Tout ira bien en amour…
8. Il rêve un peu trop mais il fait de jolis projets.

a. Bélier b. Taureau c. Gémeaux d. Cancer
e. Lion f. Vierge g. Balance h. Scorpion

PARTIE 2 COMPRÉHENSION DES ÉCRITS

EXERCICE 1

Regardez ces dessins et lisez les descriptions. Associez chaque phrase à une personne. Attention, plusieurs phrases peuvent correspondre à une même personne.

1. Elle aime la discrétion et elle a l'air très sérieux.
2. Elle n'est pas mince, elle aime les couleurs et elle ne porte pas de lunettes.
3. Elle est brune et assez mince.
4. Elle n'aime pas les cheveux courts mais elle adore porter des bijoux et se maquiller.
5. Elle déteste le noir et elle n'aime pas les pantalons.
6. Elle aime le sport et s'habille très simplement.

dessin	a	b	c	d
phrases				

PARTIE 3 PRODUCTION ÉCRITE

EXERCICE 1

Vous voulez connaître votre avenir et vous vous inscrivez sur un site d'Internet où vous pouvez interroger des voyantes. Vous envoyez une photo de vous, votre message et une voyante va vous répondre sur votre avenir. Vous parlez un peu de vous puis vous interrogez la voyante sur ces sujets : votre avenir professionnel, l'argent, les rencontres et l'amour. Écrivez votre message.

EXERCICE 2

a) Lisez le message et répondez.

De : Irène Pinto <irpinto@gmail.com>
Date : vendredi 29 février 2008
À : Nerina Fiorelli <funnynoirette@libero.it>

Salut Nerina !
Voilà bien longtemps que je ne t'ai pas écrit et je viens donner quelques nouvelles. J'ai eu beaucoup de travail car en plus de mes cours, j'ai dû remplacer une collègue qui était malade. Depuis deux mois, j'enseigne donc 26 heures par semaine avec 6 classes différentes. C'est intéressant mais je n'ai pas beaucoup de temps pour moi. Tout va bien quand même, je ne suis pas trop fatiguée et j'aime bien mon travail. Heureusement !!! La semaine prochaine, j'aurai seulement 4 classes et moins d'heures de cours parce que ma collègue va mieux et elle revient. Mais je vais aussi traduire en français une notice qui est en anglais. Je pense que ça va être un peu plus long parce que c'est un texte technique. Finalement, je ne sais pas si je vais encore avoir beaucoup de temps. J'aimerais aller au cinéma, à la piscine et voir mes amis un peu plus mais il faudra certainement attendre janvier pour que je sois un peu plus tranquille. J'ai assez parlé de moi. Et toi, comment ça va à Rome ? Il fait beau ? Tu n'as pas trop de travail à l'université ? J'espère que toi et Massimo vous allez bien et que vous allez bientôt venir à Paris pour qu'on se retrouve autour d'une bonne table... Donne-moi des nouvelles !
Je t'embrasse,
Irène

1. Qui écrit ? À qui ? Pour quoi ?
2. Quel type de relation unit ces deux personnes ?
3. Où habite chacune des deux personnes ?

b) Complétez la grille.

	vrai	faux	?
Irène est médecin.			
Irène est anglaise.			
Irène a beaucoup de travail depuis deux mois.			
Irène va donner plus de cours parce que sa collègue est malade.			
La semaine prochaine, Irène n'aura pas plus de temps.			
Nerina est professeur.			
Nerina est mariée avec Massimo.			
Irène a envie de voir Nerina et Massimo et de manger avec eux.			

EXERCICE 2

Vous avez rencontré une personne qui vous plaît beaucoup. Vous envoyez un message à votre meilleur ami pour lui parler de cette personne. Vous la décrivez, vous parlez de ses goûts et vous dites pourquoi elle vous plaît beaucoup.

PARTIE 4 PRODUCTION ORALE

ENTRETIEN DIRIGÉ

Répondez aux questions de votre professeur.

MONOLOGUE SUIVI

Vous racontez un souvenir d'enfance et votre professeur vous pose des questions complémentaires.

EXERCICE EN INTERACTION

Vous allez bientôt partir en voyage au bout du monde pour votre travail. Vous rencontrez un ami qui vous demande ce que vous allez faire exactement. Vous lui répondez et il vous explique que lui aussi part bientôt en France pour une semaine de vacances. Le professeur joue le rôle de votre ami.

Outils

Précis de phonétique

Du son à l'écriture

on entend	on écrit	exemples
[a]	a – à – e – â	bagages – à – femme – théâtre
[ə]	e – ai – on	chemise – faisais – monsieur
[e]	é – ai – ei	étudiant – mairie – peiner
[ɛ]	è – ê – ai – ei	mère – fenêtre – maison – reine
[œ]	eu – œu – œ	heure – sœur – œil
[ø]	eu – œu	deux – vœu
[i]	i – î – y – ï	lire – dîner – recycler – Saïd
[ɔ]	o – oo – u	école – alcool – maximum
[o]	o – ô – au – eau	dos – drôle – restaurant – chapeau
[y]	u – û	nul – sûr
[u]	ou – où – aoû	rouge – où – août
[ɛ̃]	in – im – ain – aim – ein yn – ym – un – um en – (i)en	fin – simple – copain – faim – peinture syntaxe – sympa – brun – parfum examen – bien
[ɑ̃]	an – am – en – em	orange – lampe – enfant – temps
[ɔ̃]	on – om	bon – nom
[j]	i – y i + l *ou* i + ll	hier – yeux travail – travaille
[w]	ou – oi – w	oui – moi – week-end
[ɥ]	u (+ i)	lui
[b]	b	bonjour
[d]	d	date
[f]	f – ph	finir – photo
[g]	g – gu	gare – dialogue
[k]	c – k – qu – ch	café – kilo – qui – chorale
[l]	l	lire
[m]	m	madame
[n]	n	nord
[ɲ]	gn	gagner
[p]	p – b (+ s)	page – absent
[ʀ]	r	rire
[s]	s – ss – c – ç – t (+ -ion)	salut – adresse – centre – garçon – natation
[z]	z – s – x	magazine – rose – sixième
[ʃ]	ch – sh – sch	chocolat – shampoing – schéma
[ʒ]	g – ge – j	imagine – mangeons – jaune
[t]	t – th	terre – thé
[v]	v – w	vite – wagon
[ks]	cc – xc – x	accepter – excellent – expliquer
[gz]	x	exemple

Prononciation : les voyelles

[i] ex : joli		langue très en avant		bouche souriante, presque fermée
[y] ex : salut		langue très en avant		bouche presque fermée, arrondie
[e] ex : étude		langue en avant		bouche peu ouverte
[ɛ] ex : faire		langue en avant		bouche ouverte
[a] ex : la		langue en avant		bouche très ouverte
[ə] ex : le		langue en avant		bouche peu ouverte
[œ] ex : neuf		langue en avant		bouche ouverte, arrondie
[ø] ex : bleu		langue très en avant		bouche un peu ouverte, arrondie
[ɔ] ex : pomme		langue un peu en arrière		bouche ouverte, arrondie
[o] ex : mot		langue en arrière		bouche ouverte, très arrondie
[u] ex : jour		langue très en arrière		bouche peu ouverte, très arrondie
[ɛ̃] ex : vin		langue en avant		bouche ouverte, souriante
[ɑ̃] ex : dans		langue un peu en arrière		bouche très ouverte, arrondie
[ɔ̃] ex : pont		langue en arrière		bouche peu ouverte, très arrondie

Prononciation : les consonnes

on entend				on écrit	exemples
[t]		La pointe de la langue est en contact avec la pointe des dents du haut.	Les cordes vocales ne vibrent pas.	*t*, *th*	**t**erre, **th**é
[d]		La pointe de la langue est en contact avec la pointe des dents du haut.	Les cordes vocales vibrent.	*d*	**d**onne
[p]		Les deux lèvres sont en contact, puis se séparent.	Les cordes vocales ne vibrent pas.	*p*, *b (+s)*	**p**ère, a**b**solument
[b]		Les deux lèvres sont en contact, puis se séparent.	Les cordes vocales vibrent.	*b*	**b**oire
[k]		La langue est en contact avec les dents du bas. Le dos de la langue est relevé.	Les cordes vocales ne vibrent pas.	*c, k, qu, ch, x*	é**c**rire, **k**ilo, **qu**el, te**ch**nique, ta**x**i
[g]		La langue est en contact avec les dents du bas. Le dos de la langue est relevé.	Les cordes vocales vibrent.	*g, gu, x, c*	re**g**arde, dialo**gu**e, e**x**ercice, se**c**ond

on entend				on écrit	exemples
[f]		Les dents du haut sont légèrement en contact avec la lèvre du bas.	Les cordes vocales ne vibrent pas.	*f*, *ph*	en**f**in, **ph**armacie
[v]		Les dents du haut sont légèrement en contact avec la lèvre du bas.	Les cordes vocales vibrent.	*v*, *w*	en**v**ie, **w**agon
[s]		La pointe de la langue est en bas.	Les cordes vocales ne vibrent pas.	*s*, *ss*, *c*, *ç*, *t*(+ *-ien*, *-ion*), *x*	**s**ortir, pa**ss**er, pla**c**e, gar**ç**on, pa**t**ient, rela**t**ion, ta**x**i
[z]		La pointe de la langue est en bas.	Les cordes vocales vibrent.	*z*, *s*, *x*	maga**z**ine, ro**s**e, deu**x**ième, e**x**ercice
[ʃ]		La langue est en haut, assez en avant.	Les cordes vocales ne vibrent pas.	*ch*, *sh*, *sch*	diman**ch**e, **sh**ampoing, **sch**éma
[ʒ]		La langue est en haut, assez en avant.	Les cordes vocales vibrent.	*g*, *ge*, *j*	ima**g**ine, man**ge**ons, **j**ambe
[l]		La pointe de la langue vient se coller en haut et en avant.		*l*	**l**it

on entend				on écrit	exemples
[ʀ]	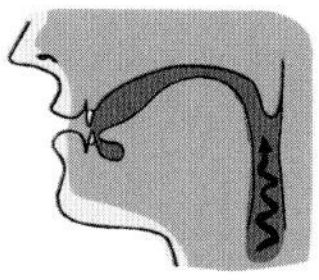	La pointe de la langue est en bas et en avant, en contact avec les dents d'en bas. La langue ne bouge pas.		*r*	mère
[m]	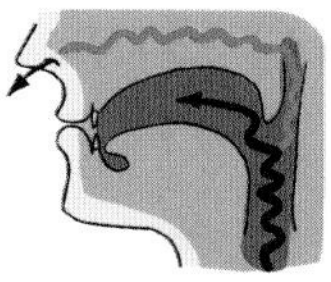	Les deux lèvres sont en contact.	Un peu d'air passe par le nez.	*m*	**m**onsieur
[n]	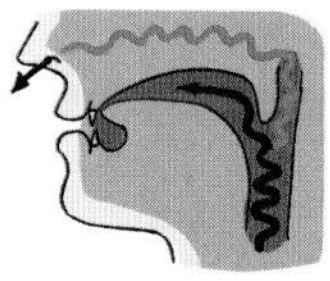	La langue est en contact avec la pointe des dents du haut.	Un peu d'air passe par le nez.	*n*	fi**n**ir
[ɲ]	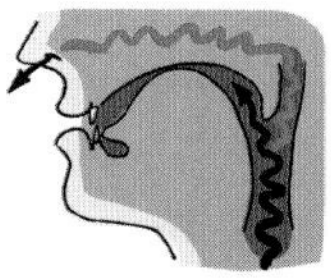	La langue est en contact avec les dents du bas. Le dos de la langue est relevé.	Un peu d'air passe par le nez.	*gn*	ga**gn**er
[j]	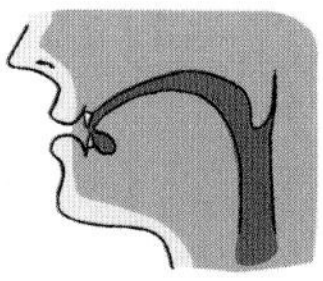	La langue est en avant et en bas. Le dos de la langue est relevé.	La bouche est arrondie.	*i*, *y*, *i + l* ou *i + ll*	m**i**eux, **y**eux, trava**il**, fi**ll**e
[ɥ]		La langue est en bas et très en avant. Le dos de la langue est un peu relevé.	La bouche est arrondie.	*u (+i)*, *u (+é)*	n**u**it, b**u**ée
[w]		La langue est très en arrière et le dos est relevé.	La bouche est arrondie.	*ou*, *oi*, *w*	**ou**i, t**oi**, **w**eek–end

Précis de grammaire

L'ALPHABET

> page : 13

1.

A, B, C, D, E, F, G, H, I, J, K, L, M, N, O, P, Q, R, S, T, U, V, W, X, Y, Z
a, b, c, d, e, f, g, h, i, j, k, l, m, n, o, p, q, r, s, t, u, v, w, x, y, z
a, b, c, d, e, f, g, h, i, j, k, l, m, n, o, p, q, r, s, t, u, v, w, x, y, z

2. Épeler

– *l'accent aigu* (é) : répéter → R-E *accent aigu*-P-E *accent aigu*-T-E-R
– *l'accent grave* (è-à-ù) : père → P-E *accent grave*-R-E
– *l'accent circonflexe* (ê, â, ô, û, î) : être → E *accent circonflexe*-T-R-E
– *le tréma* (ë, ü, ï) : Saïd → S-A-I *tréma*-D
– *la cédille* : français → F-R-A-N-C *cédille*-A-I-S
– *l'apostrophe* : c'est → C-*apostrophe*-E-S-T

LES DÉTERMINANTS

Ils s'accordent en genre (masculin ou féminin) et en nombre (singulier ou pluriel) avec le nom qu'ils déterminent.

1. L'article

> défini : pages 52, 71, 72
> indéfini : pages 52, 72, 104
> contracté : pages 31, 86, 87, 107
> partitif : pages 71, 72

	SINGULIER		PLURIEL	
	masculin	**féminin**	**masculin**	**féminin**
article défini	le père l'ami	la mère l'amie	les garçons les amis	les filles les amies
article indéfini*	**un** copain **un** ami	**une** copine **une** amie	**des** garçons **des** amis	**des** filles **des** amies
(à + article) **article défini contracté** (de + article)	**au** cinéma **à l'**aéroport **du** cinéma **de l'**aéroport	**à la** piscine **à l'**école **de la** piscine **de l'**école	**aux** Jeux olympiques	**aux** toilettes
article partitif*	**du** pain **de l'**argent	**de la** salade **de l'**eau		

**Attention à la forme négative* : pas... de (d')

— Tu as **des** enfants ?
— Non, je n'ai **pas d'**enfants.

— Tu veux **de l'**eau ?
— Non merci, **pas d'**eau.

2. Le démonstratif

> page 106

SINGULIER		PLURIEL
masculin	**féminin**	
ce livre **cet** homme	**cette** lampe **cette** amie	**ces** livres – **ces** lampes **ces** hommes – **ces** amies

3. Le possessif

> pages 22, 36

	SINGULIER			PLURIEL
	masculin (un livre)	**féminin** (une lampe, une amie)		**masculin** (un copain) – **féminin** (une copine)
je	**mon** livre	**ma** lampe	**mon** amie	**mes** copains – **mes** copines
tu	**ton** livre	**ta** lampe	**ton** amie	**tes** copains – **tes** copines
il /elle	**son** livre	**sa** lampe	**son** amie	**ses** copains – **ses** copines
nous	**notre** livre	**notre** lampe		**nos** copains – **nos** copines
vous	**votre** livre	**votre** lampe		**vos** copains – **vos** copines
ils / elles	**leur** livre	**leur** lampe		**leurs** copains – **leurs** copines

4. L'interrogatif

> pages 22, 60, 61

	SINGULIER	PLURIEL
MASCULIN	**Quel** est ton nom ?	**Quels** sont tes loisirs préférés ?
FÉMININ	**Quelle** est ton adresse ?	**Quelles** sont tes activités préférées ?

5. Les nombres

> pages 15, 25, 26, 32, 33

1	un	14	quatorze	60	soixante
2	deux	15	quinze	70	soixante-dix
3	trois	16	seize	71	soixante et onze
4	quatre	17	dix-sept	80	quatre-vingts
5	cinq	18	dix-huit	82	quatre-vingt-deux
6	six	19	dix-neuf	90	quatre-vingt-dix
7	sept	20	vingt	92	quatre-vingt-douze
8	huit	21	vingt et un	100	cent
9	neuf	22	vingt-deux	101	cent un
10	dix	23	vingt-trois	113	cent treize
11	onze	30	trente	1 000	mille
12	douze	40	quarante	1 018	mille dix-huit
13	treize	50	cinquante	1 571	mille cinq cent soixante et onze
				1 000 000	un million

LES NOMS

1. Le genre (masculin ou féminin)

> page 52

	MASCULIN	FÉMININ
on ajoute « e »	un ami	une amie
-eur / -euse	un serveur	une serveuse
-eur / -rice	un directeur	une directrice
-er / -ère	un boulanger	une boulangère
même nom	un secrétaire	une secrétaire
nom différent	un homme	une femme

2. Le nombre (singulier ou pluriel)

> page 52

	SINGULIER	PLURIEL
on ajoute « s »	un livre	des livres
-eau → -eaux	un cadeau	des cadeaux
-al → -aux	un journal	des journaux
-eu → -eux	un cheveu	des cheveux
mots terminés par « s » ou « x » → pas de changement	un pays un choix	des pays des choix

3. Les noms de pays, de régions et de villes

> pages 21, 107

Noms de villes : pas d'article	Paris est la capitale de la France. Aiko habite à Paris.
Noms de pays ou de régions : article défini **le** Portugal, **la** Pologne, **l'**Italie, **les** États-Unis **le** Languedoc, **la** Provence, **l'**Auvergne	Il est né au Portugal. – Tu viens du Portugal ? J'habite en France. – Il vient de France. Tu travailles en Italie ? – Je reviens d'Italie. Vous partez aux Philippines ? – Paul arrive des Philippines.

LES ADJECTIFS

> pages 15, 21, 69, 104

1. Le genre (masculin ou féminin)

	MASCULIN	FÉMININ
on ajoute « e »	grand – espagnol – cubain	grande – espagnole – cubaine
adjectifs terminés par « e » → pas de changement	drôle – moderne – sympathique	drôle – moderne – sympathique
-er / -ère	premier – cher	première – chère
-ien / -ienne	informaticien – italien	informaticienne – italienne
-eux / -euse	amoureux – heureux	amoureuse – heureuse
-on / -onne	bon	bonne
-if / -ive	sportif	sportive
adjectif différent	nouveau – beau – vieux	nouvelle – belle – vieille

2. Le nombre (singulier ou pluriel)

Le fonctionnement est le même que pour les noms :
Il est gentil. → Ils sont gentils.
Elle est libanaise. → Elles sont libanaises.
Il est génial. → Ils sont géniaux.
Il est amoureux.→ Ils sont amoureux.

LES PRONOMS

1. Sujets

> pages 14, 23, 30, 31, 34

Anne parle
elle parle

je parle	**nous** parlons
tu parles	**vous** parlez
il / elle / on parle	**ils / elles** parlent

2. Forme tonique

> page 49

moi	**toi**	**lui**	**elle**
nous	**vous**	**eux**	**elles**

On utilise ces pronoms
– pour renforcer le pronom sujet :
Mon frère a 20 ans et ma sœur a 18 ans. → **Lui**, il a 20 ans et **elle**, elle a 18 ans.

– après une préposition :
Tu viens chez **moi** ?
Moi, je vais avec **eux**.

3. Réfléchis

> pages 120, 121, 144

je **me** lave
tu **te** laves — Lave-**toi** !
il / elle / on **se** lave
nous **nous** lavons
vous **vous** lavez
ils / elles **se** lavent

4. Compléments directs

> pages 59, 72, 98, 144

Il regarde **Anne**, il aime **Anne.** → Il **la** regarde, il l'aime.
(regarder quelqu'un, aimer quelqu'un)

Il **me** regarde, il **m'**aime. — Regarde-**moi** !
Il **te** regarde, il **t'**aime.
Il **le** regarde, il **l'**aime. (Paul, le gâteau)
Il **la** regarde, il **l'**aime. (Anne, la tarte)
Il **nous** regarde, il **nous** aime.
Il **vous** regarde, il **vous** aime.
Il **les** regarde, il **les** aime. (ses fils, les gâteaux)
Il **les** regarde, il **les** aime. (ses filles, les tartes)

5. Compléments d'objet indirect

> pages 98, 144

Elle parle **à Pierre** et elle offre un cadeau **à Pierre.** → Elle **lui** parle et elle **lui** offre un cadeau.
(sourire **à** quelqu'un, offrir quelque chose **à** quelqu'un)

Elle **me** parle et elle **m'**offre un cadeau.
Elle **te** parle et elle **t'**offre un cadeau.
Elle **lui** parle et elle **lui** offre un cadeau. (à Paul)
Elle **lui** parle et elle **lui** offre un cadeau. (à Marie)
Elle **nous** parle et elle **nous** offre un cadeau.
Elle **vous** parle et elle **vous** offre un cadeau.
Elle **leur** parle et elle **leur** offre un cadeau. (à ses fils)
Elle **leur** parle et elle **leur** offre un cadeau. (à ses filles)

Parle-**moi** !

6. En

> pages 93, 123, 144

a) Remplace un nom précédé d'une expression de quantité :
— Vous voulez **du** café ?
— Non merci, je n'**en** bois pas.

— Tu as **assez d'**argent pour le mois ?
— Non, je n'**en** ai jamais assez !

— Tu as **combien de** frères ?
— Je n'**en** ai pas. Et toi ?
— Moi, j'**en** ai deux.

b) Remplace des compléments introduits par **de** *:*
— Tu as parlé **de ce problème** avec tes parents ?
— Oui, on **en** a parlé hier soir.

— Vous avez envie **d'une bonne glace** ?
— Oh oui, bonne idée, j'**en** ai très envie !

— Qu'est-ce que tu penses **de cette idée** ?
— Moi ? Euh… Je n'**en** pense rien.

7. Y

> pages 106, 144

Pour exprimer le lieu :
— Il habite **à** Paris ?
— Non, ses parents et sa sœur **y** habitent encore.
Lui, il est **à** Angers.

— Le professeur est **dans** la classe ?
— Non, j'ai regardé, il n'y est pas.

8. La place des pronoms compléments

> pages 59, 72, 93, 98, 106, 123, 144

a) Avec un verbe au présent :
— Tu téléphones à Paul ce soir ?
— D'accord, je **lui** téléphone. / Non, je ne **lui** téléphone pas.

b) Avec un verbe à l'impératif :
— Je peux regarder tes photos ?
— Oui, regarde-**les** ! / Non, ne **les** regarde pas !

c) Avec un verbe au passé composé :
— Vous êtes allée au Portugal ?
— Oui, j'y suis allée en mai dernier. /
Non, je n'y suis jamais allée.

d) Avec plusieurs verbes :
— Il a pu parler du problème ?
— Oui, il a pu **en** parler. / Non, il n'a pas pu **en** parler.

9. Relatifs

> page 97

qui	sujet	Tu connais la fille **qui** parle avec Mathieu ?
que	complément d'objet direct	Le film **que** j'ai vu hier est très beau.
où	complément de lieu	Je n'aime pas beaucoup le quartier **où** elle habite.

LA QUANTITÉ

> pages 71, 119, 122, 123

peu de un peu de assez de beaucoup de trop de	+	nom	Il a **peu de** choses à raconter. Vous avez **un peu d'**eau, s'il vous plaît ? Je n'ai pas **assez d'**argent pour partir en vacances. J'ai **beaucoup d'**amis en Amérique. J'ai **trop de** travail, je suis fatigué.
un paquet de une bouteille de une kilo de une tasse de etc.	+	nom	Je voudrais **un paquet de** café, s'il vous plaît. **Une bouteille d'**eau, s'il vous plaît ! Donnez-moi **un kilo de** tomates. Tu veux **une tasse de** thé ?
verbe	+	peu de un peu de assez de etc.	Je dors très **peu** en ce moment. J'aime **beaucoup** Maria Cristina.
peu un peu assez très si tellement trop	+ +	adjectif adverbe	Je suis **un peu** triste. Il est **tellement** sympa ! C'est **très** bien.

LA PHRASE

1. La phrase négative

> pages 20, 82, 88, 96

ne… pas	Elle **ne** peut **pas** venir avec nous.
ne… plus	Je **n'**ai **plus** faim, merci.
ne… jamais	Elle **n'**a **jamais** visité notre pays.
ne… rien	Je **n'**ai **rien** dit.
ne… personne	Je **n'**ai vu **personne** dans le magasin.

2. La phrase interrogative

> pages 22, 61, 62, 124

langue standard (surtout à l'oral) *langue standard* *langue soutenue*	— Tu viens ? — **Est-ce que** tu viens ? — Viens-tu ?	— Oui. — Non.
langue standard (surtout à l'oral) *langue standard* *langue soutenue*	— Tu veux **quoi** ? — **Qu'**est-ce que tu veux ? — **Que** veux-tu ?	— Je voudrais un café, s'il te plaît.
langue standard (surtout à l'oral) *langue standard* *langue soutenue*	— Tu as vu **qui** ? — **Qui** est-ce que tu as vu ? — **Qui** as-tu vu ?	— Alex.

langue standard (surtout à l'oral)	1. — Tu pars quand ? 2. — Elle s'appelle comment ? 3. — Il va où ? 4. — Pourquoi tu pleures ? 5. — Vous avez combien d'euros ?	
langue standard	1. — Quand est-ce que tu pars ? 2. — Comment est-ce qu'elle s'appelle ? 3. — Où est-ce qu'il va ? 4. — Pourquoi est-ce que tu pleures ? 5. — Combien d'euros est-ce que vous avez ?	1. — Je pars dimanche. 2. — Laure. 3. — À Lyon pour voir sa mère. 4. — Parce que j'ai des problèmes. 5. — Euh… 250 euros.
langue soutenue	1. — Quand pars-tu ? 2. — Comment s'appelle-t-elle ? 3. — Où va-t-il ? 4. — Pourquoi pleures-tu ? 5. — Combien d'euros avez-vous ?	

3. Constructions impersonnelles

> pages 46, 94, 95, 140

Il y a *est toujours à la 3e personne du singulier.*
Il y a du monde dans ce café !
Il n'y a pas de problème !
Est-ce qu'il y a des toilettes ici, s'il vous plaît ?

Il faut *est toujours à la 3e personne du singulier.*
Il faut partir avant 9 heures.
Il ne faut pas faire de bruit.
Il faudra attendre un peu.

LES TEMPS

1. Le présent

> pages 14, 23, 30, 32, 34, 36, 47, 49…

On l'utilise
– *le plus souvent pour parler d'un événement ou d'une action qui se déroulent maintenant :*
Je suis français et j'habite à Marseille.
– *pour parler d'une action ou d'un événement futur :* Il arrive demain.

Formation : *voir les tableaux de conjugaisons, pages 166 à 171.*

2. L'impératif

> pages 13, 84, 85, 120, 121, 144

On l'utilise pour
– *donner un ordre ou un conseil :* Tourne à droite, continue tout droit.
– *exprimer l'obligation :* Taisez-vous, et travaillez !
– *interdire :* Ne faites pas trop de bruit, s'il vous plaît.

Formation : *voir les tableaux de conjugaisons, pages 166 à 171.*

3. Le futur proche

> pages 35, 141

On l'utilise pour parler d'une action ou d'un événement qui vont se dérouler dans le futur.

Formation : verbe **aller** ***au présent + verbe à l'infinitif***
Ce soir, je **vais aller** au restaurant avec Marion. Nous **allons** bientôt **partir** en vacances.

4. Le futur simple

> pages 140, 141

On l'utilise pour parler d'une action ou d'un événement qui vont se dérouler dans le futur.

Formation : verbe à l'infinitif + terminaisons du futur (-ai, -as, -a, -ons, -ez, -ont)
Je t'écrirai de jolies cartes postales.

Verbes à construction particulière :

être : je serai...	pouvoir : je pourrai...	savoir : je saurai...	tenir : je tiendrai...
avoir : j'aurai...	vouloir : je voudrai...	faire : je ferai...	envoyer : j'enverrai...
aller : j'irai...	devoir : je devrai...	venir : je viendrai...	voir : je verrai..., etc.

5. Le passé composé

> pages 50, 51, 87, 121, 134

On l'utilise pour parler d'une action ou d'un événement passés.

Formation : verbe avoir ***ou*** être* + ***participe passé du verbe***
Ils ont eu peur. – Ils sont allés chez Antoine. – Ils se sont levés tard ce matin.

Verbes qui se conjuguent* ***avec* **être** *au passé composé :* aller, venir, retourner, entrer, sortir, arriver, partir, naître, mourir, monter, descendre, passer, tomber, rester, apparaître, *ainsi que les verbes de la même famille* (devenir, remonter...) *et tous les verbes pronominaux* (se laver, se lever, etc.).

Attention ! *Si le verbe au passé composé est conjugué avec* être, *le participe passé s'accorde en genre et en nombre avec le sujet :* Pierre est parti au Caire. – Sylvie est parti**e** avec son amie. – Elles sont parti**es** à 9 heures. – Les enfants sont parti**s** à la piscine.

6. L'imparfait

> pages 133, 134

On l'utilise pour
– parler d'une action ou d'un événement qui se déroulent dans le passé :
Il faisait froid et le train était en retard.
– exprimer une habitude passée : Quand elle travaillait à Paris, elle prenait le train à 7 heures tous les jours. Elle prenait le métro puis un bus et elle arrivait au bureau à 9 heures.

Formation : on supprime -ons ***du verbe conjugué à la 1re personne pluriel*** (nous) ***du présent puis on ajoute les terminaisons de l'imparfait*** (-ais, -ais, -ait, -ions, -iez, -aient)
(nous finissons → finiss~~ons~~ → je finissais, etc.) *Sauf* être → j'étais, nous étions.

7. Passé composé ou imparfait ?

> page 134

Quand deux faits sont simultanés, on peut trouver les deux temps :
Je me promenais sur les bords de la Loire quand je l'ai rencontré.
On ne sait pas quand la « promenade au bord de la Loire » a commencé, ni combien de temps elle a duré, alors que la « rencontre » s'est déroulée à un moment précis de cette « promenade », et est achevée. L'imparfait présente des actions ou des états non terminés ou sans limites précises dans le temps ; le passé composé présente des actions ou des états terminés ou avec des limites précises dans le temps.
Autrement dit, l'imparfait décrit le décor ; le passé composé place l'action au premier plan.

Conjugaisons

ÊTRE

présent	impératif	passé composé	imparfait	futur
je suis		j'ai été	j'étais	je serai
tu es	sois	tu as été	tu étais	tu seras
il/elle/on est		il/elle/on a été	il/elle/on était	il/elle/on sera
nous sommes	soyons	nous avons été	nous étions	nous serons
vous êtes	soyez	vous avez été	vous étiez	vous serez
ils/elles sont		ils/elles ont été	ils/elles étaient	ils/elles seront

AVOIR

présent	impératif	passé composé	imparfait	futur
j'ai		j'ai eu	j'avais	j'aurai
tu as	aie	tu as eu	tu avais	tu auras
il/elle/on a		il/elle/on a eu	il/elle/on avait	il/elle/on aura
nous avons	ayons	nous avons eu	nous avions	nous aurons
vous avez	ayez	vous avez eu	vous aviez	vous aurez
ils/elles ont		ils/elles ont eu	ils/elles avaient	ils/elles auront

Verbes en -er

Verbes réguliers en -er : PARLER [aimer, regarder, écouter]

présent	impératif	passé composé	imparfait	futur
je parle		j'ai parlé	je parlais	je parlerai
tu parles	parle	tu as parlé	tu parlais	tu parleras
il/elle/on parle		il/elle/on a parlé	il/elle/on parlait	il/elle/on parlera
nous parlons	parlons	nous avons parlé	nous parlions	nous parlerons
vous parlez	parlez	vous avez parlé	vous parliez	vous parlerez
ils/elles parlent		ils/elles ont parlé	ils/elles parlaient	ils/elles parleront

Verbe irrégulier en -er : ALLER*

présent	impératif	passé composé	imparfait	futur
je vais		je suis allé(e)	j'allais	j'irai
tu vas	va	tu es allé(e)	tu allais	tu iras
il/elle/on va		il/elle/on est allé(e)(s)	il/elle/on allait	il/elle/on ira
nous allons	allons	nous sommes allé(e)s	nous allions	nous irons
vous allez	allez	vous êtes allé(e)(s)	vous alliez	vous irez
ils/elles vont		ils/elles sont allé(e)s	ils/elles allaient	ils/elles iront

Verbes irréguliers en -er : ACHETER (e → è) [amener, emmener...]

présent	impératif	passé composé	imparfait	futur
j'achète		j'ai acheté	j'achetais	j'achèterai
tu achètes	achète	tu as acheté	tu achetais	tu achèteras
il/elle/on achète		il/elle/on a acheté	il/elle/on achetait	il/elle/on achètera
nous achetons	achetons	nous avons acheté	nous achetions	nous achèterons
vous achetez	achetez	vous avez acheté	vous achetiez	vous achèterez
ils/elles achètent		ils/elles ont acheté	ils/elles achetaient	ils/elles achèteront

* *Tous ces verbes utilisent* être *au passé composé. Dans les formes verbales avec* être, *quand* on *signifie* nous, *le participe passé s'accorde en genre et en nombre avec les personnes représentées.*
Ma sœur et moi *(féminin)*, on est parties tôt.

Verbes irréguliers en -er : PRÉFÉRER (é → è)

présent	impératif	passé composé	imparfait	futur
je préfère		j'ai préféré	je préférais	je préférerai
tu préfères	préfère	tu as préféré	tu préférais	tu préféreras
il/elle/on préfère		il/elle/on a préféré	il/elle/on préférait	il/elle/on préférera
nous préférons	préférons	nous avons préféré	nous préférions	nous préférerons
vous préférez	préférez	vous avez préféré	vous préfériez	vous préférerez
ils/elles préfèrent		ils/elles ont préféré	ils/elles préféraient	ils/elles préféreront

Verbes irréguliers en -er : COMMENCER (c → ç)

présent	impératif	passé composé	imparfait	futur
je commence		j'ai commencé	je commençais	je commencerai
tu commences	commence	tu as commencé	tu commençais	tu commenceras
il/elle/on commence		il/elle/on a commencé	il/elle/on commençait	il/elle/on commencera
nous commençons	commençons	nous avons commencé	nous commencions	nous commencerons
vous commencez	commencez	vous avez commencé	vous commenciez	vous commencerez
ils/elles commencent		ils/elles ont commencé	ils/elles commençaient	ils/elles commenceront

Verbes irréguliers en -er : MANGER (g → ge) [bouger, changer, voyager]

présent	impératif	passé composé	imparfait	futur
je mange		j'ai mangé	je mangeais	je mangerai
tu manges	mange	tu as mangé	tu mangeais	tu mangeras
il/elle/on mange		il/elle/on a mangé	il/elle/on mangeait	il/elle/on mangera
nous mangeons	mangeons	nous avons mangé	nous mangions	nous mangerons
vous mangez	mangez	vous avez mangé	vous mangiez	vous mangerez
ils/elles mangent		ils/elles ont mangé	ils/elles mangeaient	ils/elles mangeront

Verbes irréguliers en -er : APPELER (j'appelle, nous appelons) [épeler, rappeler]

présent	impératif	passé composé	imparfait	futur
j'appelle		j'ai appelé	j'appelais	j'appellerai
tu appelles	appelle	tu as appelé	tu appelais	tu appelleras
il/elle/on appelle		il/elle/on a appelé	il/elle/on appelait	il/elle/on appellera
nous appelons	appelons	nous avons appelé	nous appelions	nous appellerons
vous appelez	appelez	vous avez appelé	vous appeliez	vous appellerez
ils/elles appellent		ils/elles ont appelé	ils/elles appelaient	ils/elles appelleront

Verbes irréguliers en -er : PAYER [essayer]

présent	impératif	passé composé	imparfait	futur
je paie/paye		j'ai payé	je payais	je paierai/payerai
tu paies/payes	paie / paye	tu as payé	tu payais	tu paieras/payeras
il/elle/on paie/paye		il/elle/on a payé	il/elle/on payait	il/elle/on paiera/payera
nous payons	payons	nous avons payé	nous payions	nous paierons/payerons
vous payez	payez	vous avez payé	vous payiez	vous paierez/payerez
ils/elles paient/payent		ils/elles ont payé	ils/elles payaient	ils/elles paieront/payeront

Verbes irréguliers en -er : EMPLOYER

présent	impératif	passé composé	imparfait	futur
j'emploie		j'ai employé	j'employais	j'emploierai
tu emploies	emploie	tu as employé	tu employais	tu emploieras
il/elle/on emploie		il/elle/on a employé	il/elle/on employait	il/elle/on emploiera
nous employons	employons	nous avons employé	nous employions	nous emploierons
vous employez	employez	vous avez employé	vous employiez	vous emploierez
ils/elles emploient		ils/elles ont employé	ils/elles employaient	ils/elles emploieront

Verbes en -ir

Verbes réguliers en -ir : FINIR [choisir, réfléchir, remplir, réussir]

présent	impératif	passé composé	imparfait	futur
je finis		j'ai fini	je finissais	je finirai
tu finis	finis	tu as fini	tu finissais	tu finiras
il/elle/on finit		il/elle/on a fini	il/elle/on finissait	il/elle/on finira
nous finissons	finissons	nous avons fini	nous finissions	nous finirons
vous finissez	finissez	vous avez fini	vous finissiez	vous finirez
ils/elles finissent		ils/elles ont fini	ils/elles finissaient	ils/elles finiront

Autres verbes en -ir

OFFRIR [couvrir, découvrir, ouvrir]

présent	impératif	passé composé	imparfait	futur
j'offre		j'ai offert	j'offrais	j'offrirai
tu offres	offre	tu as offert	tu offrais	tu offriras
il/elle/on offre		il/elle/on a offert	il/elle/on offrait	il/elle/on offrira
nous offrons	offrons	nous avons offert	nous offrions	nous offrirons
vous offrez	offrez	vous avez offert	vous offriez	vous offrirez
ils/elles offrent		ils/elles ont offert	ils/elles offraient	ils/elles offriront

PARTIR* [dormir, repartir*, sentir, sortir*]

présent	impératif	passé composé	imparfait	futur
je pars		je suis parti(e)	je partais	je partirai
tu pars	pars	tu es parti(e)	tu partais	tu partiras
il/elle/on part		il/elle/on est parti(e)(s)	il/elle/on partait	il/elle/on partira
nous partons	partons	nous sommes parti(e)s	nous partions	nous partirons
vous partez	partez	vous êtes parti(e)(s)	vous partiez	vous partirez
ils/elles partent		ils/elles sont parti(e)s	ils/elles partaient	ils/elles partiront

VENIR* [devenir*, revenir*, tenir]

présent	impératif	passé composé	imparfait	futur
je viens		je suis venu(e)	je venais	je viendrai
tu viens	viens	tu es venu(e)	tu venais	tu viendras
il/elle/on vient		il/elle/on est venu(e)(s)	il/elle/on venait	il/elle/on viendra
nous venons	venons	nous sommes venu(e)s	nous venions	nous viendrons
vous venez	venez	vous êtes venu(e)(s)	vous veniez	vous viendrez
ils/elles viennent		ils/elles sont venu(e)s	ils/elles venaient	ils/elles viendront

Verbes en -ire

DIRE

présent	impératif	passé composé	imparfait	futur
je dis		j'ai dit	je disais	je dirai
tu dis	dis	tu as dit	tu disais	tu diras
il/elle/on dit		il/elle/on a dit	il/elle/on disait	il/elle/on dira
nous disons	disons	nous avons dit	nous disions	nous dirons
vous dites	dites	vous avez dit	vous disiez	vous direz
ils/elles disent		ils/elles ont dit	ils/elles disaient	ils/elles diront

ÉCRIRE [décrire, s'inscrire*]

présent	impératif	passé composé	imparfait	futur
j'écris		j'ai écrit	j'écrivais	j'écrirai
tu écris	écris	tu as écrit	tu écrivais	tu écriras
il/elle/on écrit		il/elle/on a écrit	il/elle/on écrivait	il/elle/on écrira
nous écrivons	écrivons	nous avons écrit	nous écrivions	nous écrirons
vous écrivez	écrivez	vous avez écrit	vous écriviez	vous écrirez
ils/elles écrivent		ils/elles ont écrit	ils/elles écrivaient	ils/elles écriront

LIRE

présent	impératif	passé composé	imparfait	futur
je lis		j'ai lu	je lisais	je lirai
tu lis	lis	tu as lu	tu lisais	tu liras
il/elle/on lit		il/elle/on a lu	il/elle/on lisait	il/elle/on lira
nous lisons	lisons	nous avons lu	nous lisions	nous lirons
vous lisez	lisez	vous avez lu	vous lisiez	vous lirez
ils/elles lisent		ils/elles ont lu	ils/elles lisaient	ils/elles liront

Verbes en -oir

DEVOIR

présent	impératif	passé composé	imparfait	futur
je dois		j'ai dû	je devais	je devrai
tu dois		tu as dû	tu devais	tu devras
il/elle/on doit	*n'existe pas*	il/elle/on a dû	il/elle/on devait	il/elle/on devra
nous devons		nous avons dû	nous devions	nous devrons
vous devez		vous avez dû	vous deviez	vous devrez
ils/elles doivent		ils/elles ont dû	ils/elles devaient	ils/elles devront

POUVOIR

présent	impératif	passé composé	imparfait	futur
je peux		j'ai pu	je pouvais	je pourrai
tu peux		tu as pu	tu pouvais	tu pourras
il/elle/on peut	*n'existe pas*	il/elle/on a pu	il/elle/on pouvait	il/elle/on pourra
nous pouvons		nous avons pu	nous pouvions	nous pourrons
vous pouvez		vous avez pu	vous pouviez	vous pourrez
ils/elles peuvent		ils/elles ont pu	ils/elles pouvaient	ils/elles pourront

SAVOIR

présent	impératif	passé composé	imparfait	futur
je sais		j'ai su	je savais	je saurai
tu sais	sache	tu as su	tu savais	tu sauras
il/elle/on sait		il/elle/on a su	il/elle/on savait	il/elle/on saura
nous savons	sachons	nous avons su	nous savions	nous saurons
vous savez	sachez	vous avez su	vous saviez	vous saurez
ils/elles savent		ils/elles ont su	ils/elles savaient	ils/elles sauront

VOIR

présent	impératif	passé composé	imparfait	futur
je vois		j'ai vu	je voyais	je verrai
tu vois	vois	tu as vu	tu voyais	tu verras
il/elle/on voit		il/elle/on a vu	il/elle/on voyait	il/elle/on verra
nous voyons	voyons	nous avons vu	nous voyions	nous verrons
vous voyez	voyez	vous avez vu	vous voyiez	vous verrez
ils/elles voient		ils/elles ont vu	ils/elles voyaient	ils/elles verront

VOULOIR

présent	impératif	passé composé	imparfait	futur
je veux		j'ai voulu	je voulais	je voudrai
tu veux	*pas utilisé*	tu as voulu	tu voulais	tu voudras
il/elle/on veut		il/elle/on a voulu	il/elle/on voulait	il/elle/on voudra
nous voulons	*pas utilisé*	nous avons voulu	nous voulions	nous voudrons
vous voulez	veuillez	vous avez voulu	vous vouliez	vous voudrez
ils/elles veulent		ils/elles ont voulu	ils/elles voulaient	ils/elles voudront

FALLOIR

présent	impératif	passé composé	imparfait	futur
il faut	*n'existe pas*	il a fallu	il fallait	il faudra

Verbes en -oire

BOIRE

présent	impératif	passé composé	imparfait	futur
je bois		j'ai bu	je buvais	je boirai
tu bois	bois	tu as bu	tu buvais	tu boiras
il/elle/on boit		il/elle/on a bu	il/elle/on buvait	il/elle/on boira
nous buvons	buvons	nous avons bu	nous buvions	nous boirons
vous buvez	buvez	vous avez bu	vous buviez	vous boirez
ils/elles boivent		ils/elles ont bu	ils/elles buvaient	ils/elles boiront

Verbes en -endre

PRENDRE [apprendre, comprendre]

présent	impératif	passé composé	imparfait	futur
je prends		j'ai pris	je prenais	je prendrai
tu prends	prends	tu as pris	tu prenais	tu prendras
il/elle/on prend		il/elle/on a pris	il/elle/on prenait	il/elle/on prendra
nous prenons	prenons	nous avons pris	nous prenions	nous prendrons
vous prenez	prenez	vous avez pris	vous preniez	vous prendrez
ils/elles prennent		ils/elles ont pris	ils/elles prenaient	ils/elles prendront

Verbes en -tre

CONNAÎTRE [reconnaître]

présent	impératif	passé composé	imparfait	futur
je connais		j'ai connu	je connaissais	je connaîtrai
tu connais	connais	tu as connu	tu connaissais	tu connaîtras
il/elle/on connaît		il/elle/on a connu	il/elle/on connaissait	il/elle/on connaîtra
nous connaissons	connaissons	nous avons connu	nous connaissions	nous connaîtrons
vous connaissez	connaissez	vous avez connu	vous connaissiez	vous connaîtrez
ils/elles connaissent		ils/elles ont connu	ils/elles connaissaient	ils/elles connaîtront

METTRE [permettre, promettre]

présent	impératif	passé composé	imparfait	futur
je mets		j'ai mis	je mettais	je mettrai
tu mets	mets	tu as mis	tu mettais	tu mettras
il/elle/on met		il/elle/on a mis	il/elle/on mettait	il/elle/on mettra
nous mettons	mettons	nous avons mis	nous mettions	nous mettrons
vous mettez	mettez	vous avez mis	vous mettiez	vous mettrez
ils/elles mettent		ils/elles ont mis	ils/elles mettaient	ils/elles mettront

Autre verbe en -re

FAIRE [refaire]

présent	impératif	passé composé	imparfait	futur
je fais		j'ai fait	je faisais	je ferai
tu fais	fais	tu as fait	tu faisais	tu feras
il/elle/on fait		il/elle/on a fait	il/elle/on faisait	il/elle/on fera
nous faisons	faisons	nous avons fait	nous faisions	nous ferons
vous faites	faites	vous avez fait	vous faisiez	vous ferez
ils/elles font		ils/elles ont fait	ils/elles faisaient	ils/elles feront

Verbes pronominaux*

SE LAVER [se lever*, se coiffer*, se reposer*]

présent	impératif	passé composé	imparfait	futur
je me lave		je me suis lavé(e)	je me lavais	je me laverai
tu te laves	lave-toi	tu t'es lavé(e)	tu te lavais	tu te laveras
il/elle/on se lave		il/elle/on s'est lavé(e)(s)	il/elle/on se lavait	il/elle/on se lavera
nous nous lavons	lavons-nous	nous nous sommes lavé(e)s	nous nous lavions	nous nous laverons
vous vous lavez	lavez-vous	vous vous êtes lavé(e)(s)	vous vous laviez	vous vous laverez
ils/elles se lavent		ils/elles se sont lavé(e)s	ils/elles se lavaient	ils/elles se laveront

Lexique plurilingue

A

français	anglais	espagnol	portugais	chinois	arabe
à bientôt	see you soon	hasta pronto	ate breve	再见	أراك قريباً
à demain	see you tomorrow	hasta mañana	ate amanhã	明天见	إلى الغد
à droite (de)	on the right (of)	a la derecha (de)	à direita (de)	在…的右边	على يمين
à gauche (de)	on the left (of)	a la izquierda (de)	à esquerda (de)	在…的左边	على يسار
absolument	asbsolutely	absolutamente	absolutamente	绝对地，完全地	إطلاقا
accepter	to accept	aceptar	aceitar	接受，答应	قبِلَ
accueillir	to welcome	recibir	receber	迎接，招待	استقبل
acheter	to buy	comprar	comprar	购买	اشترى
activité, *f.*	activity	actividad	actividade	活动	نشاط
adorer	to adore	adorar	adorar	崇拜，热爱	هَامَ بـ
adresse électronique, *f.*	e-mail address	correo electrónico	morada electrónica	电邮地址	عنوان إلكتروني
aéroport, *m.*	airport	aeropuerto	aeroporto	机场	مطار
affaires, *f. pl.*	business	negocios	negocios	商业活动	أعمال
affiche, *f.*	noticeboard	cartel	cartaz	布告，海报	إعلان
âge, *m.*	age	edad	idade	年纪，年龄	عُمُر
agence de voyage, *f.*	travel agency	agencia de viajes	agencia de viagem	旅行社	وكالة سفر
agence matrimoniale, *f.*	marriage bureau	agencia matrimonial	agência matrimonial	婚姻介绍所	وكالة زواج
agréable	pleasant	agradable	agradavel	愉快的，舒适的	لطيف
aimer	to like	gustar	amar	爱，喜欢	أَحَبّ
aire de jeux, *f.*	playground	área de recreo	espaço de jogos	游戏区	حديقة الألعاب
aller	to go	ir	ir	走，去	ذهب
allumer	to switch on	encender	ligar	点亮，打开	شغّل
ami, *m.*	friend	amigo	amigo	朋友	صديق
amour, *m.*	love	amor	amor	爱情	حب
amoureux	in love	enamorado	apaixomados	爱恋的	مُحبّ
an, *m.* - année, *f.*	year	año	ano	年，年龄	سنة
ancien	old	antiguo	antigo	古老的，从前的，前任的	قديم
anniversaire, *m.*	birthday	cumpleaños	aniversario	周年纪念日，生日	عيد ميلاد
annoncer	announce	anunciar	anunciar	宣布，通知	أعلن
appartement, *m.*	flat	piso	apartamento	公寓，宅第	شقة
après	after	después	depois	在…之后，然后	بعد
après-midi, *m.* ou *f.*	afternoon	tarde	tarde	下午	ظهيرة
arbre, *m.*	tree	árbol	árvore	树	شجرة
architecture, *f.*	architecture	arquitectura	arquitectura	建筑，建筑学	فن معماري
argent, *m.*	money	dinero	dinheiro	钱	مال
arrêter	to stop	parar	parar	停止	تَوَقّف
arriver	to arrive	llegar	chegar	抵达，来临	وصل
arroser	to water	regar	regar	浇，洒	سقى
assez	enough	bastante	bastante	足够	على نحو كافٍ
associer	to combine	asociar	associar	使联合，使结合	جَمَعَ
attacher	to fasten	abrocharse	apertar	系上	رَبَطَ
attendre	to wait	esperar	aguardar	等，等候	انتظر
attention	attention	atención, cuidado	aviso	当心，专心，注意	انتباه
au bord (de)	on the edge	al lado (de)	a bordo (de)	在…的岸边	على حافة
au coin (de)	at the corner of	en la esquina (de)	no canto (de)	在…的边角	في رُكن
au milieu (de)	in the middle of	en medio (de)	no meio (de)	在…的中间	في وسط
au revoir	goodbye	adiós	adeus	再见	إلى اللقاء
aussi	too, also	también	tambem	也，一样	كذلك
autour	around	alrededor	à volta de	在周围，在四周	حَوْلَ
autre	other	otro	outro	不同的，别的	آخر
autrement	differently	de otra forma	de outro modo	别样，不一样	بطريقة أخرى
avancer	to move forward	avanzar	avançar	使前进，提前	تقدّم
avec	with	con	com	和…一起，带有，具有	مع
avenue, *f.*	avenue	avenida	avenida	路，林荫道	شارع
avion, *m.*	plane	avión	avião	飞机	طائرة
avoir	to have	tener	ter	有，取得，应该，欺骗某人	مَلَكَ
avoir besoin (de)	to need	necesitar	precisar (de)	需要…	احتاج إلى
avoir envie (de)	to want	tener ganas (de)	ter vontade (de)	想要…	رغب في
avoir horreur (de)	to hate	detestar	ter horror (de)	讨厌…	ذُعِرَ
avoir l'air	to look (like)	parecer	ter ar de	看上去	ظَهَرَ عليه
avoir peur (de)	to fear	tener miedo (de)	ter medo (de)	害怕…，畏惧…	خاف
avoir raison	to be right	tener razón	ter razão	有道理	على صواب
avoir tort	to be wrong	estar equivocado	estar errado	错了	على خطأ

français	anglais	espagnol	portugais	chinois	arabe
B					
balade, *f.*	walk	paseo	passeio	闲逛，散步	نزهة
banque, *f.*	bank	banco	banco	银行	بنك
bar, *m.*	bar	bar	bar	酒吧，狼鲈	مقهى
barbe, *f.*	beard	barba	barba	胡子，胡须	لحية
baskets, *f. pl.*	trainers	zapatillas	tenis	球鞋	حذاء رياضي
bateau, *m.*	boat	barco	barco	船，艇	باخرة
bâtiment, *m.*	building	edificio	edifício	楼房，建筑物	عمارة
beau	beautiful	bonito	belo	好的，美的	جميل
beaucoup	a lot	mucho	muito	很多，非常	كثيرا
bien	well	bien	bem	正确地，好，令人满意地，适宜地，很	جيدا
bienvenue	welcome	bienvenido	bem-vindo	欢迎	أهلا و سهلا
bijou, *m.*	jewel	joya	joia	珠宝，首饰	مجوهرات
billet, *m.*	ticket	billete	bilhete	火车票	تذكرة سفر
bise, *f.*	kiss	beso	beijo	吻，接吻	تقبيل
blanc	white	blanco	branco	白，白色的	أبيض
bleu	blue	azul	azul	蓝，蓝色的	أزرق
blogue, *m.*	blog	blog	blog	网志，部落格	مُدوّنة
blond	blond	rubio	louro	金发的	أشقر
boire	to drink	beber	beber	喝，饮	شرب
boîte, *f.*	box	caja	caixa	盒，箱，匣	علبة
bon	good	bueno	bom	好的，恰当的	جيد
bonheur, *m.*	happiness	felicidad	felicidade	幸运，幸福，愉快	سعادة
bonjour	hello	buenos días	bom dia	你好，早安，日安	صباح الخير
bonsoir	good evening	buenas noches	boa noite	晚安，晚上好	مساء الخير
boulanger, *m.*	baker	panadero	padeiro	面包师傅	خبّاز
boulevard, *m.*	boulevard	bulevar	avenida	大马路，林荫大道	شارع رئيسي
bouteille, *f.*	bottle	botella	garrafa	瓶，一瓶容量	قارورة
bracelet, *m.*	bracelet	pulsera	pulseira	手镯，表带	سوار
bras, *m.*	arm	brazo	braço	臂，胳膊	ذراع
briller	to shine / sparkle	brillar	brilhar	发光，发亮	لمَعَ
brioche, *f.* (ventre, *fam.*)	belly	curva de la felicidad	ter uma pancinha	肚子，肚腩	ذو كِرْش
bruit, *m.*	noise	ruido	ruido	声音，噪音，嘈杂声	ضجيج
brun	brown	moreno	castanho	褐色的，棕色的	أسمر
bureau (salle), *m.*	office	oficina, despacho	escritorio	办公室	مكتب
bureau (table), *m.*	desk	escritorio	secretaria	办公桌	مكتب
bus, *m.*	bus	autobús	autocarro	公共汽车	حافلة
C					
cadeau	present	regalo	prenda	礼物，礼品	هدية
café (boisson), *m.*	coffee	café	cafe	咖啡	قهوة
café (brasserie), *m.*	café	cafetería	cafe	咖啡馆	مقهى
canapé, *m.*	sofa	sofá	sofa	长沙发	كنبة
candidat, *m.*	candidate	candidato	candidato	候选人，投考者	مترشح
carte (bancaire), *f.*	card	tarjeta (de crédito)	cartão (bancario)	提款卡	بطاقة بنكية
carte, *f.*	map	mapa	mapa	地图	خارطة
carte postale, *f.*	postcard	tarjeta postal, postal	postal	明信片	بطاقة بريدية
casquette, *f.*	cap	gorra	bone	鸭舌帽	كاسكيت
cathédrale, *f.*	cathedral	catedral	catedral	大教堂	كاثدرائية
CD, *m.*	CD	CD	CD	光盘	قرص مضغوط
ceinture de sécurité, *f.*	safety belt	cinturón de seguridad	cinto de segurança	安全带	حزام الأمان
célibataire	single	soltero, a	solteiro	单身的，未婚的	أعزب
chaise, *f.*	chair	silla	cadeira	椅子	كرسي
chambre, *f.*	bedroom	dormitorio	quarto	卧房	غرفة
chanceuse	lucky	afortunada	sortudo	走运的女子	محظوظ
changer (de l'argent)	change	cambiar (dinero)	cambiar (dinheiro)	兑换（零钱，外币）	صَرَّف
chapeau, *m.*	hat	sombrero	chapeu	帽子	قبعة
charme, *m.*	charm	encanto	Charme	魅力	إغراء
chat, *m.*	cat	gato	gato	猫	قط
châtain	chestnut brown	castaño	cabelo castanho	栗色的，褐色的	كستنائي
château, *m.*	castle	castillo	castelo	城堡，宫殿	قصر
chemise, *f.*	shirt	camisa	camisa	男用衬衫	قميص
chèque, *m.*	cheque	cheque	cheque	支票	صك
cher (mon cher ami)	dear	querido	caro	亲爱的	عزيز
cher (ça coûte cher)	expensive	caro	caro	昂贵的，高价的	غالي الثمن
chercher	to search for	buscar	procurar	寻找，谋求	بحث
cheval, *m.*	horse	caballo	cavalo	马	حصان
chez	at somebody's place	en casa de	em casa	在…家里	عند

français	anglais	espagnol	portugais	chinois	arabe
choisir	to choose	escoger	escolher	选择，挑选	اختار
chose, *f.*	thing	cosa	coisa	事物，东西	شيء
cinéma, *m.*	cinema	cine	cinema	电影院	سينما
clair	clear	claro	claro	明亮的	واضح
cocktail, *m.*	cocktail	cóctel	cocktail	鸡尾酒	كوكتيل
coffret, *m.*	casket	cofre regalo	embalagem	礼盒	باقة
coiffeur, *m.*	hairdresser	peluquero	cabeleireiro	理发师	حلاق
collègue, *m.* ou *f.*	colleague	colega, compañero	colega	同事	زميل
coller	to stick	pegar	colar	贴，贴近	ألصق
combien	how much / many	cuánto	quanto	多少	كم
commander	to order	ordenar, pedir	encomendar	指挥，订购	طلب
comme	as	como	como	由于，如同，好像	مِثْلُ
commencer	to begin	empezar	começar	开始，起头	بدأ
comment	how	cómo	Como	如何，怎么	كيف
commerce, *m.*	shop	comercio	comercio	商店，店铺	متجر
communication (téléphonique), *f.*	phone call	comunicación (telefónica)	comunicação (telefonica)	通话（电话）	اتصال
comparer	compare	comparar	comparar	比较，对照	قارن
compléter	to complete	completar	completar	补足，使完整	أكمل
comprendre	to understand	comprender	compreender	了解，明白	فهِمَ
concert, *m.*	concert	concierto	concerto	音乐会，演唱会	حفل موسيقي
confirmer	to confirm	confirmar	confirmar	证实，确认	أكد
confortable	comfortable	confortable, cómodo	confortavel	舒适的	مُريحٌ
connaître	to know	conocer	conhecer	知道，懂得，认识	عَرَفَ
conseiller	to advise	aconsejar	aconselhar	建议，劝告	نَصَحَ
content	pleased	contento	contente	高兴的，满意的	فرِحٌ
continuer	to continue	continuar	continuar	继续	استمر
contraire	contrary	contrario	contrario	相反的	عَكسُ
convenir	to suit	convenir	convir	约定，同意	اتفق مع
copain, *m.*	friend	amigo	companheiro	朋友，伙伴	صاحب
côte à côte	side by side	al lado	lado a lado	并肩的	جنباً إلى جنبٍ
courage, *m.*	courage	valor	coragem	勇气，胆量	شجاعة
courriel, *m.*	e-mail	correo electrónico	correio electronico	电邮	بريد إلكتروني
cours, *m.*	course	curso	curso	水流，行情，课程	درس
courses, *f. pl.*	shopping	compras	compras	购物	تسوق
court	short	corto	curto	短的	قصير
coûter	to cost	costar	custar	值多少钱，花费	كلّف
couvrir	to cover	cubrir, tapar	cobrir	包，覆盖	غطى
croire	to think	creer	crer	认为，以为	اعتقد
cuisine (faire la ...), *f.*	cooking	cocina	cozinha	菜肴	الطهي
cuisine (salle), *f.*	kitchen	cocina	cozinha	厨房	المطبخ
cuisiner	to cook	cocinar	cozinhar	烹饪，做饭	طَبَخَ
culturel	cultural	cultural	cultural	文化的	ثقافي
curieux	curious	curioso	curioso	好奇的，古怪的	فضولي

D

français	anglais	espagnol	portugais	chinois	arabe
d'abord	first of all	en primer lugar	primeiro	首先，一开始	أولا
d'accord	allright	de acuerdo	de acordo	同意，赞成	موافق
d'ailleurs	by the way	además	alias	况且，此外	فضلا عن
dangereux	dangerous	peligroso	perigoso	危险的，有害的	خطير
danser	to danse	bailar	dançar	跳舞	رَقصَ
déchets, *m. pl.*	waiste	desperdicios	residuos	废物，残渣	نفايات
découvrir	discover	descubrir	descobrir	暴露，发现	اكتشف
décrire	describe	describir	descrever	描述，描写	وَصَفَ
déjeuner	to have lunch	comer	almoçar	用午餐，午饭	غداء
demander	to ask	preguntar	pedir	请求，询问	طَلبَ
déménager	to move	mudarse	mudar de casa	搬家	غيّر المسكن
départ, *m.*	departure	salida	partida	出发，动身，起飞	انطلاق
description, *f.*	description	descripción	descrição	描述，叙述	وصْف
désolé	sorry	afligido, lo siento	desolado	感到抱歉的，痛心的	متأسف
dessert, *m.*	dessert	postre	sobremesa	甜点	تَحْلِيَة
dessin, *m.*	drawing	dibujo	desenho	图画，素描	رسم
destination, *f.*	destination	destino	destino	目的地	وُجْهة
détester	to hate	detestar	detestar	讨厌，憎恨	بَغَضَ
devenir	to become	volverse	tornar-se	变成，成为	صار
deviner	to guess	adivinar	adivinhar	猜测	خمّن
devoir	to must	deber	ter de	义务	وَجَبَ
devoir, *m.*	homework	deberes	trabalhos de casa	功课，作业	واجب منزلي
dialogue, *m.*	dialog	diálogo	dialogo	对话，谈判	حوار

français	anglais	espagnol	portugais	chinois	arabe
différent	different	diferente	diferente	不同的	مختلف
difficile	difficult	difícil	difícil	困难的	صعب
dimanche, *m.*	Sunday	domingo	domingo	星期日	الأحد
dîner	to dine	cenar	jantar	吃晚饭，晚餐	عشاء
directeur, *m.*	director	director	director	经理，主任	مدير
discret	discreet	discreto	discreto	谨慎的，低调的	كتوم
discrétion	dicretion	discreción	discrição	谨慎，低调	تكتم
discuter	to discuss	discutir	discutir	讨论，争论	تَحَدَّث
divorce, *m.*	divorce	divorcio	divórcio	离婚，分离	طلاق
documentaliste, *m.* ou *f.*	archivist	documentalista	documentalista	档案员，资料员	مُوثق
dommage	what a pity	pena	danos	损失，损害	ضرر
donner	to give	dar	dar	给予，交付	أعطى
dormir	to sleep	dormir	dormir	睡觉	نام
douceur, *f.*	softness	suavidad	suavidade	甜蜜，温柔	رقة
douche, *f.*	shower	ducha	duche	淋浴	مرش
drôle	funny	gracioso	engraçado	好笑的，有趣的	مُضحِك
dynamique	dynamic	dinámico	dinamico	活跃的，有活力的	نشيط

E

français	anglais	espagnol	portugais	chinois	arabe
écho, *m.*	echo	eco	eco	回音，回声	صدى
école, *f.*	school	escuela	escola	学校	مدرسة
écouter	to listen	escuchar	ouvir	听，聆听	أصغى
égal	equal	igual	igual	相等的，平等	مساو
embrasser	to kiss	besar	beijar	拥抱，亲吻	حضَن
émouvant	moving	conmovedor	comovente	感动人的	مُؤثر
emporter	to take	llevar(se)	levar	带走，拿走	أخَذ
en face (de)	facing	en frente (de)	à frente (de)	在…的对面	قبالة
en retard	late	llegar tarde	atrasado	迟到，耽搁	بعد فوات الأوان
enchanté	delighted	encantado	encantado	非常高兴的	مسرور
encore	still, again, more	todavía, otra vez	ainda	仍，还，再	لا يزال ، مزيدا
endroit, *m.*	place	lugar	direito	地点，场所	مكان
énervé	annoyed	enfadado	enervado	不安的，恼火的	مُتَوَتِّر
enfant, *m.*	child	niño, hijo	criança, filho	儿童，小孩，子女	ابن، طفل
enfin	at last	por último	afinal	终于，总之，最后	أخيرا
ensemble	together	juntos	conjunto	共同，一起	معاً
ensuite	then	luego, después	depois	然后，接着	ثمّ
entendre	to hear	oír	ouvir	听见，明白	سَمِعَ
entreprise, *f.*	company	empresa	empresa	企业，公司	مؤسسة
environ	about	aproximadamente	cerca de	大约，差不多	حوالي
envoyer	to send	enviar	enviar	派送，邮寄	بَعَثَ
épais	thick	grueso	espesso	厚的	سميك
équilibre, *m.*	balance	equilibrio	equilibrio	平衡，均衡	توازن
escalade, *f.*	climbing	escalada	escalada	攀登，攀岩	تسلق
étape, *f.*	stage	etapa	etapa	阶段，休息处	مرحلة
éteindre	to switch off	apagar	desligar	熄灭，关掉	أطفأ
être	to be	ser, estar	ser	是	كان، يكون
étudier	to study	estudiar	estudar	学习，研究	دَرَسَ
excellent	excellent	excelente	excelente	出色的，杰出的	ممتاز
exemple, *m.*	example	ejemplo	exemplo	例子，榜样	مثال
exercice, *m.*	exercise	ejercicio	exercicio	练习，训练，习题	تمرين
expliquer	to explain	explicar	explicar	解释，说明	شَرَحَ
exposition, *f.*	exhibition	exposición	exposição	展览，陈列	معرض

F

français	anglais	espagnol	portugais	chinois	arabe
facile	easy	fácil	facil	简单的，容易的	سهل
facteur, *m.*	postman	cartero	carteiro	邮差	ساعي البريد
faire	to do / make	hacer	fazer	做	قام بـ
faire attention (à)	to be careful of	prestar atención (a)	ter cuidado (a)	注意，留意，小心	انتبه إلى
famille, *f.*	family	familia	familia	家庭，亲属	أسرة
famille monoparentale, *f.*	one-parent family	familia monoparental	familia monoparental	单亲家庭	أسرة بوالدين مثليين
famille recomposée, *f.*	blended family	familia reconstituida	família recomposta	再婚家庭	أسرة مكونة من جديد
fatigant	tiring	cansado	cansativo	使人疲劳的，累人的	مُرْهِق
fatigué	tired	cansado	cansado	疲劳的	مُرْهَق
fauteuil, *m.*	armchair	sillón	sofá	扶手椅	أريكة
faux	wrong	falso	falso	错误	خاطئ
femme, *f.*	woman	mujer	mulher	女人，妻子	امرأة
fenêtre, *f.*	window	ventana	janela	窗户	نافذة
fête, *f.*	party	fiesta	festa	节日，庆祝会	حفلة
fêter	to celebrate	celebrar	festejar	庆祝	احتفل

français	anglais	espagnol	portugais	chinois	arabe
fiche, *f.*	card	ficha	ficha	卡片，登记卡	جُذاذَة
fichier, *m.*	file	fichero	ficheiro	文件	ملف
fille, *f.*	girl, daughter	chica, hija	rapariga, filha	女孩，少女，女儿	بنت، طفلة
fin, *f.*	end	fin	fim	结束，尾声	نهاية
finir	finish	acabar	acabar	结束，终止	أنهى
fixer un rendez-vous	to arrange a meeting	darse cita	marcar um encontro	定下约会	حَدَّد موعد
fleur, *f.*	flower	flor	flor	花	زهرة
flic, *m.*	cop	poli	bofia	警察（俗称）	شرطي
fois, *f.*	times	vez, veces	vezes	次数	مَرّة
fort	strong	fuerte	forte	堡垒，强壮的，强健的	قوي
frapper (à la porte)	to knock	llamar (a la puerta)	bater (a porta)	敲门	طَرَقَ
frère, *m.*	brother	hermano	irmão	兄弟，同胞	أخ
fringue, *f.*	garment	ropa	roupa	衣服（俗称）	لباس
frisé	curly	rizado	frisado	卷曲的	مُجَعّد
fumer	to smoke	fumar	fumar	抽烟	دَخّن
G					
gagner	to win	ganar	vencer	赚得，赢得	رَبِحَ
garder	to keep	cuidar, ocuparse	cuidar	照料，看管	حراسة الحيوان
gare, *f.*	station	estación	estação de comboio	火车站	محطة قطار
garer	to park	aparcar	estacionar	停放车辆	رَكَنَ
gâteau, *m.*	cake	pastel	bolo	蛋糕	حلوى
génial	great	genial	genial	天才的，有才华的，很棒的	رائع
gentil	kind	bueno	simpatico	体贴的，和蔼可亲的	خَيِّر
golfe, *m.*	gulf	golfo	golfo	高尔夫球	خليج
goût, *m.*	taste	gusto	sabor	味道，品味	ذَوْق
gramme, *m.*	gram	gramo	grama	克	جرام
grand	tall	grande	grande	高大的，伟大的，壮丽的	كبير
gris	grey	gris	cinzento	灰色，灰色的	رمادي
gronder	to tell off	reñir	ralhar	嘟哝，低声埋怨	زَمْجَرَ
grossir	to get fat	engordar	engordar	发胖，增大	غَلُظَ
groupe, *m.*	group	grupo	grupo	组，团体	فوج
H					
habitant, *m.*	occupant	habitante	habitante	居民	ساكن
habiter	to live in	vivir	morar	居住	سَكَنَ
handicapé	disabled	minusválido	deficiente	残疾人士	مُعَاقٌ
haut	high	alto	alto	高，高耸的	عالي
hébergement, *m.*	accomodation	alojamiento	alojamento	留宿，收容	إيواء
héros, *m.*	heroe	héroe	herois	主角，英雄	أبطال
heureux	happy	feliz	feliz	幸福的	سعيد
histoire, *f.*	story	historia	historia	故事，历史	تاريخ
hôpital, *m.*	hospital	hospital	hospital	医院	مستشفى
horizons, *m. pl.*	horizons	horizontes	horizonte	地平线	آفاق
horreur, *f.*	horror	horror	horror	憎恨	فَزَعٌ
hôtel, *m.*	hotel	hotel	hotel	旅馆，大饭店	فندق
I					
ici	here	aquí	aqui	这里	هنا
idée, *f.*	idea	idea	ideia	念头，想法	فكرة
île, *f.*	island	isla	ilha	岛屿	جزيرة
illusion, *f.*	illusion	ilusión	ilusão	幻觉，幻象	وَهْم
imaginer	to imagine	imaginar	imaginar	想象，设想	تخَيل
immeuble, *m.*	building	edificio	imovel	楼房	بناية
incroyable	incredible	increíble	incrivel	令人难以置信的	عجيب
indiquer	to point out	indicar	indicar	指出，表明	بَيَّن
informaticien, *m.*	computer scientist	informático	informático	电脑工程师	مختص بالحاسوب
inoubliable	unforgettable	inolvidable	inesquecivel	难忘的	لا يُنْسَى
interdit	forbidden	prohibido	proibido	禁止的	ممنوع
intéressant	interesting	interesante	interessante	有趣的，精彩的	مثير للاهتمام
interroger	to question	interrogar	interrogar	询问，提问	سأل
intolérance, *f.*	intolerance	intolerancia	intolerancia	不宽容，不能忍受	تَزَمُّت
inventer	to invent	inventar	inventar	发明，捏造	اخترع
inviter	to invite	invitar	convidar	邀请	دعا
J					
jamais	never	jamás, nunca	nunca	曾经，从未	أبدا
jardin, *m.*	garden	jardín	jardim	花园，公园	حديقة

français	anglais	espagnol	portugais	chinois	arabe
jaune	yellow	amarillo	amarelo	黄色，黄色的	أصفر
jeter	to throw	tirar	deitar fora	扔，掷	رمى
jeudi, *m.*	Thursday	jueves	quinta	星期四	الخميس
jeune	young	joven	jovem	年轻的，年轻人	صيام
joint	enclosed	adjunto	em anexo	附上的	مُرْفَق
joli	pretty	bonito	lindo	漂亮的，好看的	بَهِيّ
jouer	to play	jugar, actuar	jogar	玩游戏，扮演	تَظَاهَرَ
jour, *m.*	day	día	dia	天，日	يوم
journaliste, *m.* ou *f.*	journalist	periodista	jornalista	记者	صحفي
journée, *f.*	day	jornada	dia	天，白昼	نهار
joyeux	joyful	jovial	alegre	高兴的，快乐的	سعيد
jumeau, *m.* (jumelle, *f.*)	twin	gemelo (gemela)	gemeo (gemea)	双胞胎	توأم
jupe, *f.*	skirt	falda	saia	裙子	تنورة
jusqu'à	until	hasta	ate	直到…	إلى أن
juste	just	sólo	apenas	仅，只	فقط
K					
kilomètre, *m.*	kilometre	kilómetro	quilometro	公里	كيلومتر
L					
lavabo, *m.*	washbasin	lavabo	lavabo	盥洗盆	حوض الغسيل
lave-linge, *m.*	washing machine	lavadora	maquina de lavar roupa	洗衣机	غسالة الملابس
laverie, *f.*	laundry	lavandería	lavandaria	洗衣店	مغسلة
lecture, *f.*	reading	lectura	leitura	阅读	قراءة
libre	free	libre	livro	空闲的，自由的	حر
lieu, *m.*	place	lugar	lugar	地方，场所	مكان
lire	to read	leer	ler	阅读，看懂	قرأ
lit, *m.*	bed	cama	cama	床	سرير
littérature, *f.*	literature	literatura	literatura	文学	أدب
livre, *m.*	book	libro	livro	书	كتاب
location, *f.*	rental	alquiler	aluguer	租赁，出租	كراء
loin	far	lejos	longe	遥远，久远	بعيد
loisirs, *m. pl.*	leisure activities	ocio, ocios	lazeres	消遣	تسلية
long	long	largo	longe	长的	طويل
lumière, *f.*	light	luz	luz	光线	نور
lundi, *m.*	Monday	lunes	segunda	星期一	الإثنين
lunettes, *f. pl.*	glasses	gafas	óculos	眼镜	نظارات
M					
madame	Mrs, madam	señora	senhora	女士，夫人，太太	سيدة
mademoiselle	miss	señorita	menina	小姐	آنسة
magnifique	magnificent	magnífico	magnifico	壮丽的，宏伟的	عظيم
maigrir	to lose weight	adelgazar	emagrecer	变瘦，消瘦	نَحِفَ
main, *f.*	hand	mano	mão	手	يد
maintenant	now	ahora	agora	现在，目前	الآن
maison, *f.*	house	casa	casa	房子，家	منزل
malade	ill	enfermo	doente	病人，生病的	مريض
maladroit	clumsy	torpe	desajeitado	笨拙的	أرْعَن
manger	to eat	comer	comer	吃，吃饭	أكَلَ
marcher	to walk	caminar, andar	andar a pe	行走	مشى
mardi, *m.*	Tuesday	martes	terça	星期二	الثلاثاء
mari, *m.*	husband	marido	marido	丈夫	زَوْج
mariage, *m.*	marriage	boda	casamento	结婚，婚姻	زواج
marié	married	casado	noivo	已婚的	متزوج
marron	brown	marrón	castanho	栗子，栗色的	بنيّ
match, *m.*	match	partido	jogo	比赛，竞赛	مقابلة
mauvais	bad	malo	pessimo	坏的，有害的	سيء
médecin, *f.* ou *m.*	doctor	médico	medico	医生	طبيب
médecine, *f.*	medicine	medicina	medicina	医学	الطب
mélanger	to mix	mezclar	misturar	混合	أخْلَطَ
même	same	mismo	mesmo	相同的，甚至	نفس
mer, *f.*	sea	mar	mar	海	بحر
merci	thanks	gracias	obrigado	谢谢	شكرا
mercredi, *m.*	Wednesday	miércoles	quarta	星期三	الأربعاء
mère, *f.*	mother	madre	mãe	母亲	أمّ
merveilleux	wonderful	maravilloso	maravilhoso	出色的，绝妙的	باهِر
message, *m.*	message	mensaje	mensagem	留言，信件，消息	رسالة
métissé	mixed	mestizo	mulato	混血的	خِلاسِيّ
mètre, *m.*	metre	metro	metro	公尺，米	متر

français	anglais	espagnol	portugais	chinois	arabe
mettre	to put on	ponerse	vestir	穿着	ارتدى
meuble, *m.*	furniture	mueble	movel	家具	أثاث
mince	thin	delgado	magro	苗条的	نحيف
minute, *f.*	minute	minuto	minuto	分钟	دقيقة
miroir, *m.*	mirror	espejo	espelho	镜子	مرآة
mode, *f.*	fashion	moda	moda	时尚	الموضة
moderne	modern	moderno	moderno	现代的	عصري
moins	less	menos	menos	更少，较少	أقل
mois, *m.*	month	mes	mes	月份	شهر
moitié, *f.*	half	mitad	metade	一半	نصف
monsieur	mister	señor	senhor	先生	سيد
montagne, *f.*	mountain	montaña	montanha	山	جبل
montre, *f.*	watch	reloj	relogio	手表	ساعة اليد
montrer	to show	enseñar	mostrar	展示，指出，露出	أظهَرَ
mouche, *f.*	fly	mosca	mosca	苍蝇	ذبابة
moustache, *f.*	moustache	bigote	bigode	小胡子	شارب
multiplier	to multiply	multiplicar	multiplicar	增加，增多	ضاعف
mur, *m.*	wall	pared	parede	墙	جدار
musicien, *m.*	musician	músico	musico	音乐家，乐手	موسيقي
N					
nager	to swim	nadar	nadar	游泳	سَبَحَ
naissance, *f.*	birth	nacimiento	nascimento	出生，诞生	ولادة
national	national	nacional	nacional	民族的，国家的	وطني
nationalité, *f.*	nationality	nacionalidad	nacionalidade	国籍	جنسية
neige, *f.*	snow	nieve	neve	雪	ثلج
nez, *m.*	nose	nariz	nariz	鼻子	أنف
noir	black	negro	espelho	黑色，黑色的	أسود
noisette	hazel	color avellana	cor avelã	浅褐色	جَوْزِيّ
nom, *m.*	name	apellido	nome	姓名	لقب
nombril, *m.*	belly button	ombligo	umbigo	肚脐	سُرَّة
non	no	no	não	不是，没有	لا
note, *f.*	note	nota	nota	通知	ملاحظة
nouveau	new	nuevo	novo	新的	جديد
nul	useless	nulo, pésimo	péssimo	差劲的	بلا قيمة / رديء
numéro, *m.*	number	número	numero	号码	رقم
O					
océan, *m.*	ocean	océano	oceano	海洋，大洋	محيط
œil, *m.* (yeux, *m. pl.*)	eye (-s)	ojo (ojos)	olho (olhos)	眼睛	عيون، عين
œuf, *m.*	egg	huevo	ovo	蛋，卵	بيض
offrir	to offer	regalar	oferecer	赠送，提供，出价	أهدى
oiseau, *m.*	bird	pájaro	passaro	鸟	عصفور
orange	orange	naranja	laranja	橘色，橘色的	برتقالي
ordinateur, *m.*	computer	ordenador	computador	电脑	حاسوب
organiser	to organise	organizar	organizar	组织，安排	نظَّم
original	original	original	original	创新的，新颖的	أصيل
oublier	to forget	olvidarse	esquecer	忘记，遗忘	نسي
oui	yes	sí	sim	是，是的	نعم
P					
PACS, *m.*	civil partnership	pareja de hecho	pacto civil de solidariedade	法国民事同居协定	العقد المدني التضامني
page, *f.*	page	página	pagina	页，页面	صفحة
pain, *m.*	bread	pan	pão	面包	خبز
pantalon, *m.*	trousers	pantalón	calças	长裤，裤子	سروال
papier, *m.*	paper	papel	papel	纸张	ورق
parc, *m.*	park	parque	parque	公园	حظيرة
pardon	excuse me	perdón	desculpas	对不起，原谅	معذرة
pareil	same	igual	igual	相同的，如此	مماثل
parents, *m. pl.*	parents	padres	pais	父母亲	والدين
parfait	perfect	perfecto	perfeito	完美的	ممتاز
parfum, *m.*	perfume	perfume	perfume	香水	عطر
parler	to talk	hablar	falar	讲话，说话	تَكَلَّم
part, *f.*	piece	porción	fatia	块	أقْسُومَة
passeport, *m.*	passport	pasaporte	passaporte	护照	جواز سفر
passer (du temps)	to spend time	pasar (tiempo)	passar (tempo)	经过，度过（指时间）	تمضية الوقت
passion, *f.*	passion	pasión	paixão	热情，嗜好	شوق
pauvre (malheureux)	poor	pobre	pobre	可怜的，不幸的	تعيس

français	anglais	espagnol	portugais	chinois	arabe
pauvre (pas riche)	poor	pobre	pobre	穷人，贫穷的	فقير
payer	to pay	pagar	pagar	支付，偿还	دَفَعَ
penser (à)	to think of / about	pensar (en)	pensar (em)	想到，考虑	تذكّر
penser (de)	to think of / about	pensar (de)	achar (de)	认为，以为	أبدى رأيه في
percussions, *f. pl.*	percussion	percusiones	percussões	敲打乐器	طبول
perdre	to lose	perder	perder	失去，弄丢，糟蹋，迷失	فقَدَ
père, *m.*	father	padre	pai	父亲	أب
personnage, *m.*	character	personaje	personagem	人物，角色	شخصية
personne, *f.*	person	persona	pessoa	人	شخص
personne	no one, nobody	nadie	ninguem	没有人	أحد
petit	small	pequeño	pequeno	小的	صغير
peu	a little	poco	pouco	少的，不多	قليل
photo, *f.*	photo	foto	fotografia	相片，照片	صورة
phrase, *f.*	sentence	frase	frase	句子，词语	جملة
physique, *m.*	physical	físico	fisico	外表，长相	هيئة الشخص
pièce, *f.*	room	habitación	peça	房间	قاعة
pied, *m.*	foot	pie	pe	脚	قَدَمٌ
pilote, *m.*	pilot	piloto	piloto	驾驶员	طيّار
piscine, *f.*	swimming pool	piscina	piscina	游泳池	مسبح
placard, *m.*	cupboard	armario	armario	橱柜，壁橱	خزانة حائطية
place (lieu), *f.*	place	sitio	lugar	地方	موضع
place (... du village), *f.*	square	plaza	praça	广场	ساحة
plage, *f.*	beach	playa	praia	海滩	شاطىء
plaire	to like	gustar	agradar	使喜爱，讨好	أعْجَبَ
plaisanter	to joke	bromear	gozar	开玩笑	مازَحَ
plaisir, *m.*	pleasure	placer	prazer	高兴，乐趣	لذّة
plan, *m.*	map	plano	plano	地图，计划	مخطط
planche à voile, *f.*	windsurf	tabla de windsurf	prancha de vela	帆船	لوحة شراعية
plante, *f.*	plant	planta	planta	植物	نبتة
plein (de)	full	lleno (de)	cheio (de)	满，充满	ممتلىء بـ
plongée, *f.*	diving	submarinismo	mergulho	潜水	غطس
plus	more	más	mais	更，更多	أكثر
plus tard	later	más tarde	mais tarde	待会，稍后	لاحقا
plusieurs	several	varios	varios	好几个	عِدَّة
poli	polite	educado	polido	有礼貌的	مُؤَدَّب
pont, *m.*	bridge	puente	ponte	桥，甲板	جسر
porte, *f.*	door	puerta	porta	门	باب
porter	to wear	llevar	vestir	穿，穿着	لبِسَ
poser une question	to ask	hacer una pregunta	fazer uma pergunta	提出一个问题	طرح سؤالا
posséder	to possess	poseer	possuir	拥有，占有	إمْتَلكَ
possible	possible	posible	possível	可能的	ممكن
poste, *f.*	post office	correos	correios	邮局	مركز البريد
pouvoir	to can	poder	poder	能够，可以，权力	إسْتَطَاعَ
préférer	to prefer	preferir	preferir	宁可，偏爱	فضَّل
prendre	to take	coger, tomar	apanhar	搭乘，走上	أخَذَ
prénom, *m.*	first name	nombre	nome	名字	إسم
préparer	to prepare	preparar	preparar	准备	حضَّر
près (de)	close (to)	cerca (de)	junto (de)	靠近，临近	قُرْبَ
présenter	to introduce	presentar	apresentar	介绍，呈现，展出	قدَّم
prix, *m.*	price	precio	preço	价格	ثمن
prochain	next	próximo	proximo	下一个的，即将来到的	قادم
professeur, *m.*	teacher	profesor	professor	教授，教师	أستاذ
profession, *f.*	occupation	profesión	profissão	职业	مهنة
programme, *m.*	programme	programa	programa	节目，程式	برنامج
promettre	to promise	prometer	prometer	答应，允诺	وَعَدَ
proposer	to propose	proponer	propor	建议，提出	اقترح
puis	then	después, luego	depois	接着，然后	ثمّ
puisque	as, since	puesto que	porque	既然，因为	بما أن
pull, *m.*	pullover	jersey	camisola	毛衣，套衫	كنزة صوفية

Q

français	anglais	espagnol	portugais	chinois	arabe
quand	when	cuando	quando	何时，当	متى
quelqu'un	someone	alguien	alguem	某人	شخص ما
quelque chose	something	algo	qualquer coisa	某事	شيء ما
quelques	some	algunos	alguns	一些	بضع
question, *f.*	question	pregunta	pergunta	问题	سؤال
queue, *f.*	queue	cola	fila	队伍	طابور
quitter (son travail)	lo leave (work)	dejar (su trabajo)	sair (do trabalho)	离（职）	غادر

français	anglais	espagnol	portugais	chinois	arabe
quitter (la maison)	to leave (the home)	salir (de casa)	sair (da casa)	离（家）	انصرف
quitter (quelqu'un)	to leave (someone)	dejar (a alguien)	deixar (alguem)	离开（某人）	هَجَرَ
R					
rafting, *m.*	rafting	rafting	rafting	急流漂筏	رياضة التجديف
raide (cheveu)	straight	liso	esticado	直的（指头发）	مُستقيمٌ
ralentir	to slow down	frenar	abrandar	减速	تباطئَ
randonnée, *f.*	hiking	caminata	passeio	远足	تجوال
rapide	fast	rápido	rapido	快的，迅速的	سريع
rapidement	quickly	rápidamente	rapidamente	迅速地	بسرعة
rappeler	to call back	volver a llamar	voltar a ligar	回电	أعاد الاتصال
rarement	rarely	raramente	raramente	不常	نادرا
rater (le train)	to miss (the train)	perder (el tren)	perder (o comboio)	错过（火车）	لم يلحق بـ
rayer	to cross	tachar	riscar	画线，擦伤	شَطَبَ
recevoir	to receive	recibir	receber	收到	استقبل
recommander	to recommend	recomendar	recomendar	推荐，介绍	أوصى
reconnaître	to recognise	reconocer	reconhecer	认出，辨认出	تعرف على
réfléchir	to think	reflexionar	reflectir	思考，考虑	فكّر
refuge, *m.*	refuge	refugio	refugio	高山小屋	مَلاذٌ
refuser	to refuse	rechazar	recusar	拒绝	رَفَضَ
regarder	to look at	mirar	olhar	看，注视，涉及	نَظَرَ
région, *f.*	region, area	región	região	地区	منطقة
regret, *m.*	regret	pesar	arrependimento	遗憾，悔恨	نَدَمٌ
regretter	to regret	lamentar	arrepender-se	惋惜，悔恨，感到遗憾	نَدَمَ
remarquer	to notice	darse cuenta	observar	看到，指出	لاحظ
remplir	to fill	rellenar	encher	填写，充满	عبّأ
rencontrer	to meet	conocer, encontrar	encontrar	碰见，会见	التقى
rendez-vous, *m.*	appointment	cita	encontro	约会，	موعد
rentrer	to be on the way home	volver	entrar	回家	دَخَلَ
repas, *m.*	meal	comida	refeição	餐，饮食	وجبة
répéter	to repeat	repetir	repetir	重复	كرّر
répondre	to answer	responder	responder	回答，答复	أجاب
reposant	relaxing	relajante	tranquilizador	使闲适的，使得到安静的	مُريحٌ
réserver	to book	reservar	reservar	保留，预定	حَجَزَ
résidence, *f.*	residence	residencia	residência	住宅，寓所	مسكن
responsable, *m.*	manager	responsable	responsavel	主管，负责人	مسئول
ressembler à	to be / look like	parecerse a	parecer-se com	相似，与…相象	يُشبه
restaurant, *m.*	restaurant	restaurante	restaurante	餐厅，餐馆	مطعم
rester	to remain	quedarse	ficar	留下，剩下，保持某种状态	بقى
retrouver	to find (again)	encontrar	encontrar	重新找到，再见面，恢复	استرجع
revenir	to come back	volver	voltar	再来，回到	عَادَ
ridicule	ridiculous	ridículo	ridiculo	滑稽的，可笑的	مَسْخَرَة
rien	nothing	nada	nada	什么也没有，什么也不	لا شيء
rire, *m.*	laughter	risa	riso	笑，发笑	ضَحِكٌ
rivière, *f.*	river	río	rio	河，河流	نَهْر
robe, *f.*	dress	vestido	vestido	洋装，连身裙	فستان
roman, *m.*	novel	novela	romance	小说	رواية
rose	pink	rosa	rosa	玫瑰，粉红色，粉红色的	وردة
rouge	red	rojo	vermelho	红色，红色的	أحمر
rouler	to drive	rodar	rolar	使滚动，行驶	سار
rue, *f.*	street	calle	rua	马路，街道	طريق
rythme, *m.*	rhythm	ritmo	ritmo	节拍，节奏	وتيرة
S					
s'appeler	to be called	llamarse	chamar-se	名叫，称为	اسم
s'énerver	to get worked up	enfadarse	enervar-se	恼火，心烦意乱	قلِقَ
s'excuser	to apologise	pedir disculpas	desculpar-se	表示歉意，请求原谅	اعتذر
s'habiller	to dress	vestirse	vestir-se	穿衣	ارتدى
s'il te plaît	please	por favor	por favor	请，请你	من فضلك
s'il vous plaît	please	por favor	por favor	请，请您	من فضلكم
s'informer	to inquire	informarse	informar-se	打听，询问，了解	استفسر
sac, *m.*	bag	bolsa / bolso	mala	包，袋	حقيبة
salle de bains, *f.*	bathroom	cuarto de baño	casa de banho	浴室	حمّام
salon, *m.*	living room	salón	salão	客厅，会客室	صالون
salut	hi	hola	ola	致敬，你好	مرحبا

français	anglais	espagnol	portugais	chinois	arabe
samedi, *m.*	Saturday	sábado	sabado	星期六	السبت
s'amuser	to have fun	divertirse	divertir-se	游乐，玩耍	تسلى
santé, *f.*	health	salud	saude	健康	صِحّة
s'asseoir	to sit	sentarse	sentar-se	坐下	جَلَسَ
sauf	except	salvo	excepto	除…以外	ما عدا
se baigner	to have a swim	bañarse	tomar banho	洗澡，沐浴	استحم
se coucher	to go to bed	acostarse	tomar duche	就寝，睡觉	نام
se dépêcher	to hurry	darse prisa	despachar-se	赶紧，赶快	أسرع
se laver	to wash	lavarse	lavar-se	洗澡，沐浴	غَسَلَ
se lever	to get up	levantarse	levantar-se	起床，起身	نَهَضَ
se maquiller	to make up	maquillarse	maquilhar-se	化妆	تَزَيَّن
se marier	to get married	casarse	casar-se	结婚，成亲	تزوّج
se présenter	to introduce oneself	presentarse	apresentar-se	拜访，自我介绍，自我推荐	قدّم نفسه
se promener	to do for a walk	pasear	passear	散步，漫步	تجوّل
se ressembler	to look alike	parecerse	juntar-se	相像，相似	شابه
se tromper	to make a mistake	equivocarse	enganar-se	弄错，搞错	أخطأ
séjour, *m.*	stay	estancia	estadia	逗留，居住	إقامة
semaine, *f.*	week	semana	semana	星期，礼拜	أسبوع
sembler	to seem	parecer	parecer	似乎，好像	بدا
s'en aller	to leave	irse	ir embora	出去，离开，消失	انصرف
s'ennuyer	to be bored	aburrirse	aborrecer-se	感到无聊	سَئِمَ
sensation, *f.*	feeling	sensación	sensação	感觉，轰动	إحساس
sentier, *m.*	path	sendero	caminho	小径	زُقاق
sérieux	serious	serio	serio	认真的，正经的	جاد
seul	alone	solo	so	单独的，唯一的	وحيد
si	yes	sí	sim	是，是的	بلى
simple	simple	simple	simples	简单的，单纯的	بسيط
s'installer	to settle	instalarse	instalar-se	安家，定居	استقر
situer	to locate	situar	situar	位于，在…里	حدد موقعا
société, *f.*	company	sociedad	sociedade	公司，企业	شركة
sœur, *f.*	sister	hermana	irmã	姐妹	أخت
soir, *m.*	evening	noche	noite	晚上，夜晚	أمسية
soirée, *f.*	evening, party	velada	noite	晚间，晚会，派对	سهرة
soleil, *m.*	sun	sol	sol	太阳	شمس
sonner	to ring	llamar al timbre	tocar	按铃，鸣响	رنّ
sophistiquée	sophisticated	sofisticada	sofisticada	迷人、世故的女子	معقد
souhaiter	to wish	desear	desejar	希望，祝愿	تمنى
souliers, *m. pl.*	shoes	zapatos	sapatos	鞋，皮鞋	حذاء
souligner	underline	subrayar	sublinhar	强调，着重	وضع خطا تحت
souvenirs, *m. pl.*	memories	recuerdos	lembranças	回忆，记起	ذكريات
souvent	often	a menudo	frequentemente	经常地	غالبا
spécialité, *f.*	speciality	especialidad	especialidade	特色，特产，专长，拿手菜	تخصص
sport, *m.*	sport	deporte	desporto	运动，体育活动	رياضة
sportif	athletic	deportivo	desportivo	爱好运动的	رياضي
station, *f.*	station	estación	estação	车站，电台	محطة
studio, *m.*	studio flat	estudio	estudio	单间公寓，小套房	شقة صغيرة
stylo, *m.*	pen	bolígrafo	esferografica	钢笔，自来水笔	سيالة
sucre, *m.*	sugar	azúcar	açucar	糖	سكر
sud, *m.*	south	sur	sul	南，南方，南部	جنوب
surprise, *f.*	surprise	sorpresa	surpresa	惊讶，意想不到的事	مفاجأة
sympa	nice	majo	simpatico	友好的，讨人喜欢的	ظريف
sympathique	friendly	simpático	simpatico	给人好感的	ودود

T

français	anglais	espagnol	portugais	chinois	arabe
table, *f.*	table	mesa	mesa	桌子	طاولة
tableau (œuvre), *m.*	painting	cuadro	quadro	绘画，画作	لوحة فنية
tableau (noir), *m.*	blackboard	pizarra	quadro	黑板	لوحة سوداء
talent, *m.*	talent	talento	talento	天赋，才能	براعة
tant pis	never mind	qué le vamos a hacer	não faz mal	可惜，算了，活该	يا للخيبة
tapis, *m.*	carpet	alfombra	tapete	地毯，毯子	سجادة
tard	late	tarde	tarde	晚，迟	متأخرا
tarif, *m.*	tariff	tarifa	tarifa	价格，价目表	تسعيرة
tasse, *f.*	cup	taza	taça	杯子	فنجان
tchao	cheerio	chao	tchao	再见，拜拜	إلى اللقاء
tee-shirt, *m.*	tee shirt	camiseta	tee-shirt	短袖圆领汗衫	قميص
téléphone portable, *m.*	mobile phone	teléfono móvil	telemovel	手机，移动电话	هاتف محمول
téléphoner à	to phone	llamar (por teléfono) a	telefonar a	打电话给…	هتف إلى

français	anglais	espagnol	portugais	chinois	arabe
tellement	so much / many	tan, tanto	tanto	这么地，如此地	إلى حد بعيد
têtu	stubborn	cabezota	teimoso	固执的	عنيد
texte, *m.*	text	texto	texto	课文，文章，原文	نص
thé, *m.*	tea	té	cha	茶，茶叶	شاي
théâtre, *m.*	theatre	teatro	teatro	戏剧，剧院	مَسْرح
timide	shy	tímido	timido	害羞的，害怕的	خجول
toilettes, *f. pl.*	toilet	servicios	wc	洗手间，厕所	مرحاض
tomber	to fall	caerse	cair	跌到，倒下	سَقَطَ
tôt	early	pronto	cedo	早	باكرا
toujours	always	siempre	sempre	总是，永远，依然	دائما
touriste, *m.* ou *f.*	tourist	turista	turista	游客，观光客	سائح
touristique	tourist	turístico	turistico	旅游的，观光的	سياحي
tourner	to turn	girar	rodar	使旋转，翻转，转向	أدار
tout de suite	straight away	enseguida	logo	立刻，马上	في الحين
tout le monde	every one	todo el mundo	toda a gente	所有人，每个人	جميعا
train, *m.*	train	tren	comboio	火车	قطار
tramway, *m.*	tram	tranvía	electrico	有轨电车	تراموا ي
tranquille	quiet	tranquilo	tranquilo	安心的，平静的	مُطْمَئِنّ، هادئ
travailler	to work	trabajar	trabalhar	工作，学习，用功	عَمَلَ
traverser	to cross	atravesar	atravessar	穿过，横渡	قَطَعَ
triste	sad	triste	triste	凄凉的，可悲的	حزين
trop	too much / many	demasiado	demasiado	太，过多地，非常，过分	فوق اللزوم
trop tard	too late	demasiado tarde	demasiado tarde	太晚，太迟	متأخر
trottoir, *m.*	pavement	acera	passeio	人行道	رصيف
troublant	disturbing	inquietante	perturbador	扰乱人心的，撩人的	مُرْبك
trouver	to find	encontrar	encontrar	找到，发现，觉得	وجد
type, *m.*	type	tipo	tipo	类型，典型	نوع
U					
université, *f.*	university	universidad	universidade	大学	جامعة
V					
vacances, *f. pl.*	holidays	vacaciones	ferias	假期，休假	عطلة
vaincre	to defeat	vencer	vencer	战胜，击败	غَلَبَ
vase, *m.*	vase	jarrón	vaso	花瓶，壶，罐	إناء
vélo, *m.*	bike	bicicleta	bicicleta	自行车，单车	دراجة
vendredi, *m.*	Friday	viernes	sexta	星期五	الجمعة
venir	to come	venir	vir	来，来到	جاء
vent, *m.*	wind	viento	vente	风，趋势	ريح
ventre, *m.*	stomach	vientre	barriga	肚子，腹部	بطن
vérifier	to check	verificar	verificar	检查，核对	تحقق
verre, *m.*	glass	vaso	copo	玻璃，玻璃杯	كأس
vert	green	verde	verde	绿色，绿色的	أخضر
vertige, *m.*	vertigo	vértigo	vertigem	头晕，晕眩	دُوَّار
veste, *f.*	jacket	chaqueta	casaco	上装，外套	سترة
vêtement, *m.*	clothing	ropa	roupa	服装，衣着	ثياب
vieillir	to grow old	envejecer	envelhecer	年老，衰老，变旧	هَرِمَ
vieux	old	viejo	velho	老的，衰老的，长者	عجوز
ville, *f.*	city	ciudad	cidade	城市，城区	مدينة
visage, *m.*	face	rostro	rosto	脸，面孔	وَجْه
visiter	to visit	visitar	visitar	访问，拜访，探望	زار
vite	fast	rápido	rapido	快，赶快，迅速	بسرعة
voisin, *m.*	neighbour	vecino	vizinho	隔壁，邻居	جار
voiture, *f.*	car	coche	automovel	汽车，轿车	سيارة
vol (en avion), *m.*	flight	vuelo (en avión)	voo (de avião)	飞行，班机	طيران
vouloir	to want	querer	querer	想要，期待	أراد
voyage, *m.*	journey	viaje	viagem	旅行，旅程	سفر
vrai	true	verdadero	verdade	错误	حقيقي
vraiment	really	realmente	realmente	的确，真实地	حقا
vue, *f.*	sight	vista	vista	视觉，视线，景色	منظر
W					
week-end, *m.*	weekend	fin de semana	fim-de-semana	周末	نهاية الأسبوع
Y					
yeux, *m. pl.*	eyes	ojos	olhos	眼睛	عيون
Z					
zut	damn	¡vaya!	chiu!	（俗）可恶！去他的！	أفّ

Corrigés des autoévaluations

Autoévaluation 1 – page 40

1 (~~salut~~ / bonjour) – (~~Au revoir~~ / Bienvenue) – (~~bonjour~~ / merci) – (~~S'il vous plaît~~ / Je vous en prie)

2 **1.** Bonjour ; s'il vous plaît – Merci
2. vous allez – et vous
3. Bonjour / Salut ; tu – et toi

3 Elle habite à Bruxelles. – Elle s'appelle Linda. – Elle est belge. – Elle a 21 ans. – Elle aime beaucoup le tennis.

4 **1.** vrai – **2.** ? – **3.** faux – **4.** faux – **5.** faux – **6.** ?

5 **1.** Vous vous appelez comment ? – **2.** Quelle est votre adresse électronique ? – **3.** Vous avez quel âge ? – **4.** Vous habitez où ? – **5.** Quelle est votre nationalité ? – **6.** Quel est votre numéro de téléphone ?

6 j'adore, **j'aime beaucoup**, **j'aime bien**, **je n'aime pas**, je n'aime pas du tout, **je déteste**

7 **1.** (mon / ~~ma~~ / ~~mes~~) – **2.** (~~votre~~ / ton / ~~sa~~) – **3.** (~~ses~~ / leur / ~~leurs~~) – **4.** (~~mes~~ / ~~ma~~ / ton)

8 – zéro, **cinq**, dix, quinze, vingt, **vingt-cinq**
– cinquante, soixante, **soixante-dix**, **quatre-vingts**
– soixante-deux, **soixante-quatre**, soixante-six, soixante-huit, **soixante-dix**

9 **1.** vais **aller** – **2. vas** travailler – **3.** vont écouter – **4. va** habiter

Autoévaluation 2 – page 76

1 **1.** Je voudrais un verre d'eau. – **2.** Tu pourrais m'aider ?– **3.** Je pourrais vous demander quelque chose ? – **4.** Vous pourriez me donner votre numéro de téléphone, s'il vous plaît ?

2 a eu – a fêté – n'a pas voulu – a fait – a pris – a reçu – a passé

3 (Proposer) — Ça te (vous) dit un restaurant chinois ? / Je te (vous) propose d'aller au restaurant chinois. / Tu veux (Vous voulez) aller au restaurant chinois ?...
(Accepter) — D'accord ! / Ça marche ! / Avec plaisir...
(Refuser) — Ah ! non, je suis désolé(e) mais je ne peux pas. / Non merci, ça ne me dit rien...

4 **1.** le 16 juin 2008 – **2.** en juillet / au mois de juillet – **3.** samedi – **4.** en 2012 – **5.** en septembre / au mois de septembre

5 **1.** (~~Oui, ça va.~~ / Oui, vous êtes libre jeudi matin ? / ~~Ah, mais je ne suis pas libre lundi.~~) – **2.** (Non, je ne peux pas, désolé. / ~~Euh, non, l'après-midi, ce n'est pas possible.~~ / ~~Oui, ça va, le lundi, c'est très bien.~~)

6 Quelle horreur, ce film ! – Les lunettes de soleil n'ont pas plu à Fabio. – Quel joli cadeau ! – Ça me plaît beaucoup.

7 C'est combien ? / Ça coûte combien ? – C'est cher ! / Ça coûte cher ! – coûte combien ? / coûte cher ?

8 **1.** pas – **2.** trop de – **3.** de l' – **4.** peu

Autoévaluation 3 – page 112

1 **a)** Phrases n°1, 4, 5
b) **1.** à droite – **2.** prends – **3.** jusqu'au bout

2 **a)** **1.** au cinéma – **2.** du bureau – **3.** aux toilettes
b) **1.** en face de – **2.** au coin – **3.** dans

3 **a)** Il est interdit de prendre des photos. – Vous devez utiliser votre dictionnaire. – Présentez votre passeport à l'entrée.
b) **1.** attends – **2.** Mettez – **3.** Ne faites pas

4 **a)** 1a – 2a – 3b
b) **1.** Tu pourrais demander à ton prof ! – **2.** Il faut faire attention ! – **3.** Il ne faut pas prendre l'avion !

5 C'est une petite ville de 5 000 habitants. – Il y a environ 3 millions d'habitants. – Elle possède de belles maisons anciennes. – On peut y faire de nombreuses activités sportives. – On trouve beaucoup de châteaux dans la région.

6 **a)** Phrases n° 2, 3, 5
b) **1.** se trouve – **2.** au milieu – **3.** au bord

7 **1.** la première fois – **2.** jamais – **3.** souvent – **4.** encore – **5.** plusieurs fois

Autoévaluation 4 – page 148

1 me lève – me lave – se reposent – se couche – me suis couché – me lever

2 **1.** Comment t'appelles-tu ? – **2.** Va-t-il partir avec vous ? – **3.** Et Siam, où habite-t-elle ? – **4.** Pourriez-vous l'aider ? – **5.** Pourquoi pleures-tu ? – **6.** A-t-elle bien compris ?

3 Elles ont **le même** âge et elles **se ressemblent** beaucoup. Agathe est juste un peu **moins** grande que Laura. Pour le poids, Laura est un peu plus **grosse** / **lourde** que sa copine. Elles habitent dans **la même** ville et leurs adresses sont juste un peu **différentes**.

4 **1.** « Tu as raison. » – **2.** « Bien sûr que non ! »

5 C'est bizarre, ce matin, je ***me suis levé(e)*** en retard, moi qui ne suis jamais en retard, puis, je ***me suis préparé(e)*** très vite et je ***suis sorti(e)*** de la maison en courant. Malheureusement, il ***faisait*** très froid et je ***n'ai pas vu*** que la rue ***était*** glissante... Je ***suis tombé(e)*** lourdement sur le trottoir... Heureusement, je ***n'ai pas eu*** mal et j'***ai pu*** me relever tout de suite. Quelle mauvaise journée !

6 **1.** En 2010, j'irai (je vais) au Népal et au Tibet. – **2.** Jean-François va acheter (achètera) une nouvelle voiture en avril. – **3.** Ils vont acheter une grande maison pour leur famille.

7 1b – 2c – 3c

8 **1.** viendra – **2.** dorme – **3.** comprend – **4.** parlions – **5.** parte

Transcriptions

MODULE 1 : PARLER DE SOI

UNITÉ 1 : SALUT !

Piste 6

Activité 10, page 13

— Bonjour madame. Vous êtes ?
— Je m'appelle Inna Gusinova.
— D'accord. Ça s'écrit comment ?
— Inna : I. 2 N. A ; Gusinova : G.U.S.I.N.O.V.A.
— Merci.

Piste 8

Activité 18, page 15

1. Carlos est brésilien. Amanda est brésilienne.
2. Lars est danois. Eva est danoise.
3. Javier est espagnol. Amalia est espagnole.
4. Takeshi est japonais. Mitsuko est japonaise.
5. Trung Kien est vietnamien. Lan Anh est vietnamienne.
6. Yazid est marocain. Charifa est marocaine.

Piste 10

Activité 21, page 15

a. France Inter, il est huit heures. – **b.** Deux cafés, s'il vous plaît. – **c.** Le train à destination de Lyon entrera en gare, voie quatre. – **d.** Vous avez trois nouveaux messages. – **e.** Ça vous fait sept euros.

Piste 11

Activité 23, page 16

Dialogue 1

CLAIRE BERGER. — Bonjour monsieur.
XAVIER BOUTIN. — Bonjour. Monsieur Boutin.
CLAIRE BERGER. — Boutin... Alex Boutin ?
XAVIER BOUTIN. — Non, je suis désolé, Xavier Boutin.
CLAIRE BERGER. — Oh, excusez-moi. Oui, Xavier Boutin.

Dialogue 2

CLAIRE BERGER. — Bonjour monsieur, vous êtes... ?
SAMBA BARRY. — Samba Barry.
CLAIRE BERGER. — Pardon ?
SAMBA BARRY. — Barry. Monsieur Barry. B-A-2R-Y.

Dialogue 3

VALÉRIE. — Bonjour Saïd... Saïd ! Bonjour !
SAÏD. — Ah, oh... excuse-moi... Salut.
VALÉRIE. — Ça va ?
SAÏD. — Euh, oui, oui, et toi ?

Dialogue 4

SAÏD. — Salut Valérie !
VALÉRIE. — Salut Saïd, ça va ?
SAÏD. — Ça va !
VALÉRIE. — Excuse-moi... Allo !

Piste 12

Activité 26, page 16

JULIE BOURGEOIS. — Excusez-moi, vous êtes Thomas Rühmann ?
UN HOMME. — Non, désolé.
JULIE BOURGEOIS. — Oh, pardon.
JULIE BOURGEOIS. — Excusez-moi, Thomas Rühmann ?
THOMAS RÜHMANN. — Oui.
JULIE BOURGEOIS. — Ah, bonjour monsieur Rühmann. Julie Bourgeois. Je suis l'assistante de madame Cailleau.
THOMAS RÜHMANN. — Ah, bonjour madame Bourgeois. Enchanté.
JULIE BOURGEOIS. — Bienvenue à Paris ! Vous avez fait bon voyage ?
THOMAS RÜHMANN. — Oui, merci.

Piste 14

Activité B, page 17

1. Ça va. – **2.** Quatre ? – **3.** D'accord ? – **4.** Mercredi. – **5.** Vous ? – **6.** Monsieur Lucas ?

Piste 16

Activité D, page 17, a

page – droite – table – soir – souris – mouchoir – couloir – toilettes – journal – pourquoi – Roissy – Moscou – Dakar – Strasbourg – Kourou

UNITÉ 2 : ENCHANTÉ !

Piste 18

Activité 6, page 22

— Salut, tu t'appelles comment ?
— Sophie. Et toi ?
— Moi, c'est Martin. Et... Tu es en médecine. Je le sais !
— Oui, oui, en première année.
— Mais tu es jeune ! Tu as quel âge ?
— J'ai 18 ans.
— Et, euh... tu habites... euh, tu habites où ?
— À Paris, oui, oui, j'habite à Paris. Bon, salut, à bientôt !

Piste 19

Activité 14, page 24, b

Fabio,
C'est une photo de mon frère. Il a aussi un prénom japonais : il s'appelle Yumé. Il a 29 ans et il travaille chez Air France. Il n'est pas pilote, il est informaticien, dommage ! Il y a aussi une photo de mes parents : ma mère s'appelle Naoko, elle a 52 ans et mon père, c'est Bernard. Il a 55 ans. Il est professeur de japonais à Paris.
J'adore ma famille ! Et toi, Fabio, tu as des photos de ta famille, s'il te plaît ?
À bientôt,
Aiko

Piste 20

Activité 18, page 25

C'est Yann Chapion. Il est éditeur. Il est jeune : il a 22 ans. C'est l'assistant de Christian Rigon et c'est mon ami !

Piste 21

Activité 22, page 25

1. L'ANPE de Bordeaux recherche cinq informaticiens.
2. Venez découvrir nos écoles dans toute la France. Allolangues, des cours de langues avec des professeurs confirmés et à votre écoute.
3. Aujourd'hui, dans notre émission, le journaliste du *Monde*, Jean-Marie Laffont. Bonjour, monsieur Laffont.
4. Mille-épis, le vrai pain de nos boulangers. Mille-épis, le vrai pain avec de la bonne farine de blé complet.
5. SOS Médecins, bonjour ! Toutes nos lignes sont occupées, veuillez patienter, nous allons donner suite à votre appel.
6. Les éditions Pixma recherchent deux éditeurs juniors pour rejoindre l'équipe des sciences. Écrire à l'ANPE de Paris Sud.

Piste 23

Activité 24, page 25

a. Découvrez le nouveau forfait Néo : 1 heure de communication, SMS illimités pour 19 € par mois !
b. Rugby. Beau match, hier, pour les Néo-zélandais qui marquent 47 points. Oui, Thierry, quarante-sept points face à la France !
c. ADSL haut débit, appels illimités en France et dans 29 pays, télévision haute définition... demandez notre documentation gratuite.
d. Beau temps et soleil demain, avec 32 degrés en Corse, le record !
e. Le passager O'Brien est attendu porte B54 pour embarquement immédiat, passager O'Brien.
f. Le train en provenance de La Rochelle va entrer en gare, voie 18. Éloignez-vous de la bordure du quai, s'il vous plaît.

Piste 24

Activité 28, page 26

1. Oui, j'ai rendez-vous avec monsieur Rivoli à 10 heures. – **2.** Non, je ne suis pas belge, moi. – **3.** Mais si, c'est le bureau 21. – **4.** Paul n'habite pas en France. – **5.** Euh... Si, je te téléphone samedi. – **6.** Non, je ne comprends pas.

Piste 28

Activité D, page 27

1. dix – **2.** tu – **3.** numéro – **4.** lundi – **5.** bureau – **6.** libanais – **7.** portugais – **8.** pilote

Piste 29

Activité 30, page 29

1. Moi, c'est Sophia et je viens de Reykjavik. C'est la capitale de l'Islande.
2. Esteban, je viens d'Espagne, de Valence.
3. Moi, je m'appelle Carola et je suis bolivienne ; j'habite à La Paz.
4. Bonjour, mon nom est Stacy et je suis australienne... oui, oui, de Sidney.
5. Maria-Cristina, j'ai 36 ans et je viens de Cuba.
6. Alors moi, c'est Johannes et je suis allemand ; je viens de Stuttgart.
7. Bonjour à tous. Je m'appelle Lin-li et je suis chinoise. J'ai 18 ans.

UNITÉ 3 : J'ADORE !

Piste 31

Activité 5, page 32

A

ALICE. — Samedi, je vais voir Christophe.
MÉLANIE. — Qui ?
ALICE. — Christophe ! Le prof de biologie très sympa.
MÉLANIE. — Ah oui ! Et, il aime les voyages, lui aussi ?
ALICE. — Oui, il voyage beaucoup pour son travail.
MÉLANIE. — Il fait du sport ?
ALICE. — Oui, il aime beaucoup le ski mais il déteste la natation.
MÉLANIE. — Et il écoute quelle musique ?
ALICE. — Il aime bien le jazz.

B

CHRISTOPHE. — Samedi, j'ai rendez-vous avec Alice.
ALEX. — Alice ? La jeune femme de ta soirée de rencontres rapides ?
CHRISTOPHE. — Oui, Alice.
ALEX. — Elle adore le jazz, c'est ça ?
CHRISTOPHE. — Ah non, elle n'aime pas du tout ! Elle aime les voyages et le cinéma.
ALEX. — Et l'escalade ?
CHRISTOPHE. — Non, mais elle aime bien le ski.

Piste 32

Activité 6, page 32

1. Oui, j'aime beaucoup les films américains.
2. Ah non, je déteste la cuisine épicée !
3. Super ! J'adore le basket-ball !
4. Bonne idée, j'aime bien les voyages.
5. Non ! Je n'aime pas la musique classique.
6. La natation ? Non, je n'aime pas du tout.

Piste 33

Activité 10, page 33

soixante-dix – quatre-vingt-un – quatre-vingt-dix-sept – cent trente-deux – deux cent soixante-quatre – huit cent quatre-vingt-quinze – mille deux cent vingt

Piste 34

Activité 12, page 33

Bonjour. Je m'appelle Virginia Amerinda et je téléphone pour le TCF. Je suis espagnole et j'habite à Grenoble. Je vous rappelle demain à dix heures trente pour mes questions sur le TCF. Ah oui, j'ai aussi un numéro de téléphone portable, le 06 81 95 12 71. Bonne journée, à demain.

Piste 35
Activité 13, page 33
Bonjour madame Amerinda. Je vous téléphone pour votre inscription au TCF. Alors, l'inscription aux épreuves obligatoires du TCF coûte 45 euros. L'inscription à l'expression écrite coûte 25 euros et vous passez aussi l'expression orale, l'inscription coûte 25 euros.
Au total, votre inscription coûte 95 euros et 54 centimes. Merci de nous envoyer rapidement un chèque.
Bonne journée.

Piste 36
Activité 25, page 36
1. — Où est mon vélo ? Je ne le trouve pas !
— Il est au garage avec tes skis.
2. — Notre fille arrive en train ?
— Mais non ! Elle a sa voiture !
3. — Et comment vont vos parents ?
— Très bien, ils sont avec leurs amis dans les Alpes.
4. — On va voir Alain, tu as son adresse ?
— Oui, il habite dans ma rue.

Piste 37
Activité B, page 37
1. Elle aime les gâteaux ? – **2.** Non, il ne s'appelle pas Alexandre. – **3.** Vous avez quel âge ? – **4.** Moi, je n'aime pas du tout le sport ! – **5.** C'est l'ami d'Isa. – **6.** Il va à l'université. – **7.** Il habite à quelle adresse ? – **8.** Elle n'a pas d'ami.

Piste 38
Activité C, page 37
1. beaucoup – **2.** lecture – **3.** journée – **4.** musique – **5.** étudiante – **6.** pour – **7.** écoutez – **8.** judo

Piste 39
Activité D, page 37
1. C'est mon numéro de téléphone.
2. Le nouveau professeur est là ?
3. Elle a rendez-vous à 13 heures.
4. Ils vont tous à la réunion ?
5. Une étudiante suisse va arriver demain.
6. Aujourd'hui, elle a douze ans.

MODULE 2 : ÉCHANGER

UNITÉ 4 : TU VEUX BIEN ?

Piste 41
Activité 1, page 47
MATHIEU. — Ah ! Louise , bonjour, ça va ?
LOUISE. — Bonjour, Mathieu ! Oui, oui, ça va, merci et toi ?
MATHIEU. — Ça va ! Mais, entre !
LOUISE. — Non, non, je n'ai pas le temps. Je voudrais juste te demander une chose.
MATHIEU. — Oui ?
LOUISE. — Voilà, je vais à Milan, la semaine prochaine.
MATHIEU. — Ah, oui ? Génial !
LOUISE. — Oui, ça va être super, et Lucas vient avec moi.
MATHIEU. — Ah, c'est bien !
LOUISE. — Oui, c'est bien mais…
MATHIEU. — Mais, il y a le chat !
LOUISE. — Oui, voilà ! Tu pourrais garder mon chat ?
MATHIEU. — Garder ton chat… Euh, oui, mais il va rester chez toi ?
LOUISE. — Oui, oui, il reste dans l'appartement.
MATHIEU. — Ah, bon, bah, alors, il n'y a pas de problème. Parce que, tu sais, Valérie, elle n'aime pas beaucoup les chats.
LOUISE. — Non, non, il reste chez moi. Tu veux bien ?
MATHIEU. — Oui, oui, c'est facile.
LOUISE. — Et tu pourrais arroser mes plantes aussi ? On ne reste pas longtemps à Milan, mais, mes plantes, une semaine…
MATHIEU. — Pas de problème !
LOUISE. — Super. Bon, on reparle de ça plus tard… D'accord ?
MATHIEU. — D'accord.
LOUISE. — Salut. !
MATHIEU. — Salut. Bonne journée !
LOUISE. — Merci. Toi aussi.

Piste 42
Activité 2, page 47
1. — Bonjour, mesdames. Vous désirez ?
— Euh… tu veux un café ?
— Oui. Un café.
— Bon, deux cafés, s'il vous plaît.
— Deux cafés. Julien, deux cafés !
2. — Allo ! Allo ! Quel est votre numéro, s'il vous plaît ?
— 04 36 59 42 15.
— Excusez-moi, vous pouvez répéter ?
3. — Madame Courtel. Bonjour. Je peux entrer ?
— Oui, oui, entrez, entrez !
4. — Alors, tes vacances en Tunisie ?
— Génial ! Tu veux voir les photos ?
5. — Bonjour, madame.
— Bonjour, monsieur.
— Euh… changer… euros…
— Vous voulez changer de l'argent ? Vous voulez des euros ?
— Oui. S'il vous plaît.

Piste 44
Activité 16, page 51
1. J'écris un message. – **2.** J'ai visité Paris. – **3.** J'ai dit bonjour à Camille. – **4.** Je finis mon travail. – **5.** J'ai eu un problème.

Piste 48
Activité D, page 53
1. bises – **2.** désolé – **3.** difficile – **4.** message – **5.** magasin – **6.** saluer – **7.** adresse – **8.** télévision

Piste 49
Activité 26, page 55
Dialogue 1
LE MARI. — Bon anniversaire ma chérie !
LA FEMME. — Qu'est-ce que c'est ?
LA SŒUR. — Ouvre.
LA FEMME. — Oh ! la photo d'un chien !
LE MARI. — Attends, lis !
LA FEMME. — Bon anniversaire ! Je m'appelle Domino. Je vous attends au Refuge des animaux, 35 allée des Tilleuls… Qu'est-ce que c'est ?
LA SŒUR. — Bah, tu vois !
LA FEMME. — Un chien ? Pour mon anniversaire ?
Dialogue 2
MME RENÉE. — C'est pour quoi ?
LA JEUNE FILLE. — Bonjour, madame. C'est madame Martin, elle a dit que…
MME RENÉE. — Ah, oui, oui… C'est pour votre chat ?
LA JEUNE FILLE. — Oui. Vous pourriez…
MME RENÉE. — Entrez.
LA JEUNE FILLE. — Vous pourriez garder mon chat ?
MME RENÉE. — Oh, il n'y a pas de problème. Comment il s'appelle ?
LA JEUNE FILLE. — Misti.
MME RENÉE. — C'est joli…
Dialogue 3
L'HOMME. — Une baguette, s'il vous plaît
LA BOULANGÈRE. — Quatre-vingts centimes.
L'HOMME. — Merci, au revoir.
LA BOULANGÈRE. — Au revoir, monsieur. Bonjour.
LA PETITE FILLE. — Bonjour, madame. Vous pourriez mettre cette feuille sur la porte ?
LA BOULANGÈRE. — Qu'est-ce que c'est ?
LA PETITE FILLE. — C'est parce que… j'ai perdu mon chat.
LA BOULANGÈRE. — Tu as perdu ton chat ?
LA PETITE FILLE. — Oui, hier.
LA BOULANGÈRE. — Donne. Elle s'appelle Luna ? Oui, oui, d'accord. Je vais mettre ça.

UNITÉ 5 : ON SE VOIT QUAND ?

Piste 50
Activité 3, page 57
Coucou les amis, eh bah… merci de votre invitation. Bon… Samedi 13, ce n'est pas possible, on n'est pas libres. Mais le vendredi 12, ça marche, on peut venir. Ça nous dirait bien de vous voir. Euh… On vient vers 20 heures, c'est ça ? Euh... Bah… Je vous rappelle bientôt. Bises et encore merci.

Piste 51
Activité 5, page 58
1. — Céline, ça te dit qu'on mange au restaurant ce soir ?
— Euh… bah non, je n'ai pas envie de sortir.
2. — On va au ciné samedi à 20 heures. On va voir *Cœurs*. Ça te dit ?
— Oui, merci. C'est d'accord. Rendez-vous au ciné !
3. — Salut Claire. Je fête mon anniversaire samedi. Tu veux venir ?
— Oh ! Je voudrais bien, mais je ne peux pas. C'est l'anniversaire de ma mère. Désolée…
4. — Vous venez prendre un verre à la maison après le concert. D'accord ?
— Oh oui, avec plaisir !
5. — Et si on allait à la piscine ?
— À la piscine ? Bof… Ça ne me dit rien. Il fait froid…
6. — On travaille ensemble jeudi après-midi ? Tu viens chez moi ?
— Ah… Jeudi, ce n'est pas possible. Je vais chez le médecin.

Piste 52
Activité 10, page 59
1. — C'est quand l'anniversaire d'Agathe ?
— C'est le 17 janvier.
2. — Vous êtes libres pour dîner chez nous mercredi ?
— Oh oui, avec plaisir !
3. — Tu travailles le mercredi ?
— Non, mais je travaille le samedi.
4. — Vous ne partez pas en voyage ?
— Si, nous allons en Égypte en 2010.
5. — Ça te dirait un petit voyage en juin ?
— Ce n'est pas possible, Léo vient à Paris au mois de juin.
6. — C'est samedi l'expo ?
— Oui, elle commence le samedi 2 décembre.

Piste 53
Activité 12, page 60
FABIO. — Allo, Aiko ?
AIKO. — Ah ! Fabio ! Tu es à Paris ?
FABIO. — Oui, je suis à la gare du Nord.
AIKO. — Tu as fait bon voyage ?
FABIO. — Oui, excellent. Et toi, tu vas bien ?
AIKO. — Oui, oui. Et je suis très contente de te voir bientôt.
FABIO. — Alors, oui. Quand est-ce qu'on se voit ? Cet après-midi, c'est possible ? Moi, je peux après 15 heures. Avant, je vais voir mon copain Gianni, tu sais, il habite à République.
AIKO. — Ah ! oui. D'accord, on se voit cet après-midi. Est-ce que tu as envie de voir une exposition ? Moi, j'aimerais bien voir l'expo Hiroshi Sugimoto. C'est un photographe japonais et j'adore ses photos. Ça te dit ?
FABIO. — Pourquoi pas, je ne connais pas. C'est où ?
AIKO. — C'est au Centre Pompidou, ce n'est pas loin de République.
FABIO. — Très bien. Disons 15 h 30, ça va ?
AIKO. — Parfait, 15 h 30 devant le Café Beaubourg, tu connais ?

FABIO. — Oui. Génial ! À tout à l'heure, Aiko.
AIKO. — Salut, à plus.

Piste 54

Activité 14, page 60

— Victoria coiffure, bonjour. Élodie à votre service.
— Bonjour. Je voudrais un rendez-vous, s'il vous plaît. Juste pour un shampoing et une coupe.
— Oui, vous voulez venir quel jour ?
— Jeudi ou vendredi, c'est possible ?
— Vous êtes libre le matin ? L'après-midi ?
— Je préfère venir le matin.
— Oui, qui vous coiffe ?
— C'est Victoria.
— D'accord. Alors, je vous propose jeudi 9 heures ou 10 h 30.
— Euh...
— Ou vendredi 11 heures.
— Vendredi 11 heures, c'est très bien.
— Votre nom, s'il vous plaît.
— Penot. P.E.N.O.T.
— D'accord, madame Penot. Alors, à vendredi !
— Oui, merci. Au revoir.
— Au revoir !

Piste 55

Activité 18, page 62

1. deux heures quarante – **2.** quatre heures quinze – **3.** sept heures et demie – **4.** onze heures moins le quart **5.** midi – **6.** deux heures vingt-cinq – **7.** trois heures et quart. – **8.** minuit

Piste 56

Activité 20, page 62

1. — Vous venez à quelle heure, ce soir ?
— À 20 heures, ça va ?
2. — Pardon, tu as l'heure, s'il te plaît ?
— Il est 19 h 10.
3. — Tu as beaucoup travaillé aujourd'hui ?
— Oh oui, j'ai travaillé de 6 heures à 17 heures.
4. — Tu viens, on va acheter mon livre !
— Il est trop tard, la librairie est ouverte jusqu'à 19 heures et il est 20 heures !
5. — Je t'attends. Tu es prête ?
— Une minute, j'arrive !

Piste 58

Activité C, page 63

1. En juin ou en juillet. – **2.** Oui, ça marche ! – **3.** Chez toi ? – **4.** On mange ensemble ? – **5.** C'est madame Roche. – **6.** On a joué au foot. – **7.** Je vais au vernissage. – **8.** Vous cherchez du travail ?

■ UNITÉ 6 : BONNE IDÉE !

Piste 59

Activité 10, page 69

1. Il est arrivé dans une grosse voiture noire.
2. Tu veux quoi ? Un café, un thé vert, un jus de fruit... ?
3. Je trouve que la chemise bleue est plus jolie.
4. Ah, non, je n'aime pas le chocolat blanc !
5. Ah, quelle horreur ! Il y a une grosse mouche verte dans mon café !
6. Le directeur est un vieux monsieur avec une barbe blanche.

Piste 60

Activité 12, page 70

FABIO. — Bonjour Aiko, c'est Fabio.
AIKO. — Salut Fabio, ça va ?
FABIO. — Ça va, et toi ?
AIKO. — Bien, bien. Bon, on se voit ce soir, non ?
FABIO. — Oui, oui.
AIKO. — Où est-ce qu'on va manger ?
FABIO. — Euh, je ne sais pas... Un ami m'a parlé du restaurant *Le Train Bleu*. Est-ce que tu le connais ?
FABIO. — Euh, oui, oui, c'est un très bon restaurant, mais, tu sais, c'est cher !
FABIO. — Cher ? Le menu, c'est combien ?
AIKO. — Je ne sais pas, 50 ou 60 euros... par personne ! Et euh, tu veux boire du vin ? Une bouteille de vin, c'est 50 euros en plus !
FABIO. — Ah, oui ? Je ne bois pas de vin, heureusement, mais c'est vrai, c'est cher. Tu connais un autre restaurant ?
AIKO. — Bah, il y a beaucoup de restaurants à Paris... il y a *L'Échanson*, rue de la Gaité. Je l'aime bien, c'est bon, c'est moderne.
FABIO. — Bon, d'accord.
AIKO. — Ah, euh, Tiphaine va peut-être nous accompagner.
FABIO. — Tiphaine ? Je l'adore. Génial !
AIKO. — Hum... Bon, on se retrouve au restau ? Disons, à huit heures ?
FABIO. — D'accord. Je vais téléphoner à *L'Échanson*. Je réserve une table pour combien de personnes, alors ? Deux ou trois ?
AIKO. — Trois. Je pense qu'elle va venir. Super. Bon, bah, à tout à l'heure.
FABIO. — À tout à l'heure, Aiko.

Piste 61

Activité 13, page 70

Dialogue 1

AIKO. — Euh, oui, oui, c'est un très bon restaurant, mais, tu sais, c'est cher !
FABIO. — Cher ? Le menu, c'est combien ?
AIKO. — Je ne sais pas, 50 ou 60 euros... par personne !

Dialogue 2

— Bonjour, monsieur.
— Bonjour, euh, je voudrais deux baguettes et quatre croissants.
— Alors... deux baguettes... combien de croissants vous m'avez dit ?
— Quatre !
— Autre chose ?
— Non, merci. Ça fait combien ?
— Voilà ! Alors, 3,20 et 1,50, ça fait 4,70, s'il vous plaît. 4,70 et trente qui font cinq. Merci, au revoir monsieur.
— Merci. Au revoir.

Dialogue 3

— Oh, non, on ne va pas prendre le train pour aller à Bruxelles, je ne veux pas rester 10 heures dans le train, on va prendre l'avion.
— L'avion ? Mais, euh...ça coûte cher ?
— Je ne sais pas, 250 ou 300 euros.
— Oh là là, c'est cher ! Euh... On va prendre le train !

Dialogue 4

— Euh, maman, pour mon anniversaire, je voudrais bien un lecteur de DVD.
— Hein ? Un lecteur de DVD ? C'est cher, non ? Combien ça coûte ?
— Non, non, ce n'est pas cher.
— Oui, bon, demande à ton père.

Piste 62

Activité 15, page 71

Je ne sais pas, 50 ou 60 euros... par personne ! Et euh, tu veux boire du vin ? Une bouteille de vin, c'est 50 euros en plus !

Piste 63

Activité 21, page 72

— Un ami m'a parlé du restaurant *Le Train Bleu*. Est-ce que tu le connais ?
— Il y a *L'Échanson*, rue de la Gaité. Je l'aime bien, c'est bon, c'est moderne.
— Ah, euh, Tiphaine va peut-être nous accompagner.
— Tiphaine ? Je l'adore. Génial !

Piste 65

Activité B, page 73

1. Tu connais Camille ? – **2.** Ça coûte combien ? – **3.** C'est un médecin français. – **4.** J'ai reçu cinq cartes postales de Cuba.

Piste 66

Activité C, page 73

1. une musique – **2.** une bague – **3.** une carte – **4.** un gâteau – **5.** d'accord – **6.** un magasin – **7.** je crois – **8.** une grande maison

Piste 67

Activité D, page 73

1. Vous avez un blogue ?
2. Ça, c'est un de mes oncles.
3. Écoutez, s'il vous plaît !
4. Il y a un problème avec deux bagues.
5. Il y a souvent des grues dans la région.

Piste 68

Activité 24, page 75

Dialogue 1

— Je vous ai apporté un petit cadeau.
— Oh, c'est gentil, c'est quoi ? C'est un gâteau ?
— Oui, ça s'appelle Kutia, c'est un gâteau d'Ukraine.
— Kutia ?
— On le mange chez moi à Noël...
— C'est fait avec quoi ?
— Euh... C'est un gâteau... Il y a des fruits... Euh... c'est traditionnel...
— Ah, oui. Oh, on va goûter ça avec le café, après le dîner, tout à l'heure. Merci. C'est très gentil.
— Je vous en prie.

Dialogue 2

— Bonjour, Véronica.
— Bonjour, Vincent.
— Entre, entre. Je t'en prie.
— Véronica, ma mère, Nathalie. Mon père n'est pas arrivé encore.
— Bonjour, Véronica.
— Bonjour, madame.
— Ne dites pas « madame », dites « Nathalie », c'est plus simple.
— D'accord. Merci. Ah, c'est pour vous.
— Hum... Merci. Qu'est-ce que c'est ?... Oh, une bouteille de parfum... *Chamel 15*... Je ne le connais pas ! Oh, c'est gentil... Merci.
— Je vous en prie...

Dialogue 3

— Bonjour !
— Ah, bonjour, Charlène.
— Salut Nadia, comment vas-tu ?
— Bien, bien, merci.
— Et, là, c'est la petite...
— Yuna.
— Yuna, c'est joli ! Elle est née samedi, c'est ça ?
— Oui, samedi, le 14 juillet ! Ç'a été une vraie fête !
— Il n'y a pas eu de problème ?
— Non, non.
— Tiens, c'est pour toi.
— Oh, c'est gentil ! Hum, des chocolats ! Ah, bah, c'est bien, ça va me donner de l'énergie !
— Et du magnésium !
— Merci !
— Je t'en prie.

MODULE 3 : AGIR DANS L'ESPACE

UNITÉ 7 : C'EST OÙ ?

Piste 1

Activité 1, page 83

MARION. — Allo !
JÉRÔME. — Allo, Marion, bonjour c'est Jérôme.
MARION. — Ah ! Jérôme ! Salut, ça va ?
JÉRÔME. — Oui, oui, ça va.
MARION. — Alors, tu es où ?
JÉRÔME. — Ça y est ! Je suis à Strasbourg mais je ne trouve pas ta rue. Tu m'as dit « rue des Veaux », c'est ça ?
MARION. — Oui, c'est près de la cathédrale, c'est facile.
JÉRÔME. — Oui, mais je n'ai pas de plan, alors... facile, euh...
MARION. — Bon, tu es où exactement ?
JÉRÔME. — Euh... Attends... Je suis rue... rue de... rue de la Première armée. Tu connais ? Juste à gauche, il y a la rue des Bouchers.
MARION. — Oui, oui, oui, je connais. Alors prends vite la rue des Bouchers. Tu vas jusqu'au bout et tu arrives sur une place.
JÉRÔME. — Oui, euh... place du Corbeau.
MARION. — Bon, tu vas à droite et tu prends le quai.
JÉRÔME. — À droite ! Ah zut ! Trop tard... Je suis allé à gauche... Bon, attends, attends... je vais pouvoir faire demi-tour ici... C'est bon, continue...
MARION. — Va tout droit. Ensuite, tourne à gauche sur le pont. Tu vas traverser l'Ill.
JÉRÔME. — Lille ? Attends, mais je ne comprends rien... Je suis à Strasbourg, pas à Lille !
MARION. — L'Ill, c'est le nom de la rivière : I. 2 L.
JÉRÔME. — Ah... Bon, ça y est. Je vais où, maintenant ?
MARION. — Là, va doucement. Tu tournes à droite, tu prends le quai. Il doit s'appeler le quai au Sable, je crois...
JÉRÔME. — Oui, c'est ça : quai au Sable.
MARION. — Là, tu prends la première rue à gauche, puis tout de suite à droite. C'est ma rue.
JÉRÔME. — Alors... à gauche... à droite... ah ! très bien : rue des Veaux !
MARION. — C'est au numéro 8. Maintenant, il faut juste que tu trouves une place pour ta voiture...
JÉRÔME. — Oui... et, je n'ai plus d'essence... enfin, plus beaucoup...
MARION. — Oh... oh... Bon courage ! Je prépare un café.
JÉRÔME. — D'accord, à tout de suite !...

Piste 2

Activité 4, page 83

1. L'avenue de Suffren. Oui, bien sûr, je connais. Ce n'est pas loin. Vous prenez cette avenue, là, tout droit : vous voyez, « avenue de la Bourdonnais ». Allez tout droit... vous allez traverser une place. Continuez tout droit et au bout de cette avenue, vous arrivez sur l'avenue de Suffren. C'est très facile !
2. Oui. Non, c'est très près d'ici. Prenez l'avenue en face, là, l'avenue de La Motte-Picquet. Vous avez l'école militaire sur votre gauche, là, et après vous arrivez avenue de Suffren. Vous allez à droite ou à gauche, ça dépend de l'adresse où vous voulez aller.
3. Prenez l'avenue de la Bourdonnais, là tout droit, et ensuite, la deuxième rue à droite. Après, c'est la... attendez... un... deux, trois... quatre. Oui, ça doit être la cinquième rue à gauche.

Piste 3

Activité 5, page 84

1. — Excusez-moi, je cherche la Banque de France.
— C'est la première rue à gauche.
2. — Vous connaissez le théâtre du Rond-Point, s'il vous plaît ?
— Ah... Euh... non, je ne connais pas.
3. — Pardon madame, où se trouve la station de métro Rambuteau ?
— Regardez, c'est juste ici...
4. — Le boulevard Arago, s'il vous plaît ?
— Oui, alors vous prenez cette rue et vous tournez à droite au premier feu.
5. — Excusez-moi, la poste centrale, c'est loin d'ici ?
— Non, c'est très près, enfin, c'est à cinq minutes...

Piste 4

Activité 10, page 85

JULIE. — Bon, venez vite, on va rater le train si on continue de discuter sans regarder l'heure...
PAUL. — Bah oui, allons-y, oh là là, il est déjà 5 heures ! C'est intéressant la politique et on ne voit pas le temps passer.
BRUNO. — Oui, mais Julie a raison, il faut qu'on se dépêche...
CORALIE. — Cours si tu veux, moi, je marche, je suis fatiguée.
JULIE. — Mais non, on n'a pas le temps ! Bon, je paie les cafés, pendant ce temps, les hommes, trouvez vite un taxi !
PAUL. — Oui, prenons un taxi, on est vraiment en retard...

Piste 5

Activité 18, page 88

JÉRÔME. — Dis donc, pas mal, ton appart' !
MARION. — Oui, c'est petit mais j'aime bien.
JÉRÔME. — C'est un studio mais il est très joli, moi aussi je l'aime bien. En plus, au 3e étage, tu as beaucoup de lumière !
MARION. — Oui, c'est vrai. Tu vois, je vais mettre ma table contre le mur et j'ai la place pour deux chaises autour. Bon, mon bureau est déjà là, tu vois... Dans la salle de bains... viens voir !... je vais mettre un joli miroir au-dessus du lavabo. Mes parents m'ont acheté un petit lave-linge et je peux le mettre ici, à côté de la douche.
JÉRÔME. — Oui. Tu peux aussi le mettre là, juste en face des toilettes ?
MARION. — Oui, je ne sais pas... Ma grand-mère m'a donné un vieux fauteuil et je vais le mettre par là, pas loin de mon lit.
JÉRÔME. — Oh bah, tu es bien installée ! Et puis en plein centre-ville, c'est super pour sortir le soir.
MARION. — Sortir, euh, oui mais pas trop parce que, hein, je suis là pour étudier...
JÉRÔME. — Ah, ah ! Tu veux me dire que tu vas rester seule, tranquille, chez toi tous les soirs ! Tu ne vas jamais sortir avec tes amis ?
MARION. — Si, un peu, bien sûr...

Piste 6

Activité 21, page 88

1. Bienvenue au 43e festival du cinéma européen.
2. — Quel étage ?
— 14e, s'il vous plaît.
3. Écoute ! C'est la 7e symphonie de Beethoven. J'adore !
4. Mon hôtel est sur la 24e avenue.
5. C'est votre premier enfant ?
6. Gilles est arrivé 12e à sa compétition de ski.

Piste 8

Activité C, page 89

1. bout – **2.** prenez – **3.** habite – **4.** poisson – **5.** après – **6.** bille – **7.** sympathique – **8.** boisson

Piste 9

Activité 23, page 90

Dialogue 1

— Tu as vu le projet de la nouvelle tour à La Défense ?
— Euh... non... C'est où ?
— Bah... Dans le quartier de La Défense ! À Paris, bien sûr !
— Mais il y a déjà plein de tours...
— Ah ! Oui, mais cette tour va être magnifique, moderne... la plus haute, 300 mètres, je crois...
— Mais c'est pour faire des bureaux ?
— Oui, mais la tour va répondre à des normes écologiques. Ils vont mettre des éoliennes sur le toit pour produire une partie de l'électricité de la tour et puis... la façade spéciale va permettre de faire des économies d'énergie.
— Ah... Et c'est pour quand, ce beau projet ?
— Pour 2012, je crois...

Dialogue 2

— Ah oui, mais ce n'est pas du tout dans ce quartier...
— Ah ? On m'a dit de venir ici...
— Ah ! mais si ! Vous cherchez la Coopérative Vivre en ville, le bâtiment bizarre, avec de l'herbe sur le toit ? Enfin... il paraît que c'est bien pour l'économie d'énergie, alors...
— Euh... Oui, et aussi pour le rafraîchissement des quartiers. J'ai lu dans un magazine que ces toits végétaux aident à contrôler les fortes pluies, à réduire le bruit, et... euh ! ça fait des plantes en plus dans la ville, c'est bien, non ? Et puis, c'est joli !
— Joli ? Ah, bah, moi, je ne trouve pas ça beau, ah, non, ça ne me plaît pas du tout, hein !

Piste 10

Activité 24, page 90

1. On est au centre de Paris mais on a vraiment l'impression de faire un grand voyage !
2. J'aimerais habiter dans ces tours... au vingt-cinquième étage !
3. Oh ! Oui, j'ai trouvé ce mur impressionnant ! et puis, la nature dans les rue de Paris, moi j'aime !
4. De l'herbe sur le toit ! Mais pour quoi faire ?
5. Il fait chaud l'été en Amérique du Nord ! Avec ces toits, on va avoir un peu moins chaud dans le quartier...
6. J'ai vu une photo du projet... oh là là ! cette tour va être impressionnante !... et presque aussi haute que la tour Eiffel !

UNITÉ 8 : N'OUBLIEZ PAS !

Piste 11

Activité 1, page 93

BERTRAND. — Radio France outre-mer, en direct de nos studios parisiens. Vous écoutez L'Invité du jour et c'est France Villeneuve qui nous fait le plaisir d'être là pour évoquer sa vie de sportive de haut niveau et aussi, certainement, quelques jolis souvenirs d'outre-mer.
Bonjour France et merci d'avoir accepté notre invitation.
FRANCE. — Bonjour Bertrand.
BERTRAND. — Alors, pour vous, un nouveau record d'Europe, samedi dernier à Helsinki et bien sûr, votre participation aux prochains Jeux olympiques confirmée. Tout va très bien, dites-moi ?
FRANCE. — Oui, euh... j'ai pu battre mon propre record à Helsinki et, euh... nous sommes arrivées troisièmes par équipes. On est très contentes de cette réussite parce que...
BERTRAND. — Oui, c'est un très beau résultat pour ces quatre femmes exceptionnelles.
FRANCE. — Oh !... là, vous exagérez un peu...
BERTRAND. — Mais non, non ! Tout d'abord, on trouve peu de femmes qui pratiquent le cyclisme et puis... depuis 2003, vous accumulez les victoires, les records, les titres... il faut en parler ! Vous êtes trop modeste !
FRANCE. — Hum...
BERTRAND. — Alors... euh... France, on a envie de vous demander : mais qu'est-ce qui vous pousse ?
FRANCE. — À vrai dire, j'ai de nombreuses motivations. D'abord j'aime le sport et je pratique le cyclisme depuis l'âge de 11 ans. C'est ma passion. Et puis, quand je

cours, je pense à ma famille qui m'attend à Rouen, oui... mon mari, ...
BERTRAND. — Votre mari, oui... Qui a été votre entraîneur pendant plusieurs années...
FRANCE. — Oui, avant notre mariage et avant la naissance de nos deux enfants... que je veux aussi citer dans mes motivations, bien sûr... Mais je pense aussi à mes parents qui sont en Martinique... à mes amis que je n'oublie pas...
BERTRAND. — Oui, vous êtes très attachée à votre île, n'est-ce pas, France ?
FRANCE. — Bien sûr, c'est l'endroit où je suis née, où j'ai grandi... J'ai de merveilleux souvenirs de la Martinique... ah ! le soleil, la chaleur, ces parfums de liberté...
BERTRAND. — Votre île vous manque ?
FRANCE. — Parfois, oui... beaucoup, même ! Mais je garde au fond du cœur les plus belles images, les plus belles sensations...
BERTRAND. — Oh... vous nous faites rêver, France... Quelles sont ces images et ces sensations, alors ?
FRANCE. — Ben, par exemple, les regards des enfants métis, c'est inoubliable... et puis... le vent des îles, le sable chaud, les couleurs, la douceur de vivre... tous ces souvenirs qui me font du bien et me donnent le sourire.
BERTRAND. — En tout cas, vous en parlez très bien et nous aussi, ça nous fait du bien de vous écouter, France...

Piste 12

Activité 8, page 94, a

1. On ne doit pas marcher à côté des chemins. Restons bien sur les sentiers.
2. Ne garez pas votre voiture ici, c'est interdit.
3. Mettez votre nom et votre prénom sur votre sac de voyage.
4. Il ne faut rien jeter dans la nature ! Mettez vos déchets dans vos sacs.
5. Il ne faut pas mettre d'affiche sur ce mur.

Piste 13

Activité 13, page 97

1. Tu pourrais parler de ce problème à ton médecin, non ?
2. Attends un peu, je vais t'aider.
3. Vous pourriez essayer de maigrir un peu.
4. Fais attention, cette route n'est pas très bonne, ralentis.
5. Lisez ce livre, il est très intéressant.
6. Il ne faut pas être triste, ça va aller mieux.

Piste 14

Activité A, page 99

1. regarde – revenir – petit – de – souvenir – devoir – simplement – vendredi
2. téléphone – cinéma – télévision – idée – phonétique – été – allé – liberté
3. père – tête – très – chèque – problème – fête – première - fenêtre

Piste 15

Activité B, page 99, b

mère – nationalité – fêter – reçu – vendredi – demain – cinquième – répéter – vous êtes – frère – près – réponse

Piste 17

Activité E, page 99

1. ouvrir – **2.** problème – **3.** viens – **4.** bus – **5.** revenir – **6.** habite – **7.** ville – **8.** dérive

UNITÉ 9 : BELLE VUE SUR LA MER !

Piste 18

Activité 6, page 104

CAROLE. — Allo.
RACHID. — Salut, Carole, c'est Rachid.
CAROLE. — Bonjour Rachid, ça va ?
RACHID. — Oui, oui, merci, et toi ?
CAROLE. — Bien. Quoi de neuf ?
RACHID. — Tu sais quoi ? On a trouvé une maison, et euh, on déménage dans un mois.
CAROLE. — Ah, oui ? C'est où ?
RACHID. — Menthon-Saint-Bernard. C'est à côté d'Annecy.
CAROLE. — Annecy ? Dans les Alpes ? C'est génial ! Et euh, Menthon, c'est comment ?
RACHID. — Bah. c'est une petite ville, il y a environ, euh, 2000 habitants, je crois. Mais c'est juste à côté d'Annecy, à dix kilomètres, quelque chose comme ça.
CAROLE. — Et c'est joli ?
RACHID. — Ah, ce n'est pas mal, il n'y a pas beaucoup d'immeubles modernes, les maisons sont de style traditionnel, et il n'y a pas de...
CAROLE. — Et la maison ?
RACHID. — Bon, euh, ce n'est pas très grand, et un peu cher, mais tout est cher dans le coin. Mais... euh... c'est mieux que notre appartement de Dijon.
Et puis c'est dans les Alpes.
CAROLE. — Aïssa doit être contente ! Et vous allez faire du ski tous les week-ends en hiver !
RACHID. — Pas tous les week-ends quand même, mais... Et l'été, il y a le lac d'Annecy, et une petite plage.
CAROLE. — Ça a l'air vraiment bien !
RACHID. — Oui, je crois qu'on va vraiment être heureux là-bas.

Piste 19

Activité 19, page 107

Dialogue 1

— Oh, quels jolis vases !
— Ils viennent de Corée, de Séoul. Julie me les a offerts.
— Julie ? Elle est allée là-bas ? Quand ça ?
— Oui, pendant l'été.

Dialogue 2

— Tiens, Émilie, quelle surprise !
— Salut ! Ça va ? Tu vas où ?
— Je ne pars pas. J'arrive. J'arrive d'Algérie.

Dialogue 3

— Pour l'aller, c'est bon, mais vous ne pouvez pas revenir du Vietnam le 3 janvier, je n'ai pas de place. Ou alors à 4 000 euros.
— De Hanoi ou de Ho-Chi-Minh-Ville, c'est pareil pour les deux villes ?

Dialogue 4

— On importe beaucoup d'Indonésie et des Philippines. On a de bons contacts dans ces pays.
— Et les meubles sont de bonne qualité ?
— Oui, on a de la bonne qualité.

Piste 20

Activité 22, page 108

Dialogue 1

FEMME. — Vous connaissez la région ?
HOMME. — Non, c'est la première fois que je viens ici.

Dialogue 2

HOMME. — Tu as parlé à Sylvie ?
FEMME.— Non ! J'ai essayé de lui téléphoner plusieurs fois mais ça ne répond pas.

Dialogue 3

FEMME.— Est-ce que tu as vu le dernier film de Jean-Jacques Annaud ?
HOMME. — Non, je ne suis pas encore allé le voir.

Dialogue 4

HOMME. — Tu aimes le théâtre ?
FEMME.— Oui, j'aime bien, mais je n'y vais pas souvent.

Dialogue 5

HOMME. — Tu vas souvent à Strasbourg ?
FEMME.— Oh, non, trois ou quatre fois par an.

Piste 21

Activité A, page 109, a

1. école – **2.** idéal – **3.** mère – **4.** possède – **5.** êtes – **6.** spécialité – **7.** très – **8.** vélo

Piste 22

Activité B, page 109

région – déménager – situé – espère – espérer – désolé – fête – élève – préfère – été

Piste 23

Activité C, page 109

1. côte – **2.** studios – **3.** peu – **4.** chose – **5.** milieu – **6.** dommage – **7.** mieux – **8.** heureux

MODULE 4 : SE SITUER DANS LE TEMPS

UNITÉ 10 : QUEL BEAU VOYAGE !

Piste 27

Activité 1, page 119

HOMME. — Notre voyage en Afrique ? Mais oui, merveilleux ! tu peux imaginer ! On a fait un montage photo avec son et musique. Tu veux le voir ?
PIERROT. — Oh ! bah oui, avec plaisir, surtout que j'ai bien envie de voyager par là-bas aussi...
HOMME. — Bah, assieds-toi...

(Commentaire)
Le son d'un djembé, nous sommes arrivés ! Enfin ! Ouagadougou. Burkina Faso. Nous nous installons pour une nuit dans cette ville étonnante qui bouge comme ses habitants, au rythme des percussions et des balafons.
Au petit jour, nous nous levons tôt. La ville s'anime avec les premiers rayons du soleil. Le marché est un festival de couleurs. Ici, on peut tout acheter à la pièce comme un sachet de thé, un morceau de sucre, une cigarette ou un bonbon. Ensuite, nous partons en « bâché » – c'est le transport local – vers le Mali.
Plus tard, plus calme, nous arrivons, le soleil couchant, à Teli, notre premier village Dogon. Teli... On en a rêvé, nous y sommes enfin...
Les chants et le son des djembés nous rappellent alors que nous sommes le 24 décembre au soir... soirée de Noël animée par quelques jeunes Dogons. Nous chantons avec eux et nous nous amusons tous ensemble jusque tard dans la nuit...
Le 26, nous nous arrêtons à Tombouctou. Le désert est très proche des premières maisons, c'est impressionnant. Nous observons d'abord les zones de cultures en terrasse, disposées autour d'un puits ou d'un point d'eau, puis nous visitons la mosquée de Djingareyber et quelques musées. J'ai du mal à croire que je suis à Tombouctou... encore un vieux rêve !
Quelques jours plus tard, nous sommes passés par Nombori, Sangha, Bandiagara, Mopti, et nous courons comme des enfants sur la magnifique Dune Rose, qui domine le fleuve Niger et ses marais de nénuphars. Quel souvenir !
Bien sûr, nous acceptons l'invitation pour aller « ambiancer » au Bar des amis, dancing de Gao où nous apprenons le dombolo, danse malienne. Nous nous couchons encore très tard cette nuit-là... mais tellement heureux !
FEMME. — Pardon, une minute... Je ne vous ai rien proposé à boire. Euh... Thé, café ? Il y a aussi du jus de fruits ou de la bière au frigo... et peut-être...
HOMME. — On va prendre une petite bière, non, Pierrot ?
PIERROT. — Oh oui, tiens, bonne idée, merci.

Piste 28

Activité 4, page 119, a

Écoute un peu ça... Hier, tout d'abord, je me lève tôt pour prendre mon avion pour Berlin à 7 heures. Je cours dans la salle de bains où je prends une douche en cinq minutes ! Je quitte la maison, à l'heure... Tout va bien. J'arrive à la station de taxi et là, il y a un monde fou ! Je décide alors de prendre le métro jusqu'à l'aéroport.

Zut, je n'ai plus de tickets de métro et il y a la queue pour en acheter. Après un long moment, j'ai mon carnet de tickets et je peux partir. Maintenant, je suis en retard… J'arrive à l'aéroport, nerveux, et je ne trouve pas mon billet d'avion dans mon sac… Ah ! si… Ouf ! Je passe les contrôles… « Vite, l'avion va partir », me dit l'hôtesse. Tu m'imagines dans l'avion : fatigué, énervé… Heureusement, on me propose tout de suite une bonne coupe de champagne, que je ne refuse pas…

Piste 29

Activité 7, page 120, a

1. Pierre dort encore, il déteste se lever tôt le matin !
2. Vous pouvez vous asseoir là, si vous voulez attendre madame Richard. Elle va arriver.
3. Tu veux te laver maintenant ou après le petit-déjeuner ?
4. Moi, je préfère me coucher tôt pour être en forme demain matin.

Piste 30

Activité 12, page 122

Salut Fabio, c'est Aiko. Tu sais quoi ? Je vais aller en Belgique, moi aussi ! Figure-toi que j'ai gagné un séjour pour deux à Bruxelles. Un jeu tout bête sur internet : j'ai juste répondu à une question, toute bête aussi, j'ai donné mon numéro de téléphone et voilà !
À moi la Grand Place, la rue des Bouchers… avec ma copine Soline ! C'est trop drôle, j'ai reçu ton message de Belgique mardi, et vendredi, les organisateurs du jeu m'ont téléphoné pour m'annoncer la bonne nouvelle ! Et oui, j'ai gagné ! Bon, je suis assez chanceuse, c'est vrai… et aussi, tellement contente ! Bisous, à bientôt Fabio !

Piste 31

Activité 15, page 123

MARIA. — Allô, Jean ? Salut, c'est Maria !
JEAN. — Ah ! Salut Maria, ça va ?
MARIA. — Oui, mais excuse moi, je n'ai pas encore eu le temps de vous appeler pour vous inviter à dîner samedi prochain. Je travaille tellement ! J'oublie tout…
JEAN. — Ah ! bon ? Beaucoup de travail ?
MARIA. — Oui, tu sais, le livre de Christian Dubois doit sortir en février, alors, on court, on court… on court beaucoup pour ne pas être en retard.
JEAN. — Ah bah, c'est bien, tu ne t'ennuies pas !
MARIA. — Oui, mais je travaille trop vite et parfois je pense que ce n'est pas très sérieux.
JEAN. — Mais si, ne t'inquiète pas… Alors… un dîner samedi, tu dis ?
MARIA. — Oui, j'espère que ce n'est pas trop tard…
JEAN. — Ah ! je ne sais pas trop parce que tu sais, c'est Sylvie qui a l'agenda de la famille…
MARIA. — Oh ! Mais ce n'est pas possible ! Je ne sais pas… C'est ma femme… Ah ! tu es bien un homme, hein ! Et nous, les femmes, on est trop gentilles !
JEAN. — Oh, oh… Tu as l'air un peu énervée, Maria, non ?
MARIA. — Énervée ? Moi qui suis si calme… Mais non ! Je suis juste un peu fatiguée, c'est tout. Bon alors je rappelle ce soir pour parler à Sylvie, c'est ça ?

Piste 32

Activité 22, page 124, a

1. Je n'en sais rien, regarde dans ma veste noire.
2. Moins de deux heures ! C'est rapide.
3. Oui, ils ont trouvé un appartement à Kensington.
4. Ah ! non, elle est chez Peugeot depuis janvier 2008.
5. Je ne sais pas, il est un peu fâché avec Marco…
6. On va venir mais pour le moment, on a trop de travail.
7. Je ne sais pas, vers 10 heures, je crois.

Piste 35

Activité C, page 125

1. Je reviens avec le pain et le vin. Bon appétit ! – **2.** Chez elle, c'est une petite reine. – **3.** Tais-toi, s'il te plaît ! – **4.** Mais qu'est-ce que tu as fait ? – **5.** Non, il n'est pas coréen, il est européen ! – **6.** Un peu de lait ? – **7.** Tu veux manger, tu as faim ? – **8.** Joana est argentine et Arturo est chilien.

UNITÉ 11 : OH ! JOLI !

Piste 36

Activité 7, page 130

1. C'est Murielle. Elle a les yeux verts et des petites lunettes. Elle est grande, mince et très jolie.
2. Francis est blond et porte une grande moustache. Il a l'air très drôle !
3. Sophia a les cheveux longs et frisés. Elle porte des lunettes et un petit chapeau noir.
4. Philippe est grand et mince. Il est brun et a de grands yeux bleus. Il a une petite barbe.
5. Il n'est pas blond, pas brun… Euh… oui, il est châtain avec des cheveux un peu longs. Il est petit et un peu gros. Et… il n'est plus très jeune.
6. C'est Colette. Elle est petite. Elle porte une jupe verte, un tee-shirt blanc et une veste noire.
7. Thomas a l'air très sympathique. Il est assez fort, il est brun et porte une barbe.
8. Elle est petite et a de longs cheveux, longs et raides. Elle porte une casquette noire.

Piste 37

Activité 10, page 131

Dialogue 1

— Ils sont jumeaux, tes frères ?
— Oui, du 14 avril 1986. Mais ils sont très différents.

Dialogue 2

— Oh ! C'est drôle, j'ai exactement le même pantalon que toi !
— Mais d'une autre couleur, non ?
— Non, non, pareil : rouge.

Dialogue 3

— Ma sœur est comme mon père : très têtue !
— Et toi, non ?
— Bah, je ne sais pas… je ne crois pas…
Je ressemble plus à ma mère.

Piste 38

Activité 15, page 132, a

1. — Ah ! non, je ne veux pas aller en Espagne en mai.
— Tu as tort, c'est un très beau pays !
2. — On appelle François pour dîner avec nous ?
— François ? ah ! oui, c'est une bonne idée.
3. — Est-ce que vous pouvez venir vendredi matin, à 10 heures ?
— 10 heures… vendredi… Oui, c'est parfait !
4. — Tu penses qu'avec le nouveau président, le pays va changer ?
— Bien sûr que non ! Rien ne va changer, au contraire !
5. — On travaille un peu ensemble demain soir ?
— Pas de problème ; viens chez moi, je suis seul à la maison le jeudi soir.
6. — On se lève tôt demain matin, il faut aller faire les courses.
— Bon, d'accord. Vers 9 heures ?
7. — Demain, on se lève à 6 heures et on part à 7 heures.
— Tu plaisantes ? 6 heures, c'est trop tôt ! On a le temps…
8. — Hier soir, on a dîné au *Rive Gauche*. Excellent restaurant !
— Absolument ! Très bonne cuisine, vins extra et service impeccable.

Piste 42

Activité C, page 135

1. Il est las. – **2.** Elle tente. – **3.** le plan. – **4.** la plaque. – **5.** Vous y pensez ? – **6.** il sable. – **7.** J'adore ce chant. – **8.** Tu vas où ?

Piste 43

Activité D, page 135

J'ai mal à une jambe. – Jean adore les animaux. – Mon cadeau ? Une belle lampe. – On va à Nantes ensemble ? – Je passe à la banque avant d'aller au cinéma.

Piste 44

Activité 25, page 137

a. — Moi, j'adore m'habiller à la mode.
— D'accord mais il faut pouvoir porter les vêtements tous les jours, pouvoir bouger avec ses vêtements, prendre le bus, aller au bureau…
b. — Moi, je m'en moque de la mode ! J'achète les vêtements qui me plaisent, c'est tout !
— Oui, je sais mais moi, tu sais, je n'ai pas honte de suivre la mode !
c. — Tu as aimé le défilé de mode à la télé hier soir ?
— Oh oui, j'aimerais tellement porter ces jolies robes…
d. — Pour moi, suivre la mode fait partie de ma vie.
— Pour moi, ce n'est pas du tout important. Je préfère regarder ce que les personnes font et pensent, pas comment elles s'habillent !
e. — Mais pourquoi tu suis toujours la mode ? C'est pour plaire aux hommes, c'est ça, hein ?
— Mais non, j'aime ça, c'est tout !

UNITÉ 12 : ET APRÈS ?

Piste 46

Activité 7, page 140

1. Mais qu'est-ce que tu fais, Étienne ?
2. Je ne sais pas encore mais je crois qu'on ira à la montagne, l'été prochain.
3. Ne vous inquiétez pas, vous allez retrouver votre clé.
4. Vous êtes allé chez Serge et Marie en août ?
5. On va au restaurant samedi soir ?
6. L'année prochaine, il va partir à Rennes pour étudier la chimie.
7. Vendredi prochain, si j'ai le temps, je ferai un arrêt à Lyon pour visiter la ville.
8. Tu viens avec nous dimanche ?

Piste 47

Activité 10, page 140

Info-Paris, il est 8 heures. Tout de suite, les titres de notre journal :
– Premier voyage officiel du ministre des Affaires étrangères aux États-Unis. Son avion décollera pour Washington ce matin à 10 heures.
– Discours télévisé du président de la République ce soir à 20 heures. Il parlera d'économie et expliquera les toutes nouvelles mesures sociales.
– Nous entendrons l'interview exclusive de Vanessa Paradis pour la sortie de son nouvel album : *Divinidylle*.
– Sport, et d'abord football : ce soir, l'Olympique de Lyon rencontrera le FC BArcelone en ligue des champions. Et en rugby, les joueurs français joueront ce soir contre l'équipe d'Irlande. Vous pourrez suivre ce match en direct sur France 3.

Piste 50

Activité C, page 145

1. Tu as un très beau manteau !
2. Elle a les yeux verts, une belle petite bouche et un petit menton pointu.
3. Quel idiot, ce type !
4. Les clés doivent être sur le bureau.
5. Tu préfères la viande ou le poisson ?
6. Tu connais le château d'Azay-le-Rideau ?
7. Tu l'as acheté ce pantalon marron ?
8. Bon, c'est l'heure, partons !

Index des contenus

U = unité A = activité